PIJNLIJK VERLEDEN

Ria van der Ven-Rijken

Pijnlijk verleden

VCL serie

ISBN 978 90 5977 266 3
NUR 344

© 2008 VCL-serie, Kampen
Omslagillustratie: Jack Staller
Omslagbelettering: Van Soelen, Zwaag

www.vclserie.nl
ISSN 0923-134X

1

Met een kleur van opwinding liet Brenda Landman haar laatste gasten uit.

'Bedankt voor uw belangstelling', zei ze met een glimlach, en ze deed de deur pas dicht toen de gasten uit het zicht waren verdwenen. Ze streek daarna met een zakdoek langs haar verhitte voorhoofd, waarop zich kleine transpiratiedruppeltjes hadden gevormd. Vervolgens liep ze snel terug naar de wachtkamer, waar haar collega's met wie ze vanaf vandaag een maatschap vormde, bij elkaar stonden te praten over de open dag die zojuist was afgelopen.

'Wat een drukte vandaag!', hoorde ze Lieneke opgetogen zeggen.

Bas, haar man, legde zijn arm om haar schouders en beaamde die uitspraak.

Bas en Lieneke de Ridder zouden na dit weekend samen de huisartsenpost vijf dagen per week fulltime gaan bemannen. Joost van Empel had als fysiotherapeut de grootste ruimte tot zijn beschikking gekregen, omdat hij met allerlei toestellen moest werken. Psychologe Martine Bakker en maatschappelijk werkster Brenda Landman hadden elk de beschikking over een kleinere spreekkamer om hun werk te kunnen doen. Op de voorgevel van het nieuwe gebouw was gisteren een bord bevestigd met de naam 'Medisch Centrum Het Klaverblad' erop. Voor de aanvang van de open dag hadden ze er gezamenlijk vol bewondering naar gekeken.

Brenda voelde diep van binnen gepaste trots in zich opwellen toen ze opnieuw besefte dat ze het ontzettend getroffen had met haar collega's, met wie ze vanaf maandag in deze maatschap nauw zou gaan samenwerken.

'Zullen we samen nog een toast uitbrengen op onze nieuwe start?', stelde Joost voor, terwijl hij meteen vijf champagneglazen met bruisend vocht vulde.

Ze tikten hun glazen zachtjes tegen elkaar en lachten allemaal opgelucht, omdat ze de open dag als heel plezierig hadden ervaren.

'Op een succesvolle toekomst!', zei Joost.

Ze nipten alle vijf van hun glas.

Brenda zette haar glas daarna meteen weg. 'Sorry, collega's, een slokje kan beslist geen kwaad, maar de rest laat ik liever staan. Ik moet nog een halfuurtje rijden.'

Na nog wat gepraat over en weer bekeken ze gezamenlijk alle bloemstukken die in de loop van de open dag waren afgeleverd. Diverse huisartsen uit de nabije omgeving en ook plaatselijke medische ondernemingen hadden zich niet onbetuigd gelaten. Hun felicitaties voelden aan als een warme douche.

'We verdelen de stukjes eerlijk over alle spreekkamers,' vond Brenda, en ze hielp de anderen een plekje te zoeken voor de veelkleurige bloemenpracht. Ook in de algemene wachtruimte plaatste ze twee planten. Haar eigen spreekkamer werd behalve door enkele bloemstukken ook opgesierd door een kleurplaat die op een prikbord aan de muur prijkte. Een kleurplaat van Robert, haar oudste zoontje van acht. Haar jongste kinderen, de tweeling Benny en Laura van vier, hadden met vingerverf hun best gedaan en allerlei getekende vormen met felle kleuren beschilderd. Dat kunstwerk hing naast Roberts kleurplaat.

Haar man, Arno, was vanmorgen bij de opening aanwezig geweest met hun kroost, net als familieleden, vrienden en vriendinnen van haar collega's.

Haar pleegouders waren ook gekomen, samen met Eline, haar pleegzus en beste vriendin. De andere pleegkinderen, Kathy en Jeffry, hadden een grote plant laten bezorgen, omdat ze door hun werk verhinderd waren te komen.

Brenda's ogen gleden door haar spreekkamer. Maandagmorgen zou ze hier haar eerste cliënten ontvangen. Ze had al vier afspraken staan. De computer met de nog lege dossiers zou binnen niet al te lange tijd volgepropt worden met allerlei gegevens. Ze had zin in het werk dat haar nieuwe betrekking met zich mee zou brengen. Eindelijk was het haar dan gelukt: ze was voor zichzelf begonnen na jaren in dienst te zijn geweest van een ziekenhuis.

Voordat ze de deur van de spreekkamer achter zich dicht wilde trekken, bleef ze nog even staan kijken naar de gezinsfoto aan de wand, waarop ze samen met Arno en de kinderen stond afgebeeld. Ze hadden tijdens de bouw van 'Het Klaverblad' zo enorm met haar meegeleefd dat het haar enkele momenten diep ontroerde. Het waren echte kanjers, Arno en de kinderen. Wat dat betrof, was ze een buitengewoon gelukkig en bevoorrecht mens. En dat geluk zou ze zich nooit meer af laten nemen. Door niemand.

Arno stond in de keuken te koken toen ze thuiskwam. Hij glimlachte met een blik van bewondering in zijn ogen, terwijl Benny en Laura meteen op haar afstoven, zodat ze geen woord met elkaar konden wisselen.

'Mama, heb je mijn verftekening al opgehangen in je kantoor?', vroeg Benny. Hij hield zijn hoofdje met donkerblond haar scheef. Zijn blauwe kijkers keken haar vol verwachting aan.

'Het is ook mijn verftekening, hoor!', gilde Laura. Haar helblonde haren waren bijeengebonden in een staartje. 'Die hadden we toch samen voor mama gemaakt?'

Benny gaf Laura een ferme duw, waardoor zijn tweelingzusje op haar beentjes wankelde. Brenda greep Benny's arm even stevig vast en waarschuwde hem ernstig dat hij moest opletten.

'Straks doe je Laura nog pijn, en dat wil je niet, hè, Benny?'

Benny keek beteuterd. Hij was een echte wildebras, hield van stoeien en kende vaak zijn eigen kracht niet. Maar hij was dol op zijn tweelingzusje. Ze waren onafscheidelijk. Brenda en Arno hadden dagelijks allebei hun handen vol aan Benny. Nu gaf hij Laura snel een kusje op haar hoofd om het goed te maken en grijnsde daarna naar Brenda. Ze knikte hem goedkeurend toe.

'Jullie verftekening en Roberts kleurplaat zijn de mooiste cadeautjes die ik vandaag heb gekregen.' Brenda aaide de twee over hun hoofdjes. 'Joost heeft ze voor me op het prikbord aan de muur gehangen. Iedereen die binnenkomt, ziet ze meteen.'

'Joepie. We worden beroemd, Laura.' Benny stoof weg naar de speelruimte die in een hoek van de kamer was ingericht, en waar blokken, auto's en poppen als een rommelig boeltje door elkaar heen lagen.

Laura volgde haar broertje op de voet.

'Ja, jongens, ruimen jullie eerst maar eens op. We gaan over tien minuten eten', riep Arno het tweetal na.

'Waar is Robert?', informeerde Brenda, terwijl ze om zich heen keek. Ze miste haar oudste meteen.

'Robert is met je ouders mee. Ze brengen hem vanavond tegen achten weer thuis. Dan drinken ze hier koffie mee. Ze zijn natuurlijk ook benieuwd naar het verloop van de open dag.' Arno deed zijn schort af en trok haar in zijn armen.

'Het was een geweldige opening, liefje', fluisterde hij in haar oor. 'Je wordt warempel een echt carrièrevrouwtje. Ik ben vreselijk trots op je! Hoe is de open dag verder verlopen? Zijn je collega's en jij tevreden met de opkomst?'

Brenda sloeg haar armen om hem heen en kneep haar ogen dicht. 'De drukte en de belangstelling van de bezoekers was boven verwachting. En dat heb ik allemaal aan jou te danken, Arno. Jij gelooft in mij. Jij hebt me hiertoe gestimuleerd. Een man als jij moet nog geboren worden.' Ze kuste hem op zijn wang en knipperde daarna een paar tranen van ontroering weg.

'Dat verdien je, meisje', mompelde Arno na haar kus te hebben beantwoord.

Op het aanrecht begon een kookwekker te rinkelen.

Arno liet Brenda los, liep naar de oven en nam er een dampende schotel uit. Meteen daarna maakte hij aanstalten om de tafel te dekken.

'Ik ga nog even snel iets anders aantrekken.' Brenda liep de trap op naar boven. Ze wilde haar nette kleding liever niet dragen tijdens de maaltijd. Benny en Laura konden soms vreselijk knoeien met hun eten. En het gebeurde vaak dat ze daardoor zelf ook niet helemaal schoon bleef. In de kledingkast zocht ze naar haar favoriete spijkerbroek, en ze trok er een dun truitje met lange mouwen op aan. Klaar! Ze zag er met haar tweeëndertig jaar nog altijd uit als een jonge vrouw van vijfentwintig. Hetzelfde helblonde haar als Laura tot op haar schouders, lichtblauwe ogen, een goedgevormde mond, spierwitte tanden. Arno was twaalf jaar geleden meteen verliefd op haar geworden, herinnerde ze zich met een glimlach.

Brenda's gedachten gleden terug in de tijd, naar de periode dat ze nog studeerde en thuis bij haar pleegouders woonde. Ada en Wim Vesters, met hun kinderen Eline, Kathy en Jeffry, die al vanaf haar vierde jaar broer en zussen van haar waren. Ze hadden Arno warm onthaald. Met Eline, het oudste pleegzusje, had Brenda vanaf het begin een speciale vriendschapsband gekregen. Eline had haar altijd in bescherming genomen en zich net als paps en moeke om haar bekommerd. Ze herinnerde zich de dag nog dat ze in het warme gezin van de familie Vesters was gekomen. Daar was rust geweest en veiligheid. Vooral veiligheid. Die had ze nodig gehad. Daarom had de Kinderbescherming haar ook naar de Vesters gestuurd. Ze was er vanaf het begin een geliefd kind, zonder enig onderscheid met de eigen kinderen. Voordat ze bij haar pleegouders was komen wonen, had haar leventje er absoluut niet veilig uitgezien. Als ze het zich opnieuw wilde herinneren, kwamen de beelden weer naar boven, en ook het afgrijselijke geschreeuw. Maar Brenda wilde zich liever niets meer herinneren. Op het moment dat ze bij paps en moeke over de drempel was gestapt, had ze de deur naar het verleden achter zich dichtgeslagen. Het was de enige manier geweest om te overleven en verder te gaan. Alleen op haar beide armen was nog te zien dat het echt niet alleen een boze droom was geweest.

Brenda streek zachtjes over de mouw van haar truitje en zag niets. De mouwen bedekten alle pijnlijke herinneringen. Een oplossing die ze zelf al op jonge leeftijd had bedacht. Geen truitjes, bloesjes of shirtjes met korte mouwen. Ze kocht alles altijd met een lange mouw. Haar armen waren zomer en winter volledig bedekt. Er mochten geen herinneringen wakker worden gemaakt. Dat stond ze zichzelf niet toe. En dat kon alleen maar als ze haar armen negeerde.

De tijd vóór haar vierde levensjaar had ze, voor zover dat kon, voorgoed uit haar geheugen gebannen. Nadat ze bij de familie Vesters was komen wonen, was ze uiteindelijk opgegroeid tot een gelukkige, zelfbewuste jonge vrouw. Op eenentwintigjarige leeftijd kreeg ze na haar studie een baan aangeboden in het streekziekenhuis. Ze stond al snel bekend als een van de betere maatschappelijk werksters uit de omgeving. Ze had feeling voor het werk en vond het heerlijk orde en structuur in de levens van haar cliënten aan te brengen. Arno had er een jaar geleden bij haar op aangedrongen een eigen praktijk te beginnen. In de krant had een advertentie gestaan waarin plannen voor een nieuwe maatschap stonden beschreven. Haar collega's zochten nog naar een maatschappelijk werker. Ze had meteen gereageerd, en vier weken later was de kogel door de kerk en had ze zich officieel bij de anderen gevoegd. Ze kon haar geluk niet op: een eigen praktijk.

Beneden hoorde ze de stem van Arno roepen. 'We kunnen aan tafel, Brenda. Ben je al zo ver?'

Brenda glimlachte. 'Ik kom zo', riep ze terug. Ze deed nog vlug een halsketting en een armband om. Daarna liep ze met snelle tred de trap af.

Arno en de kinderen zaten al aan tafel op haar te wachten. Benny en Laura vouwden meteen ongeduldig hun kleine knuistjes en knepen hun oogjes dicht. 'Mama moet bidden', beval Benny. 'Papa heeft het vanmiddag al gedaan.'

Brenda schoof aan en vouwde haar handen. In een dergelijk gezin was ze zelf ook opgevoed. Bij paps en moeke. Een warm gezin, waar mensen van elkaar hielden. Haar blik viel, voordat ze haar ogen dichtdeed, op een tegeltje aan de muur met een bekende spreuk erop: 'Waar liefde woont, gebiedt de Heer Zijn zegen.' Het was een huwelijkscadeau geweest van haar pleegouders. En wat erop stond, was waar. Ze was ooit op een plaats geweest waar geen liefde woonde. Een onveilige, koude plek. Er was geen zegen van uitgegaan. De onvoorwaardelijke liefde die aanwezig was in het gezin Vesters, had het jonge leven van Brenda van Zelst voorgoed veranderd. Ze zou het nooit vergeten. Eerbiedig vroeg ze om zegen.

Op haar eerste werkdag was Brenda een beetje nerveus. Nadat ze de kinderen naar school had gebracht, reed ze meteen door naar 'Het Klaverblad'. Het was een halfuurtje rijden vanuit haar woonplaats Andel, in het Brabantse land van Heusden en Altena. Een paar straten van hen vandaan woonden de Vesters. Paps en moeke hadden aangeboden de kinderen dagelijks na schooltijd een halfuurtje op te vangen. Daarna zou Brenda het weer van hen overnemen. Ze wilde elke dag van negen tot drie uur werken en kon dan net niet op tijd thuis zijn om de kinderen uit school op te vangen. Arno maakte langere dagen. Hij werkte als IT'er bij een informaticabedrijf.

Toen Brenda 'Het Klaverblad' binnenstapte, was Bas al bezig met zijn spreekuur. Lieneke en hij begonnen hun werkdag elke ochtend om acht uur, net als Joost. Martine kwam voorlopig alleen de middagen. 's Morgens werkte ze nog enkele uurtjes in een ziekenhuis, totdat ze daar haar functie kon overdragen aan een nieuwe collega. De sollicitatieprocedure was nog in volle gang, wist Brenda. Martine verwachtte pas na het nieuwe jaar fulltime bij 'Het Klaverblad' werkzaam te kunnen zijn. Dat was over drie maanden.

Brenda opende de deur van haar spreekkamer. Alles rook nog nieuw. Ze keek wat onwennig om zich heen naar haar bureau, de kast, de nieuwe computer die Arno voor haar had geïnstalleerd, de mooie bloemstukken. Arno's bloemstuk stond op haar bureau, en dat van haar pleegouders op een tafeltje in een hoekje van haar kamer. Ze schrok op toen haar telefoon overging. Brenda haalde snel een agenda uit haar tas. Over een halfuurtje verwachtte ze haar eerste cliënt.

"Medisch Centrum Het Klaverblad'. U spreekt met mevrouw Landman. Goedemorgen', hoorde ze zichzelf zeggen. Ze had de afgelopen dagen vaak geoefend, maar de woorden klonken haar toch nog vreemd in de oren. Ze luisterde aandachtig naar de stem aan de andere kant van de lijn. Het was een huisarts uit een naburig plaatsje, die graag een afspraak wilde maken voor een van zijn patiënten. Brenda deed een voorstel en maakte snel een notitie. Het kon deze week nog. De huisarts wenste haar vervolgens veel succes in de nieuwe praktijk en verbrak de verbinding.

Brenda zette haar computer aan en begon meteen met de verwerking van de afspraakgegevens in het programma dat Arno speciaal voor haar had geïnstalleerd. Een overzichtelijk en eenvoudig programma, dat ze met een veiligheidscode kon afsluiten.

Haar eerste cliënt ontving ze precies op de afgesproken tijd. Onder het genot van een kopje koffie luisterde ze aandachtig naar de maatschappelijke problemen die de vrouw haar toevertrouwde. Een aan alcohol verslaafde echtgenoot die al jaren werkloos was en aan depressiviteit leed. Het gezin leed er enorm onder. De vrouw was aan het eind van haar Latijn en kon de situatie nog nauwelijks het hoofd bieden.

Brenda zag enkele mogelijkheden en besprak deze met haar cliënt.

Voordat ze het wist, was ze vier afspraken verder en brak de lunchtijd aan. Ze hadden in de maatschap met elkaar afgesproken tussen de middag gezamenlijk in de speciale vergaderruimte te lunchen, om elkaar zo wat beter te leren kennen. Ze hadden allemaal een andere achtergrond, een ander werkverleden, en vanaf vandaag zouden ze bij 'Het Klaverblad' beroepshalve sterk op elkaar zijn aangewezen.

11

Joost en het doktersechtpaar zaten er al. Martine kwam het laatste kwartier binnenvallen met de woorden: 'Wat een gezellige boel, zeg!' Ze schoof meteen aan en nam deel aan de gesprekken.

Na werktijd reed Brenda met een tevreden gevoel naar huis. Ze had vandaag veel werk verzet. Met haar jarenlange ervaring en kennis had ze al enkele cliënten een eindje op weg kunnen helpen. Ze hoopte bij een volgend consult op kleine verbeteringen in bepaalde situaties.

Toen ze 's middags bij thuiskomst haar moeder in de woonkamer aantrof, omhelsde ze haar een moment. 'Bedankt, moeke, dat paps en u me vroeger altijd hebben gemotiveerd om voor dit mooie beroep te studeren. Ik heb een prachtbaan.'

Moeke Vesters wuifde het complimentje luchtig weg: 'Dat hebben we met al onze kinderen gedaan, Brenda. En daar hoorde jij ook bij.'

Dat klopte. Alle eigen kinderen hadden een prachtig beroep gekozen. Eline stond voor de klas in Leerdam, Kathy had een eigen modewinkel in Dordrecht, en Jeffry werkte als afdelingshoofd op de interne afdeling van een ziekenhuis in Rotterdam.

Ze liet moeke weer los en voelde zich helemaal het kind van haar pleegouders, die voor honderd procent de plaats van haar eigen ouders hadden ingenomen. Robert, Benny en Laura kwamen de keuken binnen en verbraken met hun luidruchtige gepraat de intense sfeer van genegenheid die een moment zo voelbaar aanwezig was tussen moeder en dochter.

2

De wekker liep af. Marleen van Zelst opende traag haar ogen, keek naar de cijfers op de klok en geeuwde. Negen uur. Ze herinnerde zich weer dat het de tijd was die ze vannacht had ingesteld. Ze was twee weken geleden ontslagen en had niet langer een reden om vroeg op te staan. Negen uur was een mooie tijd om de dag te beginnen, vond ze. Hoewel, ze had op dit moment nog geen zin om onder het warme dekbed uit te komen. Marleen drukte op de knop, zodat het indringende zoemgeluid zweeg, en draaide zich op haar andere zij. Nog een kwartiertje, nam ze zich voor. Het was vannacht erg laat geworden. Die spannende film had ze per se af willen kijken. Na tweeën was ze pas in bed gestapt. Wat maakte het ook uit? Ze hoefde voor niemand op te staan. Elke dag was momenteel een lange, eenzame dag. Ze draaide opnieuw. Verder slapen lukte niet meer. Ze was ineens klaarwakker.

Een halfuurtje later stond ze onder de douche. Toen ze zich aangekleed had, pakte ze de krant van de deurmat. Buiten zag het er somber uit. Grijs herfstweer met af en toe lichte motregen, die de daken deed glimmen. Haar woning had ze vorige week al schoongemaakt en opgeruimd. Die kon er weer een poosje tegen. Daar hoefde ze vandaag niets aan te doen.

Dat ze momenteel geen werk had, stak haar. Ze was alle regelmaat in één keer kwijtgeraakt toen de firma Hendriks, waar ze de laatste twee jaar als telefoniste in dienst was geweest, failliet ging en alle werknemers de laan uit stuurde. Ze had zich laten inschrijven bij het Centrum voor Werk en Inkomen, maar passende functies bij andere bedrijven in de omgeving lagen niet voor het oprapen.

Marleen ging aan tafel zitten en sloeg de krant open. Ze bladerde snel door naar de pagina met personeelsadvertenties. Ze zuchtte diep. Teleurgesteld vouwde ze de krant weer in elkaar. Er stond geen enkele advertentie in die de hoop op een andere betrekking deed opleven. Ze had niet gedacht dat het zo moeilijk zou zijn een gepaste baan te vinden.

In de keuken zette ze een potje koffie voor zichzelf en dacht koortsachtig na over de komende dag. Ze moest nog wel wat boodschappen in huis halen. Misschien kon ze dat in het centrum van Rotterdam doen. Dan had ze meteen de gelegenheid om langs enkele boetiekjes te lopen en de komende herfst- en winterkleding in de etalages te bewonderen. Ze hield erg van mooie kleding. Maar financieel kon ze zich voorlopig niet al te veel veroorloven, nu ze van een uitkering moest rondkomen. Van Sander Evers, haar ex-man, hoefde ze ook niets te verwachten. Ze wist niet eens waar hij nu woonde en wat voor werk hij deed.

Ze had Sander vijf jaar geleden leren kennen toen ze bij haar moeder op bezoek kwam. Hij was de toenmalige nieuwe buurman, die in het appartement naast dat van haar moeder was komen wonen. Een knappe, donkere man met brede schouders en een grote tatoeage op beide armen. Vanaf dat moment had ze haar moeder vaker opgezocht, en altijd was Sander van de partij. Hij wilde haar moeder, die een groot alcoholprobleem had, een beetje in de gaten houden, nu Marleens vader er niet meer was om dat te doen, zei hij. Marleen had er niet meteen bij stilgestaan, maar wanneer ze Sander bij haar moeder aantrof, had hij altijd een alcoholisch drankje voor zijn neus staan. Dat besefte ze pas veel later, toen het te laat was. Moeder was weg van haar nieuwe buurman, en Marleen was vanaf de eerste dag zo verliefd op hem geworden dat ze een halfjaar later met elkaar waren getrouwd.

Haar huwelijksgeluk had echter niet lang geduurd. Nadat hij vanuit zijn appartement naar haar huidige woning was verhuisd, begonnen de problemen al meteen. De kratten bier en flessen sterke drank namen een groot deel van haar kastruimte in beslag, en wat ze nooit achter Sander had gezocht, gebeurde. Hij keek niet alleen dagelijks te diep in het glas, net als haar moeder, maar hij kon tijdens de momenten van dronkenschap ook zijn handen niet thuis houden. Toen hij haar voor het eerst een klap gaf, besefte ze meteen dat ze met eenzelfde soort man als haar vader getrouwd was. Als vader dronken was, moest je maken dat je wegkwam. Gelukkig had vader haar nooit met een vinger aangeraakt, maar moeder moest het wel vaak ontgelden. Net zoals zij bij Sander.

Ze had een nare kindertijd en jeugd achter de rug en was regelmatig voor langere perioden uit huis geplaatst en in een pleeggezin terechtgekomen. Maar ze mocht van de Kinderbescherming altijd weer thuis gaan wonen, in de hoop op beterschap. Dat was ijdele hoop geweest. Haar beide ouders waren al ver voor haar geboorte aan alcohol verslaafd geweest en hadden daar altijd iedere cent van vaders salaris aan uitgegeven. Vader was ruim tien jaar geleden overleden aan de gevolgen van die afschuwelijke verslaving. Zijn lever had het begeven door alcoholvergiftiging, luidde de trieste mededeling van de arts nadat vader 's morgens niet meer wakker was geworden. De arts had het al lang van tevoren aan zien komen. Voor Marleen kwam vaders dood als een verrassing. Ze was net enkele dagen tevoren achttien jaar geworden. Nu begreep ze alles veel beter. Vader had zich gewoon doodgedronken. Het risico van elke notoire alcoholist. Met zijn dood was er enigszins rust in huis gekomen. Het geweld had hun huis verlaten. Dat voelde vanaf het begin als een enorme opluchting, hoewel moeder haar eigen drankmisbruik zonder blikken of blozen doorzette. Marleen was daar erg teleurgesteld over geweest. Ze had gehoopt dat moeder met deze nare gewoonte zou breken, nu vader er niet meer was. Maar dat gebeurde niet. Zes weken na zijn dood was Marleen dan ook zelfstandig gaan wonen. Ze had er schoon genoeg van elke dag met de alcoholproblemen van haar moeder te worden geconfronteerd. Ze kreeg een leuke woning toegewezen door de woningstichting, waar ze dankbaar gebruik van maakte.

Na enkele jaren ontmoette ze Sander en maakte ze de grootste fout in haar leven tot nu toe. Na anderhalf jaar huwelijk met Sander raakte Marleen zwanger van hun eerste kindje. Dat gaf nieuwe moed en hoop op een betere toekomst. Ze was gelukkig met het feit dat ze moeder zou worden en hoopte op een positieve verandering in het leven van Sander. Hij was, net als zij, erg blij met haar zwangerschap. Hij ging er groots op vader te worden en greep de eerste maanden minder snel naar de drank. Maar toen ze zeven maanden zwanger was, kwam Sander na werktijd niet opdagen. 's Avonds laat stond hij ineens stomdronken voor haar neus. Hij reageerde zijn agressie op haar af, waardoor ze met haar buik tegen een tafel viel en enkele uren later in het ziekenhuis beviel van een dood kindje, een meisje. Marleens wereld stortte in. Sanders geweld was er de oorzaak van dat haar kleine meisje niet meer leefde. Sander betuigde haar wel zijn spijt toen hij de volgende dag wakker werd uit zijn roes, maar voor Marleen maakte dat geen verschil meer. Ze wist één ding heel zeker:

ze wilde zo snel mogelijk van deze man scheiden, om niet hetzelfde leven te hoeven leiden als haar ouders hadden geleid. Na de echtscheiding verdween Sander voorgoed uit haar leven. Marleen vond een leuke baan bij de firma Hendriks om in haar onderhoud te kunnen voorzien. Ze had daar tot aan haar ontslag, twee weken geleden, met plezier gewerkt. En nu was ze op zoek naar iets anders.

Marleen schonk zich een tweede kopje koffie in en maakte daarna aanstalten om met de metro naar het centrum van Rotterdam te gaan. Toen ze haar jas aantrok en de buitendeur wilde openen, rinkelde haar telefoon. Het uitzendbureau, waar ze zich twee weken geleden ook had gemeld, had een tijdelijke passende betrekking voor haar gevonden. Of ze vandaag even tijd had voor een sollicitatiegesprek. Marleen wijzigde onmiddellijk al haar plannen, deed nog snel een stijlvol pakje aan en vertrok op aanwijzing van het uitzendbureau naar de afdeling Personeelszaken van het plaatselijke ziekenhuis.

Marleen had zich sinds weken niet zo gelukkig gevoeld. Nog dezelfde dag kreeg ze te horen dat ze als telefoniste op de polikliniek van het ziekenhuis kon beginnen. Een mevrouw van de afdeling Personeelszaken bood haar een contract voor zes maanden aan, dat via het uitzendbureau zou lopen. Ze moest zich morgenvroeg om acht uur bij de polikliniek melden. Dan kon ze meteen beginnen. Om het te vieren trakteerde ze zichzelf 's avonds op iets lekkers bij de koffie. Daarna raapte ze al haar moed bij elkaar om haar moeder op te bellen en haar dit nieuwtje te vertellen.

Met een bonzend hart hoorde Marleen de telefoon overgaan. Moeder was vaak op de vreemdste momenten van de dag dronken. Marleen hoopte dat ze deze keer nuchter genoeg was om het nieuwtje aan te horen en het ook te onthouden. Moeder vergat de laatste maanden zo veel. Het leek er soms op dat er iets niet in orde was met haar geheugen. De telefoon ging langdurig over zonder dat er opgenomen werd. Marleen probeerde het een kwartiertje later nog eens. Toen ze moeder met een dubbele tong allerlei onsamenhangende woorden hoorde uitkramen, wist ze genoeg. Een gevoel van teleurstelling ging door haar heen. Wat een domper op de pret. Moeder was in haar dronken bui niet eens in staat wat voor nieuwtje dan ook op te pikken. Dit had geen zin.

Ze hoorde moeders gesnuif en haar poging om iets zinnigs te zeggen. Ze kreeg het echter niet voor elkaar. Marleen kon er geen touw aan vastknopen.

'Ik ben het, mam, Marleen. Leg de telefoon maar neer. Ik kom wel even naar u toe.' Marleen verbrak de verbinding met een diepe, zorgelijke zucht.

Ze voelde de weerzin groeien toen ze een kwartiertje later de voordeur van moeders appartement opende. Binnen rook het bedompt. De bekende alcohollucht hing in elke kamer van het appartement. Op het aanrecht in de keuken zag Marleen vijf lege sherryflessen staan, evenzoveel lege wijnflessen en drie aangebroken jeneverflessen met nog kleine restanten erin. Een vuile vaat van dagen stond her en der door de keuken verspreid. Er lag gemorst voedsel op de grond, en de koelkast was leeg. Moeder had niets meer in huis. Marleen walgde ervan. Hoewel ze ermee opgegroeid was, wende het nooit. In dat opzicht voelde ze zich opgelucht vanwege haar echtscheiding. Met Sander had ze eenzelfde soort leven gekregen als dat van haar ouders, met dat ene verschil dat ze zelf geen druppel alcohol dronk. Het verdriet om haar doodgeboren baby was er echter niet minder om, al besefte ze dat haar kindje ook veel ellende bespaard was gebleven. Met lood in haar schoenen liep ze naar de huiskamer, waar moeder dronken op de bank lag te snurken. Marleen schrok van de troep. Ze telde om zich heen kijkend nog eens vijftien lege sherryflessen en enkele omgevallen glazen die op de salontafel lagen. De inhoud van een geopende zak chips lag verspreid over de grond. Op moeders trui zag ze resten van braaksel.

'Mam ...' Marleen duwde dwingend tegen de schouder van haar moeder. 'Mam, word eens wakker.'

Moeder draaide zich snurkend om.

Marleen zag dat ze de telefoon nog in haar hand hield. 'Toe, mama ... ik ben er, Marleen! Hoort u me?'

Maar wat ze ook probeerde, moeder reageerde nauwelijks. Een angstig voorgevoel bekroop haar. Zou het met moeder ook al zo ver zijn als toen met vader? Zou haar lever ook op het punt staan het te begeven? Al die lege flessen had ze drie dagen geleden, toen ze hier voor het laatst op bezoek was, niet gezien. En gistermorgen had moeder nog hulp gehad van de thuiszorg. Emma de Boer kwam twee keer per week om orde op zaken te stellen en wat schoon te maken. Marleen had van Emma geen zorgelijk telefoontje gekregen. Emma zou het haar zeker hebben laten weten als er iets niet in orde was geweest.

Marleen nam de telefoon uit moeders hand en drukte meteen het nummer van de huisartsenpost in. Dat nummer kende ze uit haar hoofd. Het was niet de eerste keer dat ze telefonisch om hulp vroeg. Ze durfde haar moeder nu niet alleen te laten. Ze had dringend medische hulp nodig nu ze niet wakker te krijgen was.

'Er komt zo snel mogelijk een dokter naar mevrouw Van Zelst', beloofde de verpleegkundige die ze aan de lijn had. Marleen zuchtte opgelucht en begon snel de rommel op te ruimen. Ze schaamde zich voor de chaos. Ze herinnerde zich nog goed dat ze zich als kind vaak geschaamd had voor haar ouders. Ze was op school altijd het mikpunt geweest van roddel en praatjes. Ze stond bekend als kind van asociale ouders. Zuiplappen waren het. Zo werd er over haar ouders gesproken. En zij was het kind van die zuiplappen. Met haar mocht je niet omgaan. De ouders van haar klasgenootjes hadden hun kinderen gewaarschuwd voor vriendschap met haar. Daarom had ze tijdens haar schooltijd ook geen vriendinnen gehad. Nee, ze wilde niet dat de dokter zo meteen zag in wat voor erbarmelijke omstandigheden ze haar moeder vanavond gevonden had.

Marleen zette een raam open, zodat de frisse regenlucht door de kamer kon waaien. De gordijnen bewogen zachtjes met het windje mee. Nadat alle lege flessen in de keuken waren gezet, trok ze de keukendeur achter zich dicht. Alle voedselresten en chips veegde ze op met veger en blik. Het gesnurk van haar moeder werd intussen dieper en zwaarder.

De blijdschap over haar nieuwe baan was weg. Toen ze een uur later de ziekenauto met moeder erin zag wegrijden, besefte ze dat het nooit anders was geweest. Ze had zelden de gelegenheid gehad om lang van iets te genieten.

Marleen verzamelde in de slaapkamer wat ondergoed, nachtkleding en toiletartikelen van haar moeder in een plastic tasje. Daarna deed ze het kamerraam dicht en sloot moeders appartement af. Ze sprong op haar fiets en trapte naar het ziekenhuis dat de arts van de huisartsenpost haar had opgegeven. Het was hetzelfde ziekenhuis waar ze vanmiddag een gesprek had gehad, en waar ze zich morgenvroeg om acht uur moest melden. Ze was spierwit weggetrokken toen ze besefte dat ze haar asociale afkomst altijd met zich mee zou dragen en dat ze er nooit helemaal los van zou komen. Haar aan alcohol verslaafde moeder werd momenteel opgenomen in hetzelfde ziekenhuis waar zij vanmiddag een nieuwe baan aangeboden had gekregen. Slechter had ze het niet kunnen treffen.

Bij de eerstehulppost hoorde ze van de dokter dat haar moeder in deze bewusteloze staat, die door de alcohol werd veroorzaakt, voorlopig opgenomen zou worden op de afdeling Interne geneeskunde. Ze schrok toen ze even later nog even bij haar moeder mocht gaan kijken. Haar gezicht zag er grauw uit, met diepe donkere kringen onder de ogen. Er stond een infuus naast het bed, met een zak vocht eraan. In een zo slechte conditie had Marleen haar niet eerder gezien. Moeder was vaak dronken, sprak meestal met dubbele tong en stond dan wat onvast op haar benen. Maar dit? Nee, dit had Marleen nog niet eerder meegemaakt.

Een verpleegkundige liep met Marleen mee. 'Weet u hoe ernstig het alcoholprobleem van uw moeder is, of heeft ze eenmalig veel te diep in het glaasje gekeken?', informeerde het jonge meisje in uniform. 'We wachten namelijk op meer informatie van de huisarts.'

Marleen slikte iets weg. Ze zou wel willen huilen van ellende. Waarom had ze een aan alcohol verslaafde moeder gekregen, in plaats van een aardige, lieve moeder die blij zou zijn met de tijdelijke baan die ze vanmiddag had gekregen? Waarom zag alles in haar leven er altijd zo somber en vreugdeloos uit? Waar had ze al die ellende toch aan verdiend?

'Nee, zuster, dit is helaas niet eenmalig. Mijn moeder is een notoire alcoholiste. Ik ken haar niet anders. Ik ben ermee opgegroeid.' Haar stem trilde van emotie.

'Dat spijt me voor u.'

'Mijn vader had hetzelfde probleem. Hij heeft zich tien jaar geleden doodgedronken. Toen ik mijn moeder vanavond bewusteloos op de bank aantrof, was ik even bang dat ... Nou ja ... ze leeft nog!' Het uitspreken van de woorden luchtte Marleen op.

De verpleegkundige knikte meelevend. 'Dat begrijp ik. Zodra uw moeder uit deze bewusteloze toestand ontwaakt, nemen we contact op met u. Verder wil de specialist enkele onderzoeken laten uitvoeren. Het ziet ernaar uit dat ze hier nog wel een week moet blijven.'

'Goed', antwoordde Marleen, en ze probeerde krampachtig te glimlachen. Ze overhandigde het plastic tasje met de persoonlijke spulletjes van haar moeder. 'Ik kom mijn moeder morgenavond weer opzoeken. Vertelt u haar dat maar wanneer ze bijkomt en naar mij vraagt.'

'Ik wens u veel sterkte.' De verpleegkundige glimlachte, knikte vriendelijk naar Marleen en liep weg met het plastic tasje in haar hand.

Marleen verliet het ziekenhuis en stapte weer op haar fiets. Ze reed langzaam naar huis. De regen viel druilerig neer. Haar jas, broek en haren waren kletsnat toen ze thuiskwam. Een gevoel van eenzaamheid overviel haar toen ze haar lege woning binnenstapte. Ze had niemand om mee te praten, niemand bij wie ze haar hart kon uitstorten. Een paar kennissen misschien, maar die waren niet echt geïnteresseerd in moeders alcoholverslaving. Ze moest niet vergeten Emma de Boer te bellen. Nu moeder niet in haar appartement was, hoefde die voorlopig niet te komen. Misschien moest ze morgen na werktijd ook de twee zussen van vader op de hoogte brengen van moeders ziekenhuisopname. Haar tantes. Het waren haar enige familieleden, maar ze hadden al jaren niets meer van zich laten horen. Ze rekende niet al te veel op hun medeleven.

Tja, en dan had ze ergens op deze wereld ook nog een zus. Ze wist er het fijne niet van, omdat vader noch moeder ooit graag over haar had gesproken. Het moest in ieder geval een onmogelijk kind zijn geweest, dat haar ouders vaak tot wanhoop had gedreven. Volgens moeder was Brenda's uithuisplaatsing gewoon noodzakelijk geweest.

Marleen kon zich niets meer herinneren uit die periode. Ze was nog maar een baby van negen maanden geweest toen Brenda uit huis werd gehaald door de Kinderbescherming. Ze had zelfs nog nooit een foto van haar gezien. Ze vroeg zich af hoe het haar vier jaar oudere zus verder was vergaan in het leven. Misschien was het meisje ook van pleeggezin naar pleeggezin gegaan. Of af en toe opgenomen in een kindertehuis, net als zij. Marleen hoopte het niet. De herinnering aan de kindertehuizen waar zij een tijdje had gewoond, bezorgde haar nog altijd kippenvel. Ze nam zich voor bij de twee tantes eens navraag te doen. Zij konden haar vast veel meer vertellen over Brenda. Van moeder hoefde ze geen informatie te verwachten. Moeder had het contact met haar oudste kind na de uithuisplaatsing definitief verbroken.

Hoe langer Marleen erover nadacht, des te vreemder kwam de situatie haar voor. Wat was er de oorzaak van dat haar vierjarige zus toentertijd voorgoed uit huis was geplaatst? Marleen kon er niets bij bedenken.

Ze wierp een blik op de klok en zag dat het al laat was. Ze schoof de gordijnen dicht en nam het besluit naar bed te gaan. Morgen moest ze al vroeg op. Ze hoopte maar dat ze de verpleegkundige en de arts die ze vanavond op de afdeling had gesproken, niet morgen beroepshalve tegen het lijf zou lopen. Ze zou zich vast vreselijk schamen. De angst dat straks al haar nieuwe collega's op de hoogte zouden zijn van haar aan alcohol verslaafde moeder, overviel haar. Ze herinnerde zich het gefluister op school nog. De kletspraatjes, de vijandige houding en de pesterijen. Het alcoholprobleem van haar ouders had niet alleen hun leven, maar ook dat van haar verwoest, en het zag er niet naar uit dat het in de toekomst beter zou worden.

Hoe machteloos en boos Marleen zich echter ook voelde, het besef dat vader en moeder haar ouders waren, kon ze niet loslaten. Dat ze van haar vader had gehouden en dat ze haar moeder niet aan haar lot kon overlaten, stond als een paal boven water. Dat zou waarschijnlijk niemand begrijpen, en dat verwachtte ze ook niet. Ze begreep het zelf vaak niet eens.

Een halfuurtje later kroop Marleen met een daverende hoofdpijn onder het dekbed. Het duurde lang voordat ze in slaap viel.

3

Na vier weken draaide Brenda's dagelijkse spreekuur op volle toeren. Huisartsen uit de streek maakten steeds vaker gebruik van de diensten die 'Het Klaverblad' te bieden had. Joost had intussen al een wachtlijst van twee weken. Martine was vanmiddag tijdens de lunch met de mededeling gekomen dat ze een nieuwe collega in het ziekenhuis verwelkomd had. Een pas afgestudeerde jongeman zou haar werk daar gaan voortzetten. Ze hoopte met ingang van december volledig beschikbaar te kunnen zijn bij 'Het Klaverblad', een volle maand eerder dan gepland. Bas en Lieneke waren overgelukkig geweest met die mededeling. De behoefte aan een fulltime psychologe was groot. Tijdens hun spreekuren hadden ze al enkele patiënten moeten doorsturen naar een ander adres. Dat waren vooral patiënten die door werk of andere omstandigheden alleen maar 's morgens een consult konden afspreken. Zolang Martine nog niet tijdens de ochtenden bij 'Het Klaverblad' beschikbaar was, bleef dit een probleem. Het was een groot gemis. Maar het zag er nu dan toch naar uit dat dit binnen enkele weken opgelost zou worden.

Vrijdagmiddag om halfdrie nam Brenda afscheid van haar laatste patiënt. Ze werkte nog enkele dossiers bij en zette vervolgens haar computer uit. Eindelijk, het weekend brak aan. Arno en zij zouden het morgen druk krijgen. Benny en Laura waren jarig. Ze hadden een kinderfeestje voor twaalf kindertjes van school georganiseerd. Benny had zes vriendjes uitgenodigd, en Laura zes vriendinnetjes. Dat beloofde een drukte van belang te worden, zeker met Benny, die altijd al erg nadrukkelijk aanwezig was. Met verjaardagen was hij meestal hyperactief. Het kind had altijd moeite met alle aandacht die hij kreeg. Hij wist er niet goed mee om te gaan. Heel even zag Brenda op tegen de dag van morgen. Na een drukke werkweek deed ze het tijdens de weekenden liever wat rustig aan. Maar dat kon nu niet. Ach, wat zat ze weer te tobben. Een verjaarspartijtje van de kinderen was ondanks alle drukte ook heel leuk. Ze herinnerde zich hun vierde verjaardag weer, vorig jaar, maar ook hun derde, tweede en eerste verjaardag. Het waren allemaal prachtige dagen geweest. Afgelopen week had ze de foto's nog eens bekeken, en die hadden vertederde gevoelens wakker gemaakt. De herinnering aan eerdere jaren probeerde Brenda vast te houden. Haar tweeling werd tenslotte al vijf jaar. Een kleine mijlpaal.

Ze wilde juist opstaan van haar bureaustoel, toen er zachtjes op de deur werd geklopt. Elines hoofd verscheen om het hoekje. Donkere krullen, bruine ogen en een lachende mond. 'Heb je geen cliënten meer, Brenda? Kom ik wel gelegen?' Brenda's mond viel open van verbazing. 'Eline! Meid, wat een verrassing. Kom erin.' Blijdschap overviel haar op dit moment. Eline stond zomaar onverwacht in haar spreekkamer. Brenda stond meteen op. Die Eline toch!

'Heel even dan. Wat een luxe, Brenda, je eigen praktijk. Wat heb je het toch goed getroffen!' Eline kwam binnen en keek vol bewondering rond. 'Tja, ik wil je graag een uurtje meenemen naar de stad voor een kop koffie met iets lekkers erbij.' Ze liep naar Brenda, die vanachter haar bureau vandaan kwam.

Ze omhelsden elkaar een moment en keken daarna in elkaars lachende ogen.

'O Eline, wat fijn je te zien. Je hebt gelijk, we moeten nodig weer eens afspreken om samen iets leuks te gaan doen.'

'Ja, we gaan nu meteen. Of kun je nog niet weg?'

Brenda keek op haar horloge en beet bedenkelijk op haar lip. 'Het is kwart over drie. Ik ben klaar met werken, maar ik moet nu wel naar huis, Eline. Het spijt me. Moeke weet anders niet waar ik blijf. De kinderen zijn al vanaf twaalf uur vanmiddag bij hen. Je weet het, hè. Vrijdagmiddag zijn de kindertjes van de onderbouw vrij. Paps en moeke worden vast nog gek van de drukte. Robert is de rustigste van allemaal, maar de tweeling heeft zo veel energie.'

'Welnee, ik heb hen al gebeld. Alles loopt thuis op rolletjes. Ze weten ervan dat je nog even met mij meegaat. Ik moest je de groeten doen en zeggen dat je je over je kinderen geen zorgen hoefde te maken.'

Brenda keek Eline aan met een blik vol ongeloof. 'Nou, dat is fantastisch. We hebben een moeke uit duizenden, Eline. Kom op, dan gaan we!'

Brenda volgde Eline in haar auto. Ze reden naar de binnenstad van een nabijgelegen plaatsje en parkeerden naast elkaar. In een zijstraatje liepen ze gearmd een kleine lunchroom binnen.

23

'Wat een verrassing', zei Brenda nog een keer, nadat ze haar jas had uitgedaan. 'Dit had ik niet van je verwacht, Eline. Is er soms een reden voor? Ik bedoel: is er iets? Jij geeft les aan de oudere kinderen. Die zitten vrijdagmiddag altijd tot halfvier in de klas. Heb je een vrije middag?'

Elines wangen kleurden rood van opwinding terwijl ze knikte. 'Ja, ik ben een paar uurtjes eerder vrij. Er werd vanmiddag een film vertoond in de aula voor alle kinderen van de bovenbouw. Mijn collega neemt waar voor me. Ik heb je meegenomen omdat ik een belangrijk nieuwtje heb, Brenda. Ik kan het niet langer verzwijgen.' Eline lachte en ze keek een beetje mysterieus.

'Vertel', drong Brenda aan. 'Je maakt me vreselijk nieuwsgierig.'

Een serveerster bracht koffie met een slagroompunt.

Daarna vertelde Eline haar grote nieuws. 'Ik ben al acht weken in verwachting, Bren. Vind je dat niet geweldig?'

Brenda's mond viel letterlijk open van verbazing. 'In verwachting?' Ze kon er niets aan doen dat in haar stem een toon van oprechte verbazing klonk. 'Maar ... Tja ... Dat is geweldig, Eline!' Haar hersens werkten intussen razend snel. Eline in verwachting? Daar had ze in de verste verte niet aan gedacht. Eline en Erik konden toch geen kinderen krijgen? Ze hadden vijf jaar geleden van de gynaecoloog te horen gekregen dat Erik niet in staat was kinderen te verwekken. Een uitslag waar Eline en hij bijna aan onderdoor waren gegaan en die tevens voor enige beroering in de familie had gezorgd. Brenda herinnerde zich de vele gesprekken nog die Arno en zij in die periode met Eline en Erik gevoerd hadden. Eline, haar lieve zus en beste vriendin, had het er heel lang erg moeilijk mee gehad dat ze kinderloos zouden blijven. En dat was ook wel te begrijpen. Eline was zelf wel in staat kinderen voort te brengen. Voor Erik was er geen hoop. De uitslag was definitief. Hij zou nooit vader kunnen worden van lijfelijke kinderen. Eline was nu al vijfendertig, en volgens Brenda had ze zich geschikt in de situatie. Ze sprak al meer dan een jaar nauwelijks meer over haar verlangen naar een baby. Maar deze zwangerschap dan? Hoe was dit nu mogelijk als Erik niet in staat was kinderen te verwekken? Tja, dan moest het een wonder zijn. Dat kon niet anders. Of misschien had Eline ... Nee, daar wilde Brenda niet aan denken. Eline was een uiterst betrouwbare huwelijkspartner. Daar durfde Brenda haar handen voor in het vuur te steken.

'Ik weet waar je aan denkt, Brenda.' Eline pakte Brenda's hand vast. 'Het kwam voor mij ook als een donderslag bij heldere hemel. Dat snap je toch wel?'

Brenda keek in het overgelukkige gezicht van haar zus. Er sprongen tranen van ontroering in haar ogen. 'Het is fantastisch nieuws, Eline. Ik ben erg blij voor jullie. Hoe reageerde Erik er eigenlijk op?'

Eline zuchtte diep. 'Een en al verbazing, net als jij. Maar ik reageerde precies eender toen ik enkele dagen geleden bij de dokter deze uitslag hoorde. Ik begrijp het nog steeds niet. De uitslag die we vijf jaar geleden bij de gynaecoloog te horen kregen, loog er niet om. Jij weet als geen ander door wat voor diep dal Erik en ik zijn gegaan.'

Brenda knikte. Het was in de periode geweest toen de tweeling werd geboren. Eline had het moeilijk gehad toen ze Benny en Laura na de geboorte mocht vasthouden. Haar gemis had ze toen van heel dichtbij gevoeld. Het was hartverscheurend geweest.

'Misschien moet Erik zich nog eens laten onderzoeken', bedacht Brenda. 'Dit is een wonder, Eline, een groot wonder.'

'Ja, ik ben er ook vreselijk blij mee dat dit me nog overkomt. Het is inderdaad een groot wonder. Maar voor mij hoeft Erik zich niet meer te laten onderzoeken, Bren. Wat heeft dat nou voor zin? Over zeven maanden krijgen we samen een prachtzoon of -dochter, en als het daarbij blijft, vinden we het ook prima. Dan hebben we in ieder geval een kind. Het is iets waar ons hart al jaren naar uitgaat.'

Brenda keek nog eens naar Elines stralende gezicht. Het geluk spatte ervan af. Ondanks het vage gevoel dat er iets niet klopte aan Elines verhaal, was Brenda oprecht blij voor haar zusje. 'Weten paps en moeke het ook al?'

Eline schudde haar hoofd en nam een flinke hap van de slagroompunt die voor haar stond. 'Nog niet', antwoordde ze met volle mond. Ze slikte voordat ze verderging. 'Jij bent de eerste, Brenda. Ik rijd er straks heen. Dan vertel ik hun meteen het goede nieuws. Ze zullen ook erg opkijken. Nog een kleinkind erbij waarover moeke straks kan moederen.'

En Erik, had Brenda willen vragen. Wil je Erik er niet bij hebben wanneer je dit grote nieuws aan je ouders vertelt? Maar ze hield haar mond en dronk een slokje van haar koffie.

'Voordat we naar Andel rijden, neem ik je mee naar een baby-zaak. Ik wil je namens Arno en mij als eerste een cadeautje voor de baby geven, Eline. Ik word opnieuw tante en kijk er nu al naar uit.'

Elines lach schaterde door de lunchroom. 'Dat vind ik lief van je, Bren. Ja, Kathy en Wil hebben twee kindertjes, jij en Arno drie. Jeffry moet nog een geschikte vrouw zien te vinden, maar eerst krijgen Erik en ik een baby. Ik kan bijna niet wachten.'

Elines geluk en blijdschap werkten aanstekelijk op Brenda. Ze bestelden een tweede kop koffie en spraken over niets anders meer dan zwangerschappen en baby's.

Daarna liepen ze langs diverse winkels. Brenda kocht een leuk babypakje voor de baby van Eline, dat ze haar zelf liet uitzoeken. En Eline kocht op haar beurt twee leuke cadeautjes voor de jarige tweeling. Tevreden met hun aankopen reden ze om zes uur achter elkaar aan naar Andel.

Arno had de kinderen al bij zijn schoonouders gehaald. Vanuit de keuken kwam de geur van macaroni met pastasaus haar tegemoet. Wat bofte ze toch met een man als Arno, die van koken en kokkerellen hield en haar op deze manier veel werk uit handen nam. Brenda liep meteen door naar de keuken.

'Zo, dus je kreeg vanmiddag een onverwacht bezoekje van Eline?' Ze zag Arno's wenkbrauwen vragend omhoogschuiven. 'Moeke vertelde het. Wil Eline soms met ons mee-eten? Ik meende te horen dat jullie allebei hierheen kwamen.'

'Nee, Eline eet bij paps en moeke. Ze heeft hun een belangrijk nieuwtje te vertellen.'

'Aha, dan weet jij vast al wat meer van dat nieuwtje, is het niet?'

Brenda knikte en glimlachte enigszins krampachtig. 'Ja, Eline is zwanger.'

Arno's gezichtsuitdrukking veranderde meteen. Zijn ogen keken haar verbaasd aan. 'Zwanger? Je meent het. Hoe is dat nu mogelijk?'

'Tja.' Brenda haalde haar schouders op. 'De wonderen zijn de wereld nog niet uit, Arno. Eline en Erik zijn in ieder geval over-gelukkig. Dat snap je wel.'

'Begrijpelijk. Jemig. Erik wordt vader. Dat ze dit nog meemaken, zeg. En dat terwijl de gynaecoloog hun jaren geleden alle hoop op een eigen kindje heeft ontnomen. Zo zie je maar weer, specialisten kunnen er ook naast zitten.' Arno draaide zich om naar de kokende macaroni en roerde voorzichtig in de pan.

'Ja, soms kun je iets niet verklaren. Maar ik ben erg blij voor Eline en Erik', zei Brenda nadrukkelijk. Het vage gevoel dat er iets niet klopte, stak de kop weer op.

'Ik ook', mompelde Arno afwezig. Hij keek op de klok. De kooktijd voor de macaroni zat erop. Hij draaide de gaspit uit toen het wekkertje afliep.

'Hoe laat verwachten we morgenmiddag de vriendjes en vriendinnetjes van onze twee jarigen?', wilde Brenda weten toen ze hun schaterlach uit de kamer hoorde klinken.

Arno deponeerde de macaroni in een vergiet en nam de pan met pastasaus ook van het vuur. 'Klokslag twee uur. Het zal wel druk worden. Ik ben blij dat we met het grut op stap gaan.'

'Het zal vast weer een onvergetelijke dag voor hen worden', lachte Brenda.

In de kamer vond ze de kinderen voor de televisie. Met gespannen gezichtjes volgden ze de malle capriolen van Donald Duck, zodat ze niet eens merkten dat hun moeder was thuisgekomen. Ze dekte snel de tafel. Het was al laat, en ze wilde de tweeling vanavond op tijd naar bed brengen.

Toen Brenda maandagmorgen weer in haar auto stapte, de kinderen naar school bracht en daarna naar 'Het Klaverblad' reed, was ze met haar gedachten nog bij het afgelopen weekend. Het kinderfeestje was een groot succes geweest. Ze waren naar een grote speeltuin gereden met een gehuurde autobus, waarin de twaalf genodigden, de tweeling en Robert allemaal konden zitten. Daarna stond een kinderboerderij op het programma, en aan het eind van de middag streken ze met de uitbundige kinderschaar neer in een pannenkoekenhuisje. Benny en Laura waren de koning te rijk geweest met alle cadeaus en aandacht. Ze voelden zich al heel groot, vooral Benny, die de hele middag praats voor tien had en zo nu en dan afgeremd moest worden.

Zondagmiddag waren ze nog een uurtje op bezoek geweest bij paps en moeke. De oudjes waren zichtbaar in de wolken met de zwangerschap van Eline. Moeke raakte er maar niet over uitgepraat. Het zesde kleinkind zou het worden. Een jongen of een meisje? Het maakte moeke niets uit, als het maar gezond ter wereld kwam. Ja, zo blij was moeke nu altijd met het goede dat haar kinderen in het leven toebedeeld kregen. Als pleegkind vormde Brenda geen uitzondering op de regel. Moeke was met haar net zo blij als met haar eigen kinderen, en haar kinderen waren evengoed moekes kleinkinderen. Geen verschil.

Brenda parkeerde haar auto en opende de deur van 'Het Klaverblad'. Haar gedachten aan Eline en moeke verdwenen naar de achtergrond. Het spreekuur van Bas was een uur geleden al begonnen. De wachtkamer was vrijwel leeg, op één wachtende patiënt na. Ze wist dat Bas elke maandagmorgen na tien uur enkele chronisch zieke patiënten ging bezoeken en dat Lieneke na de middag zijn spreekuur en de daaraan gekoppelde visites van hem overnam. Over een kwartiertje verwachtte Brenda pas haar eerste afspraak. Ze wilde zich daar eerst op voorbereiden.

Ze sloot de buitendeur achter zich en wilde meteen doorlopen naar haar spreekkamer. Maar naast de wachtende patiënt zag ze plotseling een weggedoken kind zitten, een meisje van ongeveer vier jaar. Het kind zag eruit als een schimmetje, met een kleurloos gezichtje en warrige haartjes. De moeder van het kind keek strak voor zich uit, een bittere trek om haar mond. Brenda's oog viel op het vale truitje dat het kleine meisje droeg, en het veel te grote rokje. Aan de voetjes van het kind zaten kapotte sportschoentjes. Sokjes had ze niet aan, zodat de bleke smalle beentjes stakerig vooruitstaken.

Het kind keek haar met grote, angstige ogen aan. Ze trok onmiddellijk haar kleine beentjes op toen Brenda geschokt naar enkele korstjes op die beentjes keek. Het meisje bedekte de plekjes met de veel te grote rok en kroop verlegen achter haar moeder weg.

Brenda bleef staan en keek de moeder van het meisje met een getergde blik aan. Haar hart bonsde plotsklaps zwaar in haar keel. Ze wreef met haar hand over haar ene arm, waarop eenzelfde soort plekjes zaten als op de benen van het kind. Geen korstjes meer, maar littekens. Ze herinnerde zich haar eigen pijnlijke wondkorstjes weer toen ze dezelfde leeftijd had als dit meisje. De strakke blik van de vrouw haalde een oude, bijna vergeten herinnering in haar boven. Een herinnering die ze lang geleden ver had weggestopt. Nee, ze wilde helemaal niet terugkijken, ze wilde zich niets herinneren. Het was voorbij. Verleden tijd. Ze moest haar ogen dwingen niet langer naar de vrouw en het meisje te blijven kijken. Met schorre stem mompelde ze een groet en liep vervolgens door naar haar eigen spreekkamer. Daar startte ze de computer en zocht naar de gegevens van haar eerste cliënt. Maar haar gedachten kon ze er niet goed bij houden. Telkens zag ze het meisje uit de wachtkamer voor zich, dat er zo verwaarloosd en bleek had uitgezien. Van de bekende plekjes op die kleine beentjes was Brenda nog het meest geschrokken. Het meisje zou de kleine littekens die in plaats van de korstjes zouden komen, nooit meer kwijtraken. En ze zouden haar een leven lang herinneren aan de mishandeling die ze had ondergaan. Brenda keek naar de mouwen van haar blouse. Ze moest zichzelf ertoe dwingen ze niet op te stropen. Ze wilde de littekens niet zien, ze wist dat ze, als ze zou kijken, de verdere dag aan niets anders meer kon denken.

Haar eerste cliënt meldde zich en zorgde voor de nodige afleiding. Daarna volgden enkele telefoontjes en een mevrouw die op het spreekuur kwam met haar oude moeder. Brenda moest een aanvraag indienen voor opname in een woonzorgcentrum en daarin bemiddelen. Aan het eind van de ochtend maakte ze enkele nieuwe afspraken. Het spreekuur van volgende week was al bijna helemaal volgepland. Op enkele tijdstippen had ze nog wat ruimte gelaten voor spoedgevallen. Die kwamen soms voor.

Tijdens de lunch met haar collega's was ze afwezig. Het lukte Brenda niet mee te praten over de onderwerpen die haar collega's aanroerden. Haar gedachten gleden steeds weer weg naar het kleine meisje, alsof ze in de ogen van het kind een weerspiegeling van zichzelf had gezien van lang geleden.

Toen ze opstonden om ieder weer naar hun eigen spreekkamer te gaan, tikte Brenda op de schouder van Bas. 'Heb je een ogenblik tijd, Bas?'

'Natuurlijk.' Bas keek haar onderzoekend aan. 'Wat kan ik voor je doen?'

'Even voor negen uur zag ik een moeder met haar kleine meid in de wachtkamer zitten. Ik eh ... Het kind zag er nogal bleek uit en ...'

'Je bedoelt vast mevrouw Van de Westen met haar dochtertje, Ellie. Tja, heeft ze al een afspraak bij je gemaakt?'

Brenda haalde haar schouders op. 'Nee, ik geloof het niet. De naam komt me niet bekend voor.'

'Ik heb je bij mevrouw Van de Westen aanbevolen, Brenda. Ze zou nog contact met je opnemen.'

'Wat mankeert Ellie? Heb je die korstplekjes op haar beentjes gezien?' Brenda keek Bas indringend aan. Ze voelde haar hart bonzen in haar keel.

'Ellie heeft twee weken geleden last gehad van waterpokken', zei Bas. 'En ik heb mevrouw Van de Westen vanmorgen naar maatschappelijk werk doorverwezen omdat ...'

'Waterpokken?' Brenda fronste haar wenkbrauwen. 'Dat geloof je toch zelf niet?'

Ze slikte. Haar keel voelde dik aan, en haar armen jeukten.

Bas keek haar aan met een geïrriteerde blik in zijn ogen. Ze was een stapje te ver gegaan. Als arts stelde hij de diagnose bij zijn patiënten.

'Het heerst, Brenda! Lieve help, je bent er helemaal door van slag.' Bas nam haar arm vast en duwde haar zachtjes in de richting van zijn spreekkamer. 'We moeten hier even op een rustiger plekje over verderpraten.'

Brenda nam plaats op een stoel voor zijn bureau.

'De diagnose die ik twee weken geleden al bij Ellie heb gesteld, is niets anders dan waterpokken. Een doodgewone kinderziekte. De jeuk is doorgaans met een mentholpoedertje te verhelpen en gaat vanzelf weer over. Ellie is er bijna vanaf. Mevrouw Van de Westen maakte zich zorgen over de lusteloosheid die de kleine meid er tot dusver aan overgehouden heeft. Ik heb haar kunnen geruststellen.'

'O.' Brenda slikte en schudde opnieuw haar hoofd. 'Sorry, maar ik dacht dat ...' Ze gebaarde machteloos met haar armen.

'Ja, vertel me eens wat jij ervan dacht. Wat maakt je eigenlijk zo overstuur?'

Er sprongen tranen in Brenda's ogen. De diagnose die Bas had gesteld, kon ze maar moeilijk geloven.

'Ik dacht aan ... kindermishandeling', fluisterde ze zachtjes.

'Vanwege die korstjes op Ellies benen?'

Brenda knikte.

Bas boog zich naar haar toe. 'Nee, die korstjes zijn volgens mij echt de laatste restjes waterpokken, maar ik heb mevrouw Van de Westen wel doorgestuurd naar maatschappelijk werk omdat het er duidelijk op lijkt dat ze het meisje enigszins verwaarloost. En dat is ook een vorm van kindermishandeling. In dat opzicht heb je misschien wel gelijk.'

'Waarom heb je geen contact opgenomen met de Kinderbescherming?'

Bas schudde zijn hoofd en fronste zijn wenkbrauwen. 'Jij weet als maatschappelijk werkster toch ook dat er meer signalen nodig zijn voor nader onderzoek, Brenda. Ik denk zelf namelijk dat het probleem, als mevrouw Van de Westen via maatschappelijk werk structuur in haar leven aangereikt krijgt, vanzelf verdwijnt. Als dat niet het geval is, en er meer signalen komen van mishandeling, kan de Kinderbescherming er altijd nog aan te pas komen. Dat laat ik dan aan maatschappelijk werk over.'

Er werd zachtjes op de deur geklopt. Zowel Bas als Brenda keek op. Lieneke kwam binnen, met een dokterstas in haar hand. Ze kwam voor het spreekuur dat over enkele minuten zou beginnen. De wachtkamer druppelde al langzaam vol mensen. 'Stoor ik?', vroeg ze.

'Nee, wij zijn uitgepraat. Ik ga meteen verder met mijn werk', zei Brenda en stond op.

Toen ze de deur wilde sluiten, hoorde ze Lieneke tegen Bas zeggen dat het dochtertje van mevrouw Van de Westen een half-uur geleden in het ziekenhuis was opgenomen. 'Het meisje is gevallen, Bas. Ze heeft een dubbele botbreuk. Ik ga na het spreekuur vanmiddag meteen even bij haar kijken.'

Bas gaf een antwoord dat Brenda niet meer kon verstaan.

Met een hoofd vol gedachten liep Brenda via de gang naar haar eigen spreekkamer. Ze nam plaats achter het bureau en steunde met haar hoofd in haar handen. Een dubbele botbreuk, flitste het steeds door haar hoofd. Ze herinnerde zich de pijn weer die een dubbele botbreuk teweegbracht. Maar dat van die waterpokken kon ze nauwelijks geloven. Ze had dezelfde korstjes als Ellie op haar armen gehad. Het waren kleine littekens geworden, de wondjes die haar bloedeigen vader lang geleden in haar armen had gebrand toen hij zijn sigaret wilde doven. Ze was niet veel ouder dan Ellie geweest.

Brenda probeerde haar werk te hervatten. Het was moeilijk haar aandacht erbij te houden met in haar hoofd de herinnering die zich niet wilde laten wegstoppen.

Om vier uur kwam ze thuis, waar moeke de kinderen juist een glas limonade had gegeven. Terug in de keuken keek ze haar dochter bezorgd aan.

'Ik denk dat Robert last heeft van waterpokken, Brenda. Hij heeft allemaal vlekjes op zijn bovenlijf. Het jeukt vreselijk, zegt hij. Sinds vorige week heerst die kinderziekte op school, heb ik gehoord. Benny en Laura zullen het vast ook krijgen. Wat ellendig.'

Brenda liet zich met een zucht op een stoel zakken en liet haar tranen de vrije loop.

'Ach, meisje toch.' Moeke boog zich bezorgd over Brenda heen. 'Wat is er aan de hand? Gaat het niet goed op je werk?'

Brenda depte haar tranen en snoot haar neus. Daarna vermande ze zich. 'Juist wel, maar het komt door die verdraaide waterpokken. Daar ben ik helemaal van in de war. Kan ik vanavond een uurtje bij paps en u komen, moeke? Ik wil met u praten over vroeger ... U weet wel ...'

Haar moeder glimlachte en knikte. Ze vroeg zich een beetje bevreemd af wat een kinderziekte als waterpokken ermee te maken had.

'We nemen er de tijd voor. Paps en ik wisten allebei dat er ooit een moment zou aanbreken dat je over vroeger wilde praten.'

'Vanavond is een goed moment', fluisterde Brenda met een waterig glimlachje. Ze stond weer op en kuste moeke op haar wang. 'Bedankt. Dan ga ik nu naar mijn zieke kind kijken. Gelukkig ontsieren waterpokken het lichaam maar tijdelijk. Het kan veel erger.'

Robert toonde haar de vlekjes van zijn kinderziekte.

'Over een paar weken is er niets meer van te zien, jongen', troostte ze hem liefdevol. Dat zou anders zijn met de korstplekjes op Ellies beentjes. Ze wist bijna zeker dat de korstjes wel zouden verdwijnen, maar de littekens niet. Bas zat er volkomen naast met zijn diagnose. De doorgemaakte waterpokken zorgden voor die misleiding. Zij kende het verschil als geen ander.

Ada Vesters, moeke voor haar kinderen en pleegdochter, nestelde zich die avond in een armstoel tegenover Brenda. De koffie had ze al rondgedeeld.

Wim stopte zijn pijp, hield er een vuurtje bij en ging naast Ada zitten. De rook kringelde langs zijn gezicht omhoog. Hij roerde in zijn kopje. Het was acht uur, en dan was hij aan koffie toe. Ada vroeg eerst hoe het met Robert en zijn jeukende vlekjes ging. Brenda gaf een kort verslag. Robert was vanavond wat koortsig geworden. De vlekjes hadden zich over een groter deel van zijn lichaam verspreid, wat een enorme indruk maakte op de tweeling. Robert zag er zo grappig uit. Benny en Laura popelden van ongeduld om die vlekjes ook te krijgen. Brenda hoopte dat de tweeling vrij zou blijven van het besmettelijke virus, maar eigenlijk was dat hopen tegen beter weten in, besefte ze. Aan het eind van de middag had ze informatie ingewonnen bij Roberts leerkracht, die meteen bevestigde dat de vlekjes op zijn lichaam vast en zeker bij waterpokken hoorden. Er waren meer kinderen met de verschijnselen. Het zag er nu naar uit dat Robert de komende dagen thuis moest blijven van school, en dat de tweeling de kinderziekte ook zou krijgen.

'Dan zorg ik voor hem', regelde Ada onmiddellijk. 'Het hoeft Arno en jou geen vrije dagen te kosten.'

Brenda haalde opgelucht adem. Arno moest de komende dagen veel werk verzetten op het bedrijf waar hij werkte, en zij kon haar afspraken niet meer verzetten. Maar ze maakte zich bovenal zorgen om Ellie.

Ada en Wim luisterden beiden aandachtig toen Brenda hen op de hoogte bracht van de pijnlijke confrontatie vanmorgen in haar praktijk. Ze noemde geen namen, sprak alleen over cliënt zus of zo en vertelde dat ze zichzelf duidelijk herkend had in een wildvreemd klein meisje van vier jaar oud.

Ada herinnerde zich nog als de dag van gisteren dat de Kinderbescherming Brenda van Zelst op vierjarige leeftijd voor langdurige opname bij hen binnenbracht. Een kind dat afkomstig was uit een asociaal gezin, ernstig verwaarloosd, stelselmatig mishandeld en schuw voor haar omgeving. Vanaf de eerste dag hadden Wim en zij zich over dit kind ontfermd en van haar gehouden als was het een bloedeigen dochter. Niet lang daarna besliste de kinderrechter tot vrijwillige plaatsing in hun gezin. De ouders van Brenda hadden duidelijk te kennen gegeven dat ze ieder contact met hun kind wilden verbreken. Dat had ook anders kunnen zijn. Een pleegzorgbegeleider kon namelijk altijd bezoekregelingen met de ouders afspreken totdat de problemen aan het thuisfront opgelost waren en het kind weer naar huis mocht. Ada was verontwaardigd geweest over de hardvochtige keuze van Brenda's ouders. Alsof een meisje van vier de oorzaak was van alle huiselijke problemen. Niet dat Ada er echt rouwig om was. Ze zou het kind met heel veel pijn en moeite opnieuw hebben afgestaan aan mensen die blijkbaar alles met geweld wilden bereiken. Dat was gelukkig niet gebeurd. Daardoor was Brenda altijd bij hen gebleven. Maar stel je voor dat Brenda zelf ooit naar haar ouders terug had gewild. Dat kon dan niet, omdat ze bij haar ouders niet welkom was. Zoiets moest voor een jong kind toch afschuwelijk zijn om mee te maken. Kinderen bleven doorgaans een leven lang loyaal ten opzichte van hun vader en moeder, wat er ook gebeurd was.

De vierjarige schuwe Brenda had zich echter snel aan de nieuwe gezinssituatie aangepast. In vier weken tijd was ze van haar lichamelijke verwondingen opgeknapt. Slechts enkele hardnekkige littekens op haar armen waren overgebleven. Zo jong als Brenda was, had ze nooit meer over haar ouders en haar ouderlijk huis gesproken. De psychische en emotionele schade was, naar het zich liet aanzien, beperkt gebleven. Het schuwe, angstige kind veranderde na enkele maanden in een levenslustig, vrolijk meisje. Het had Ada bevreemd dat Brenda op die leeftijd de deur naar haar verleden zo eenvoudig en definitief had gesloten.

Toen Brenda in hun gezin opgroeide en na een gelukkige kindertijd als jong meisje tot bloei kwam, moest ze op een bepaalde leeftijd ook een beroepskeuze maken. Het was voor Ada een verrassing geweest dat Brenda niet, zoals Eline, het onderwijs in wilde. Eline en Brenda waren altijd twee handen op een buik geweest. Ze hadden dezelfde hobby's, hielden van dezelfde popmuziek en waren bijna onafscheidelijk. Dikke vriendinnen. Maar Brenda koos uiteindelijk voor maatschappelijk werk.

Ada had zich daar zorgen over gemaakt. 'Er breekt nog eens een moment aan waarop ze in haar werk met het verleden wordt geconfronteerd, Wim. Let maar op!', had ze haar man in die periode onder vier ogen voorspeld. 'Dat kan ook niet anders. Als maatschappelijk werkster zal ze regelmatig in aanraking komen met gezinssituaties die lijken op haar eigen verleden. Die zullen haar extra hard aangrijpen.' Wim had minder bezorgd gereageerd. 'Als onderwijzeres kan haar dat toch ook overkomen, Ada. En wat denk je van een beroep als verpleegkundige? Ik denk niet dat Brenda er een leven lang vrij van zal blijven. Er komt een dag waarop een confrontatie met haar verleden zal plaatsvinden. Dan zal ze er met ons over willen praten.'

Die dag was nu aangebroken.

Brenda huilde, nadat ze hun verteld had dat ze zich zo duidelijk herkend had in het meisje dat vanmorgen in de wachtkamer naast haar norse moeder zat te wachten.

Ada troostte Brenda toen ze de diagnose van Bas ter sprake bracht.

'Moeke, paps, ik kan echt niet geloven dat de littekens op mijn armen het resultaat zijn van waterpokken. Ik herinner me ... dat ...', snifte Brenda, niet in staat om haar zin af te maken.

'Dat waren bij jou destijds ook geen waterpokken. Die kinderziekte heb je op een later tijdstip doorgemaakt, en daar is nu helemaal niets meer van te zien.'

Wim reikte Brenda zijn schone zakdoek. 'Wat kunnen moeke en ik voor je doen, Brenda? Je hebt nooit eerder over je verleden en je herinneringen willen praten. Maar nu ben je er duidelijk aan toe op de hoogte te worden gebracht van de situatie in het gezin van je ouders. Moeke en ik kunnen je daarover wel iets meer vertellen, kind. De Kinderbescherming heeft ons van het begin af aan volledig op de hoogte gehouden.'

Brenda knikte, veegde de tranen van haar wangen en dronk een slokje van haar koffie. Daar knapte ze van op. 'Waren er meer signalen van mishandeling dan alleen die wondjes op mijn arm, paps?'

Haar pleegouders wisselden snel een blik van verstandhouding. Brenda zocht duidelijk naar aanknopingspunten met het kind waarmee ze vanmorgen was geconfronteerd. Het was duidelijk dat ze geen vertrouwen in die zaak had.

'Je ouders hadden nog een baby van negen maanden. Ze hadden die baby ook verwaarloosd. Het meisje was uitgedroogd en ernstig ondervoed. Jij werd door de Kinderbescherming bij ons gebracht; de baby heeft nog enkele weken in het ziekenhuis ge-

legen alvorens ze bij een pleeggezin werd geplaatst. Moeke en ik hebben later van de pleegzorgbegeleider gehoord dat je zusje na een halfjaar naar je ouders is teruggebracht. Maar later hebben ze haar helaas toch weer regelmatig bij een pleeggezin moeten plaatsen. De thuissituatie bleef wankel en onstabiel.'
'Een zusje. Heb ik een zusje? Daar herinner ik me niets van.'
'Je wilde geen herinneringen, Brenda. Paps en ik konden er nooit met jou over praten. Nooit. De pleegzorgbegeleider heeft ons geadviseerd het op jouw tijd te doen, kind. Als jij vragen zou krijgen, konden wij ons verhaal aan je vertellen. Je herinneringen waren zo traumatisch dat het negeren daarvan ervoor zorgde dat je in ieder geval verder kon met je leven.'
Brenda leunde voorover. Ze kneep hard in de zakdoek van paps. 'Hoe is het mijn zusje eigenlijk vergaan? Weten jullie iets meer van haar? Heeft zij ook zo geleden onder de brute kracht van ... van de man die zich mijn vader durfde te noemen?'
Ada haalde haar schouders op. 'Ik stel voor dat je contact op-neemt met de Kinderbescherming. Ze zullen je dossier met de gegevens over je ouders nog wel hebben. Daar staat het allemaal in. Je weet toch dat je daar recht op hebt, Brenda?'
Brenda haalde opgelucht adem. Ja, ze wist precies welke weg ze moest bewandelen. De gegevens zou ze zonder al te veel pro-blemen boven water kunnen krijgen. Maar wat wilde ze ermee? Ze had in het verleden nooit de behoefte gehad contact te zoeken met haar ouders. Dat gevoel 'het zijn en blijven toch mijn ouders', wat een mishandeld kind heel vaak bij zichzelf herkent, had zij altijd ontkend en weggeduwd. Het idee alleen al had haar altijd angst aangejaagd. Maar nu ze te horen had gekregen dat er nog een zusje in het spel was, wist ze het ineens zo zeker niet meer. Een bloedeigen zusje.
Brenda dronk haar koud geworden koffie op en besloot naar huis te gaan. 'Ik moet hier zo meteen ook met Arno over praten. En morgen met Bas, want ik wil graag open kaart spelen. Ellie van de Westen moet zo snel mogelijk geholpen worden als er in-derdaad sprake is van mishandeling. Daar moet in ieder geval op korte termijn onderzoek naar worden gedaan. Het kind ligt sinds vanmiddag met een dubbele botbreuk in het ziekenhuis. Van de trap gevallen, vertelde Lieneke. Ik vraag me af hoe dat heeft kun-

nen gebeuren. Misschien heeft Ellie ook nog wel een klein zusje of broertje dat gevaar loopt. Net als mijn zusje, vroeger ...'

Ada en Wim lieten Brenda uit. Ze waren duidelijk geschrokken van deze laatste mededeling.

'Het verbaast me dat ze er zo zakelijk over praat', constateerde Wim, nadat ze samen weer in hun woonkamer plaatsgenomen hadden om nog een kopje koffie te drinken. Hij klopte zijn pijp leeg en keek Ada aan. Hij kon duidelijk zien dat ze ergens over piekerde.

Ada keek hem afwezig aan en schudde haar hoofd. 'Nee, Wim. Brenda reageerde juist erg emotioneel. Ze heeft tegen haar principes in de naam van dat kleine meisje genoemd: Ellie van de Westen. Dat begrijp ik niet goed, want ze gaat altijd heel secuur om met haar beroepsgeheim. Niet dat wij er iets mee doen, maar deze situatie heeft haar meer geraakt dan wij momenteel kunnen overzien. Als ze maar niet te sterk betrokken raakt bij de situatie rondom Ellie.'

'Ik verwacht dat Brenda binnenkort op zoek zal gaan naar haar zusje', sprak Wim zijn vermoedens hardop uit.

Ook Ada kon zich dat wel voorstellen. 'Het is altijd een raadsel voor me geweest dat Brenda's zusje door de Kinderbescherming bij haar ouders werd teruggeplaatst, na alles wat er is gebeurd. Ja, ik vraag me net als Brenda af wat er uiteindelijk van dat zusje is terechtgekomen. Ik vrees dat het kind veel meegemaakt heeft.'

'Binnenkort weten we het, Ada.'

Daar moesten ze het beiden voorlopig mee doen.

4

Toen Marleen op haar eerste werkdag 's morgens vroeg onder de douche vandaan kwam, kreeg ze een geruststellend telefoontje van het ziekenhuis waar moeder was opgenomen. Een dienstdoende verpleegkundige gaf door dat moeder een uur geleden ontwaakt was uit haar bewusteloze toestand.

Marleen haalde opgelucht adem. Daar hoefde ze zich vandaag verder geen zorgen meer over te maken. Moeder zou de komende uren in beslag genomen worden door allerlei onderzoeken. En zij, Marleen, zou vandaag als receptioniste op de polikliniek rustig haar werk kunnen doen. Moeder had doorgaans veel tijd nodig om bij te komen van een kater. Daar wilde zij liever geen getuige van zijn.

Een kwartier voor aanvang van haar werktijd werd ze in het ziekenhuis opgewacht door een collega. De receptiepost werd dagelijks door twee mensen bemand. Afwisselend maakten ze afspraken bij de diverse specialisten voor mensen die zich telefonisch meldden, en verder hielpen ze patiënten aan een ponsplaatje waarop hun persoonsgegevens vermeld stonden. Na een halve dag was Marleen al ingeburgerd en deed ze haar werk alsof ze al weken niets anders had gedaan.

Joyce Berends, haar naaste collega, wist te vertellen dat het collegaatje van wie zij de plaats momenteel innam, langdurig ziek zou blijven vanwege een hernia. Joyce gaf haar aan het eind van deze eerste werkdag ook een compliment over het werk dat ze verricht had.

Marleen straalde van geluk. Het deed haar goed dat ze zo gewaardeerd werd. Ze hoopte dat ze nog lang op deze plaats kon blijven. Wat haar betrof, mocht de langdurig zieke collega er alle tijd voor nemen om op te knappen.

Thuisgekomen maakte Marleen snel een warme maaltijd klaar. Ze moest zich haasten om op tijd naar het bezoekuur in het ziekenhuis te kunnen gaan. Dat maakte haar kriegel. Ze nam zich dan ook voor de komende tijd de warme maaltijd in het ziekenhuis te gebruiken. Tijdens de lunchpauze in het restaurant had ze dat meer collega's zien doen.

Hijgend kwam ze die avond op de afdeling aan, waar moeder met een verongelijkt gezicht naar haar keek toen ze binnenkwam. 'Wat ben je toch een akelige meid, om me meteen naar het ziekenhuis te laten sturen', mopperde ze. 'Ik was vanzelf wel weer bijgekomen, hoor. Zo veel had ik nou ook weer niet gedronken. Heb je misschien een flesje voor me meegenomen? Ik krijg hier alleen maar bouillon, thee en koffie. Daar word ik niet goed van. Je weet toch dat ik niet zonder een borreltje kan.' Moeders bloeddoorlopen ogen priemden zich boos in die van haar.

Marleen zag de patiënt die in het bed naast moeder lag, met een scheef oog naar enkele andere bezoekers kijken en geluidloos gniffelen, waar Marleen het Spaans benauwd van kreeg. Het was duidelijk dat ze de draak staken met moeder. Ze draaide beschaamd haar hoofd weg en keek door het grote raam naar buiten.

'Nou,' drong moeder aan, 'heb je me niet gehoord?'

'Sst!', siste Marleen. 'Houd eens op met dat vragen om een borrel. U ligt hier in een ziekenhuis, en daar schenken ze nu eenmaal geen alcohol.'

'Ja, ik lig hier door jouw schuld', bromde moeder. 'Haal me hier maar uit. Ik wil morgen naar huis. Heb je dat begrepen?'

'De dokters willen u eerst onderzoeken, mama. Ik wil met u namelijk niet hetzelfde meemaken als met papa. Het onderzoek duurt nog een paar dagen', probeerde Marleen haar moeder uit te leggen.

Maar moeder lachte honend. 'Dan stap ik morgen zelf wel op', dreigde ze op luide toon. 'Marleen, luister.' Moeder kwam omhoog en bracht haar mond dicht bij Marleens oor. 'Wil je alsjeblieft ergens iets sterkers gaan kopen? Je weet wat ik bedoel. Ik kan niet veel langer zonder. Je weet dat ik dan gek word.'

Marleen haalde aarzelend haar schouders op. Ze wist dat het het enige zou zijn waarover moeder het komende uur zou blijven zeuren. Daarbij schaamde ze zich vreselijk voor de andere patiënten en hun bezoek. Na een kwartier was ze het beu. Ze had nog niet eens de mogelijkheid gehad om haar moeder te vertellen dat ze werk had gevonden. Moeders belangstelling ging alleen maar uit naar alcohol. Halverwege het bezoekuur stapte Marleen op.

Moeder was er vast van overtuigd dat ze even wegging om een

fles drank voor haar te kopen. 'Ik wacht op je, kind. Je komt toch wel snel terug? Blijf niet te lang weg, hoor.'

Marleen zuchtte opgelucht toen ze de ziekenkamer achter zich liet. Het was een vlucht. Ze was niet langer in staat geweest moeders gedram aan te horen. En natuurlijk was ze niet van plan een fles alcohol het ziekenhuis binnen te smokkelen. Toen ze langs het afdelingskantoor van de afdeling Interne geneeskunde kwam, liep een verpleger naar haar toe.

Hij lachte vriendelijk. Zijn gezicht met de ernstig kijkende donkere ogen gaven haar meteen een gevoel van vertrouwen. 'Bent u soms familie van mevrouw Van Zelst?'

Marleen knikte. 'Ja, ik ben ... haar dochter.'

De verpleger gaf haar een stevige hand.

Een man met karakter, dacht Marleen meteen.

Zijn ogen keken haar vol begrip aan.

'Ik ben hier afdelingshoofd, Jeffry Vesters. De specialist wil graag aanstaande donderdag een gesprek met u. Dan heeft hij de uitslagen van alle onderzoeken binnen.'

'Goed. Kan het tussen de middag, om halfeen? Anders wordt het na vijf uur.' Marleen probeerde een tijdstip te kiezen waarop ze niet van haar werkplek weg hoefde te gaan. Van twaalf tot één had ze lunchpauze, en om vijf uur was ze klaar met werken.

'Na vijf uur dan graag', antwoordde Jeffry. 'U kunt zich hier melden.'

Marleen knikte, blij dat het gelukt was.

Thuis liet ze zich met een zucht in een stoel zakken. Ze snakte naar een kop koffie, maar was niet in staat meteen op te staan en een pot koffie te zetten. Wat een toestand had moeder er vanavond van gemaakt. Zou er dan nooit een einde komen aan dat verslaafde gedrag? Overal en altijd kwam alcohol bij moeder op de eerste plaats. Dat was bij vader, toen hij nog leefde, niet veel anders geweest. Bij hem was het zelfs nog een graadje erger geweest. Maar moeder wilde ze voorlopig nog niet missen. Als ze haar kwijt zou raken, had ze helemaal niemand meer.

Toen die gedachte in haar opkwam, herinnerde ze zich haar voornemen de zussen van haar vader te bellen. De tantes Elsa en Coba. Misschien wilden ze het contact met moeder wel herstellen nu ze in het ziekenhuis lag. En ze konden haar vast en zeker iets meer over Brenda vertellen.

Marleen veerde omhoog en greep de telefoon. Na het telefoonboek erop nageslagen te hebben, belde ze met bonzend hart het nummer van tante Elsa. Het viel tegen. Tante was maar matig geïnteresseerd in moeders ziekenhuisopname. Maar toen Marleen voorzichtig naar haar onbekende zus Brenda informeerde, zat tante onmiddellijk op haar praatstoel.

De zus die ze nooit gekend had, werd afgeschilderd als een zielig hoopje mens. 'Dat was de reden waarom we het contact met je ouders hebben verbroken. Als Ad te veel gedronken had, was hij er altijd van overtuigd dat Brenda zijn kind niet was. Al zijn agressie reageerde hij dan af op dat kleine hummeltje. Niemand die het dan voor haar opnam. Zelfs je moeder Christien niet. Brenda zat altijd onder de blauwe plekken. Omdat ze het bloed onder zijn nagels vandaan haalde, zei hij dan. Het was afschuwelijk, Marleen. Coba en ik konden het niet langer verdragen.'

Marleen was een moment sprakeloos. Ze kon zich niet voorstellen dat haar vader zich had afgereageerd op een meisje van vier. Moeder moest het wel vaak ontgelden. Dat herinnerde ze zich nog goed. Vader was nu eenmaal een onredelijke man, met handen die erg loszaten. Maar haar had hij nooit met een vinger aangeraakt. Nee, tante Elsa moest het verkeerd hebben gezien. Als vader haar nooit had aangeraakt, had hij dat Brenda vast ook niet gedaan. Dat ging Marleens voorstellingsvermogen ver te boven. Een volwassen man tegenover een klein meisje? Dat kon ze niet zomaar als waarheid accepteren. De uithuisplaatsing van Brenda moest een andere reden hebben gehad.

'Kom eens op bezoek, Marleen.' Tante Elsa maakte meteen gebruik van het telefoontje om haar vriendelijk uit te nodigen. 'Ik heb nog wel een paar kiekjes van Brenda toen ze klein was. Die wil ik je graag geven. Coba en ik zijn ook erg benieuwd naar je. Wat is er van je geworden, kind? Je klinkt in ieder geval ... beschaafd. Of heb jij soms ook een ... alcoholprobleem, net als je ouders?'

Het schaamrood steeg weer naar Marleens wangen. Ze kuchte. Overal en altijd zou de alcoholverslaving van haar ouders haar blijven achtervolgen. 'Nee, tante Elsa. Ik drink geen druppel.' Haar stem klonk hees van emotie. 'Zodra moeder thuis is uit het ziekenhuis, kom ik u graag een keer bezoeken.'

'Dat is dan afgesproken.' Tante Elsa klonk heel tevreden.

Marleen verbrak de verbinding. Met een hoofd vol gedachten liep ze naar de keuken en zette een pot koffie. Ze kon aan niets anders meer denken dan aan haar oudere zus. 'Brenda, wat hebben onze ouders je aangedaan?', flitste het steeds maar weer door haar hoofd. 'Was het voor jou soms zwaarder dan voor mij?'

Eline Maas gaf al heel wat jaren les aan de kinderen van groep zeven. Ze had het al die tijd prima naar haar zin gehad, maar het laatste halfjaar begon alles op school haar een beetje op de zenuwen te werken. De nieuwe groep kinderen die ze na de grote schoolvakantie in haar lokaal had begroet, was overwegend erg druk. De leerlingen eisten veel van haar tijd en aandacht, en sommige waren zelfs hondsbrutaal. Het was alsof de brutale monden zich elk jaar vermenigvuldigden. Ze kon er maar moeilijk mee omgaan.

Dat ze momenteel wat sneller moe en uit haar doen was, kwam volgens Eline ook door haar zwangerschap. De huisarts had haar afgelopen vrijdagmiddag voor de zekerheid doorgestuurd naar het ziekenhuis voor een bloedcontrole. Daarna had ze van de gelegenheid gebruik gemaakt om Brenda met een onverwacht bezoekje te verrassen. Haar pleegzusje reageerde erg enthousiast op het nieuws dat ze nu eindelijk ook een baby verwachtte. Heel even was Eline bang geweest voor Brenda's achterdocht en vragen. Brenda was doorgaans erg doortastend en liet zich niet zomaar met een kluitje in het riet sturen. En deze zwangerschap was natuurlijk niets anders dan een groot wonder. Die woorden had Brenda ook gebruikt.

Brenda had gelukkig niet meer aangedrongen op een nader doktersonderzoek bij Erik. Het was alweer vijf jaar geleden dat de specialisten definitief zijn onvruchtbaarheid hadden vastgesteld. Voor zover Eline wist, was daar ook geen verandering in gekomen. Daar had ze zich na jaren van verdriet uiteindelijk bij neergelegd. Maar het verlangen naar een eigen kindje was er niet minder door geworden. Dat verlangen was langzaam uitgegroeid tot een obsessie. Het laatste jaar had ze bijna dagelijks aan zwangerschappen en baby's gedacht, met in haar achterhoofd het besef dat zij nu nog steeds een goede leeftijd had om eventueel zwanger te kunnen raken. Over een paar jaar zou ze te oud zijn, want ze was de mening toegedaan dat kleine kinderen geen al te oude ouders moesten krijgen.

De baby die ze nu verwachtte, was dan ook niet van Erik. Ze wilde alles doen om te voorkomen dat dit bekend zou worden. Niettemin had ze geaarzeld of ze Brenda toch niet deelgenoot zou maken van haar grote geheim. Ze hadden vanaf hun kindertijd altijd alle geheimen met elkaar gedeeld, ook later, toen ze getrouwd waren. Maar dit geheim prijsgeven? Ze had er bij nader inzien toch maar van afgezien. Het was voor iedereen beter helemaal niets te weten.

Erik was door het dolle heen geweest toen hij hoorde dat ze zwanger was. Hij geloofde in hetzelfde wonder als waarin Brenda geloofde. Zich na zo veel jaren nog onder behandeling van een specialist stellen en zijn vruchtbaarheid opnieuw laten testen zag hij niet zitten. Eline verwachtte zijn kind. Het was voor Erik een bevestiging dat de specialisten er vijf jaar geleden volkomen naast hadden gezeten met hun diagnose.

Eline voelde zich rustig en opgelucht dat niemand hen verder lastigviel met opdringerige vragen en opmerkingen. Ze was voor de buitenwereld in verwachting van Eriks kind, en dat kind zou straks zijn naam dragen.

Martin Peters, leerkracht van groep vier, had haar beloofd te zwijgen als het graf over zijn bijdrage aan haar zwangerschap. Het zou Elines huwelijk op scherp zetten als bekend werd dat Martin haar geadviseerd had, al had hij alleen maar willen helpen. Ach, en als ze zelf een beetje verder had nagedacht, was ze misschien ook wel op dit idee gekomen.

Eline streek met haar hand in een koesterend gebaar over haar nog platte buik, waar ze de kleine baby wist. Ze keek er al zo lang naar uit. Samen met Erik had ze moeilijke jaren achter de rug. Eerst was er het onderzoek geweest, daarna de hoop, en uiteindelijk het definitieve vonnis dat voortplanting door Erik niet mogelijk was. Eline was enorm van streek geweest. Vanaf het begin van hun huwelijk hadden Erik en zij graag kinderen willen krijgen. Een wens die nooit in vervulling was gegaan, als Martin niet op de proppen was gekomen met een aantrekkelijk advies.

Bijna een jaar geleden had Eline Martin, met wie ze altijd een goede collegiale band had gehad, na schooltijd deelgenoot gemaakt van haar grootste verdriet. Martin was zelf juist vader geworden van een gezonde zoon en hij was overgelukkig geweest. Dat bericht had Eline weer bewust gemaakt van haar eigen ellende. 'Bij ons komen er geen kinderen, Martin. Dat vind ik zo erg. De oorzaak ligt bij Erik', had ze onder tranen bekend. Hij had haar zijn zakdoek aangeboden. 'Je kunt ook een kind adopteren of een pleegkind in huis nemen', adviseerde hij.

Daarop had Eline haar hoofd geschud. Haar grote verlangen was een kindje in haar eigen lichaam te voelen groeien. Als dat niet kon, hoefde het voor haar niet.

Weken later had Martin haar opnieuw aangesproken en haar aan hun openhartige gesprek herinnerd. 'Heb je wel eens nagedacht over kunstmatige inseminatie van een zaaddonor?'

Eline had hem met ogen vol ongeloof aangekeken. Nee, daar hadden Erik en zij het nog nooit over gehad.

'Daar kun je je voor opgeven, Eline. De behandeling is heel discreet. Niemand hoeft het te weten. Zelfs Erik niet, als je denkt dat het voor hem een probleem is. Heel veel vrouwen die in eenzelfde situatie verkeren, maken er gebruik van. En ... waarom ook niet?'

Martins advies had drie maanden lang elke dag door haar hoofd gespeeld. Eerst had ze zich er nog tegen verzet. Later leek het haar de enige oplossing in haar situatie te zijn. En de oplossing werd met de dag aantrekkelijker. Op een dag was Eline naar de huisarts gegaan om dit onderwerp te bespreken. Het was een lang gesprek geworden, maar aan het eind verliet ze de praktijk met een verwijzing naar het ziekenhuis. Heel even was ze in de verleiding gekomen Erik deelgenoot te maken van deze oplossing. Maar telkens wanneer ze erover wilde beginnen, wist ze al bij voorbaat dat Erik een zwangerschap van een zaaddonor zou afwijzen. Zo goed kende ze hem wel. Het moest zijn kind zijn. Een andere vader zou voor hem onacceptabel zijn. En een discussie over dit onderwerp zou veel pijn en moeite veroorzaken, als Erik zo'n gesprek al wilde. Eline durfde er in ieder geval niet over te beginnen.

De weken verstreken. Eline werd steeds ongeduldiger. Totdat ze niet meer in staat was het nog langer uit te stellen. Ze wilde zwanger worden. Dat het Eriks kind niet kon zijn, vond ze niet eens zo belangrijk meer. Alle informatie die ze intussen op internet had verzameld, las ze dagelijks opnieuw door. Uiteindelijk had ze zich aangemeld bij het ziekenhuis. Op de juiste dag had een gynaecoloog de handeling verricht. Vanaf dat moment voelde ze zich al zwanger. De teleurstelling was dan ook groot toen ze twee weken daarna toch gewoon haar menstruatie kreeg. Opnieuw meldde ze zich bij de gynaecoloog, die de handeling nogmaals verrichtte. Zoiets kwam vaker voor, zei hij om haar op haar gemak te stellen. Gespannen wachtte Eline nu haar menstruatie af, maar deze keer gebeurde er niets. Nog geen week later voelde ze zich elke ochtend misselijk. Voor haar was dat een teken dat ze naar de huisarts moest. Ze wilde geen dag langer in onzekerheid leven. De arts onderzocht haar, deed een zwangerschapstest en vertelde haar dat ze zwanger was.

Eline had zich nog nooit zo gelukkig gevoeld. Ze was in verwachting en wilde het wel van de daken schreeuwen. In haar hoofd had ze al een plannetje bedacht om Erik ervan te overtuigen dat specialisten ook wel eens een fout maakten bij het stellen van diagnoses.

Erik stond perplex van het goede nieuws. Dat Eline een baby verwachtte, was voor hem het onomstotelijke bewijs dat specialisten het inderdaad niet altijd bij het juiste eind hadden. Dat was hij met Eline eens. 'Een wonder, Eline. Dat is het', zei hij steeds maar weer. 'Een godswonder!'

Hoewel Eline zich op dat moment een klein beetje schaamde voor de wijze waarop ze stiekem zwanger was geworden, nam ze zich voor nooit meer te denken aan de donor wiens kind ze nu droeg. Dit was Eriks kind. Volgens de donorgegevens zou het ook een beetje op Erik kunnen lijken, met blond haar en grijze ogen. Dat was alles wat ze van de donor wist.

De eerste persoon die ze op de hoogte bracht van haar zwangerschap, was niet Brenda, aan wie ze het dolgraag meteen had willen vertellen, maar Martin, die haar op deze mogelijkheid had geattendeerd.

Martin feliciteerde haar met een zoen op elke wang. 'Fantastisch, meid! Ik vind het groots van je dat je die stap hebt gezet. Weet je soms ook wie de donor is? Sommige donoren zijn erg open en willen niets van geheimhouding weten.'

Eline had Martin verbaasd aangekeken. 'Nee. En dat wil ik niet weten ook, Martin. Dit moet Eriks kind worden, begrijp je? Je mag dit ook nooit aan een ander vertellen. Beloof je dat?'

'Ik zwijg als het graf', antwoordde Martin ernstig. 'Ik ben alleen maar blij dat ik je heb kunnen helpen door je op het idee te brengen.'

'Ja, en daar ben ik je reuze dankbaar voor.' Trots legde Eline een hand op haar buik. 'Maar hoe komt het eigenlijk dat je zo veel van dit onderwerp weet, Martin?'

Martin had haar grinnikend aangekeken, zijn schouders rechtgetrokken en vol trots de volgende woorden gezegd. 'Ik ben zelf al heel wat jaren zaaddonor, Eline.'

Eline had er een kleur van gekregen.

Martin had zijn hand op haar schouder gelegd. 'Misschien draag je mijn kind wel. Wie weet? Er lopen vast al enkele kinderen op deze aardbol rond van wie ik de vader ben.'

'O, ... en Stella dan?'

Eline dacht meteen aan Martins vrouw. Zou zij het ook weten?

'Stella weet ervan. Wij zijn allebei heel ruimdenkend, Eline. Als we een ander kunnen helpen, op wat voor wijze dan ook, zullen we het niet laten. We hebben beiden ook een donorcodicil. '

'Dat vind ik ... Nou ja, dan is het prima', had Eline gehakkeld. 'Maar toch wil ik hier met geen woord meer over praten, Martin.'

Martin knikte en drukte zijn vingers demonstratief tegen zijn lippen. Hij knipoogde ondeugend naar haar. 'Als het graf', zei hij opnieuw.

Met een ongerust gevoel had Eline hem nagekeken. Martin Peters was een mooie man om te zien. Hij had blonde haren en grijze ogen, net als Erik. Het kindje zou toch niet afkomstig zijn van zijn donormateriaal? Martin had wel duidelijk een opmerking in die richting gemaakt. Eline voelde het schaamrood naar haar wangen stijgen.

Martin? Nee, die mogelijkheid wilde Eline uitsluiten. Ze had zich voorgenomen helemaal niets van de donor te willen weten. Dit moest Eriks kind worden.

Marleen zocht haar moeder iedere dag 's avonds tijdens het bezoekuur op. En iedere keer weer zag ze ertegen op. Moeder reageerde verbaal erg agressief en was vreselijk in de war. Eén dag na haar opname werd ze naar een eenpersoonskamertje verhuisd om de medepatiënten te ontzien. Medepatiënten hadden zich bij Jeffry Vesters beklaagd over moeders ruzieachtige gedrag en scheldkanonnades. Marleen had het afdelingshoofd gelaten aangehoord toen hij haar de reden van de overplaatsing vertelde. Marleen schaamde zich voor haar moeder, die tegenover de andere patiënten niet te handhaven was.

Eindelijk werd het donderdag. Op de receptiepost van de polikliniek had Marleen het goed naar haar zin. Het werk was leuk; de sociale contacten met diverse patiënten zorgden voor afleiding, zodat de uren elke dag omvlogen. Tot nu toe was ze in het restaurant en in de polikliniek nog niet geconfronteerd met verplegend personeel dat meer wist van moeders situatie. Toen ze om vijf uur klaar was met werken, liep ze meteen door naar de afdeling Interne Geneeskund. In het kantoortje zat de specialist al op haar te wachten. Jeffry Vesters zat erbij en stond op toen Marleen binnenkwam. Hij liet haar alleen met de specialist en sloot de deur achter zich. De al wat oudere man sloeg het dossier van moeder open en keek met sombere ogen naar datgene wat in de papieren beschreven stond. Marleen voelde de nervositeit toenemen. Ze besefte ineens dat moeder er tijdens de afgelopen dagen niet veel beter op was geworden. Het ging eigenlijk slechter met haar.

'Tja, het onderzoek bij uw moeder heeft het volgende aan het licht gebracht.' De specialist verschoof enkele papieren in het dossier. 'Uw moeder lijdt aan het korsakovsyndroom, een duidelijk gevolg van jarenlang continu alcoholgebruik. Ze is totaal in de war, vertoont ongecoördineerde bewegingen, kan nog nauwelijks lopen, heeft last van dubbelzien en van oogbolschokken. Alle lichamelijke processen zijn momenteel ontregeld. Het spijt me dat ik geen beter bericht kan geven.'

Alle kleur trok weg uit Marleens gezicht. 'Kan ze ... kan ze nog wel genezen, dokter? Er zijn toch wel medicijnen?' Haar stem klonk vreemd hoog, alsof ze kraaide.

De man tegenover haar keek haar aan met bezorgde ogen, waarin duidelijk een blik van oprecht medeleven lag. Hij schudde langzaam zijn hoofd. 'Nee, dit is vrij ernstig. Het alcoholgebruik heeft de hersenstam van uw moeder aangetast. Zij is zelfs niet meer in staat naar huis terug te keren. Dat is onverantwoord. Ze kan niet langer voor zichzelf zorgen. Uw moeder zal opgenomen moeten worden in een verpleeghuis.'

Marleen sloeg een hand voor haar mond. Haar ogen keken de arts angstig aan. 'Denkt u dat mijn moeder doodgaat?'

De specialist glimlachte vaag. 'Dat is op dit moment nog niet aan de orde. Haar toestand zal wel steeds verder achteruitgaan. Er komt zelfs een dag dat ze u misschien niet meer zal herkennen.'

Marleen hapte naar adem. Deze slechte uitslag had ze niet verwacht. Moeder leed aan het korsakovsyndroom. Ze had er nog nooit van gehoord. Een gevolg van overmatig alcoholgebruik. Hoeveel liters alcohol waren er uiteindelijk nodig geweest om dit ziektebeeld te krijgen? Zolang ze zich kon herinneren, dronk moeder heel wat flessen leeg op een dag. Vader was aan levercirrose overleden, ook een gevolg van alcoholmisbruik. En moeder kreeg nu eenzelfde rekening gepresenteerd. Het was afschuwelijk.

'Mijn moeder is al jaren lang alcoholiste. Ik ken haar niet anders, dokter. Ze heeft nooit iets ondernomen om ervan af te komen. Ze heeft ook nooit het voornemen gehad een ontwenningskuur te volgen, en ze wilde van de Anonieme Alcoholisten ook niets weten. Helemaal niets. Het enige wat ze wilde, was drinken. Altijd maar drinken.' Haar stem klonk bitter. Ze voelde zich verslagen, in de steek gelaten.

'Tja, de huisarts heeft mij intussen van de trieste situatie op de hoogte gesteld. Het is mij bekend dat u uit een probleemgezin komt. Woont u nog bij uw moeder thuis?'

Marleen vertelde dat ze een eigen huisje had, vlak in de buurt bij moeders appartement. De specialist beloofde haar dat hij meteen werk zou maken van een spoedopname in een verpleeghuis. Hij hoopte dat in de nabije omgeving van Rotterdam voor elkaar te krijgen en adviseerde haar de woning van haar moeder te ontruimen. 'Ze komt toch nooit meer thuis', voorspelde hij.

Een halfuur later liep Marleen de afdeling af. Ze kon het niet opbrengen van de gelegenheid gebruik te maken om even om het hoekje van moeders kamer te kijken. Haar hoofd voelde verdoofd aan. Haar keel was dik. Ze pakte haar fiets en reed naar huis, waar ze haar tranen niet langer hoefde te verdringen. Ze raakte moeder kwijt, zij het op een andere manier dan ze haar vader verloren had. Niet moeders lever, maar haar hersens waren aangetast. Het zou nooit meer goed komen en alleen maar achteruitgaan. Marleen voelde zich eenzaam en verlaten van alle mensen. Er was geen vriendin bij wie ze haar hart kon luchten. De alcoholverslaving had alles van haar afgenomen. Eerst vader, toen Sander, haar baby, en nu moeder. Wat jammer dat ze geen contact had met Brenda. Ze had zo graag alle zorgen en problemen willen delen met haar enige zus. Brenda wist nog helemaal van niets, het zusje dat op vierjarige leeftijd definitief uit huis was geplaatst omdat er afschuwelijke dingen waren gebeurd. Zou zij ook zo'n ellendig leven hebben gehad, vroeg Marleen zich vertwijfeld af.

5

Brenda vertelde alles aan Arno. Tot diep in de nacht hadden ze samen op de bank gezeten. Arno had, zonder haar in de rede te vallen, het hele verhaal aangehoord. Hij wist al heel lang dat Brenda als vierjarig pleegkind bij Ada en Wim was komen wonen. Voordat hij met Brenda in het huwelijk trad, had Ada hem op een keer verteld dat Brenda als kind door haar biologische ouders ernstig was mishandeld. Hij kende ook de lelijke littekens op haar armen, waar Brenda nooit over wilde praten. Die hield ze altijd angstvallig bedekt met lange mouwen. Hij vond het vreselijk wat ze had meegemaakt en hij was dankbaar voor het liefdevolle gezin van Ada en Wim Vesters waarin Brenda was opgegroeid.

'Je moet zo snel mogelijk navraag doen naar je zusje', adviseerde Arno meteen. 'Heb je mijn hulp misschien nodig?'

'Nee, dat lukt me wel via de Kinderbescherming in Rotterdam. Ik maak morgen een afspraak, zodat ik er deze week na werktijd nog persoonlijk naartoe kan.'

'Dan ga ik met je mee. Dit doen we samen, Brenda', besloot Arno. 'Ik laat je niet alleen gaan.'

Ontroerd had ze Arno omhelsd. 'Dat vind ik fijn, lieverd. Ik houd van je. Dat weet je toch?'

'Dat weet ik. Ik houd ook waanzinnig veel van jou. En ik wil er persoonlijk voor zorgen dat niemand je ooit nog kwetst of aanraakt om pijn te doen. Als je ouders nog leven ...'

'Ik wil geen contact met mijn ouders, Arno. Alleen met mijn zusje. Ik wil mijn zusje graag leren kennen.'

'Ik hoop dat ze op je lijkt.'

Samen waren ze naar boven gegaan, waar ze zich enkele momenten over hun slapende kinderen bogen. In de beslotenheid van hun slaapkamer vonden ze elkaar in een innige omhelzing en bedreven ze de liefde, waarna ze in een diepe slaap vielen.

De volgende dag belde Brenda naar de spreekkamer van Bas. 'Ik wil na het spreekuur nog even met je praten over Ellie van de Westen. Kan dat? Of moet je visites rijden?'

Bas kondigde een druk spreekuur aan, met een grote kans op

uitloop. 'Maar na de lunch maak ik even tijd voor je', stelde hij voor.

Met een kloppend hart belde Brenda voor aanvang van haar eigen spreekuur naar de Kinderbescherming in Rotterdam, waar ze een afspraak maakte voor vrijdagmiddag om vier uur. Ze zou een gesprek krijgen met Koen Schipper, die het dossier met alle gegevens over het gezin waarin ze was geboren, van tevoren zou opzoeken. Ze haalde opgelucht adem toen dat achter de rug was. De eerste stap naar het contact met haar jongere zusje was gezet. Ze merkte dat ze met verlangen uitkeek naar vrijdagmiddag. De nieuwsgierigheid naar het leven van haar jongere zusje nam toe nu de afspraak vaststond. Ze kon bijna aan niets anders meer denken. Zouden ze op elkaar lijken?

Na de lunch zonderde Brenda zich een halfuurtje af met Bas. 'We hebben beroepsmatig wat zaken met elkaar te bespreken die erg belangrijk zijn', verontschuldigde Bas hen beiden toen de andere collega's ervoor kozen het laatste halfuurtje van de lunchtijd samen een korte wandeling te maken. Buiten scheen de zon en vielen de herfstbladeren van de bomen. Brenda vond het jammer dat ze niet ook van de gelegenheid gebruik kon maken om een frisse neus te halen. Maar wat ze met Bas wilde bespreken, lag als een zware last op haar schouders. Daar moest ze vanaf.

'Ik heb begrepen dat je mevrouw Van de Westen geadviseerd hebt zich op mijn spreekuur te melden.' Ze viel met de deur in huis.

Bas knikte. 'Heeft ze al gebeld? Zijn er soms problemen?'

'Ze heeft nog niet gebeld, maar ik wilde je zeggen dat ik momenteel niet in staat ben mevrouw Van de Westen te begeleiden. Je zult haar naar een andere maatschappelijk werker moeten sturen, Bas. De situatie met Ellie staat te dichtbij.'

'Je gelooft nog steeds niet dat Ellie waterpokken heeft gehad?'

'Dat geloof ik wel. Robert heeft het sinds gisteren ook. Het heerst. Maar de littekens op Ellies benen overtuigen mij er niet van dat die een gevolg zijn van waterpokken. Heb je Ellie persoonlijk gezien toen ze de waterpokken kreeg? Is mevrouw Van de Westen op het spreekuur geweest met Ellie, of ben je opgeroepen voor een doktersvisite toen ze zo onder de vlekken zat?'

Bas keek haar strak aan en knikte bevestigend bij die laatste mogelijkheid. Hij zuchtte diep.

Brenda besefte maar al te goed dat ze zijn diagnose opnieuw in twijfel trok, en Bas hield er niet van dat anderen hem afvielen. 'Bas, ik twijfel niet aan je deskundigheid als arts. Ik kan me voorstellen dat het erop lijkt. Kijk ...' Ze stroopte haar mouwen omhoog en toonde hem haar beide armen. Een felle emotie overviel haar toen hij zijn ogen over de littekens liet glijden die haar armen ontsierden. Ze liet ze niet graag aan anderen zien, liep er niet mee te koop, maar Bas moest ze zien. Ze deed het voor Ellie. 'Deze littekens verwijzen naar mijn persoonlijke betrokkenheid bij de situatie van Ellie. En ze zijn niet afkomstig van waterpokken. Mijn pleegouders hebben dat gisteravond bevestigd. Het zijn littekens van brandwondjes.' Er sprongen tranen in Brenda's ogen. 'Ik ben als kind ernstig mishandeld, Bas. Op vierjarige leeftijd heeft de Kinderbescherming me naar een pleeggezin gebracht, waar ik tot mijn huwelijk heb gewoond. Toen ik Ellie naast haar moeder zag zitten, zag ik mezelf. Vier jaar oud, bang en verdrietig, omdat de personen die van me moesten houden, zich tegen me keerden en me structureel pijnigden. Ik was als kind overgeleverd aan boosaardige mensen die zich mijn ouders durfden te noemen, totdat de Kinderbescherming ingreep. Begrijp je nu mijn zorg om Ellie?'

Bas knikte langzaam.

Brenda schoof haar mouwen weer op hun plaats. Daarna was het even stil.

'Ik begrijp je beweegredenen.' Bas kuchte. Een denkrimpel verscheen op zijn voorhoofd. 'Aan het eind van de middag ga ik naar mevrouw Van de Westen om haar een andere maatschappelijk werker aan te bevelen. Dit gezin kun jij inderdaad niet begeleiden. Dat is duidelijk. Ik heb dan meteen de gelegenheid om de huiselijke situatie van de familie te zien. Je moet niet vergeten, Brenda, dat ik wel degelijk gemerkt heb dat Ellie tekenen van verwaarlozing vertoonde.'

Brenda haalde opgelucht adem. Ze herinnerde zich dat Bas dat inderdaad gesuggereerd had. Ze was blij dat hij haar verder geen verwijten maakte over haar gevoel van betrokkenheid en haar onmacht om mevrouw Van de Westen te begeleiden. Beroepshalve werd er van haar verwacht dat ze objectief bleef en zich niet liet meevoeren door gevoelens van verwarring en wanhoop. Tijdens

haar opleiding en stageperiode had ze geleerd neutraal te blijven en op deskundige wijze met moeilijke situaties om te gaan. 'Ja, dat heb je gezegd.' Brenda glimlachte naar hem. 'Ik ben blij dat je even naar Ellies huiselijke omstandigheden wilt kijken. Dat is een hele geruststelling voor me. Ik heb met dat kleine meisje te doen. Hoe gaat het met die dubbele botbreuk?'
'Volgens Ellies moeder is het kind van de trap gevallen. De specialist heeft het armpje van Ellie onder narcose moeten zetten. Het was een ingewikkelde breuk, vertelde Lieneke me. Als alles goed gaat, mag ze morgen naar huis.'
De glimlach verdween van Brenda's gezicht. Ellie was dus van de trap gevallen. Of nog erger ... misschien was ze er gewoon vanaf geduwd. Ze had het zelf ook meegemaakt. Een sterke dwingende hand die hard duwde. De pijn naderhand, zonder troostende woorden van een vader of moeder. Alleen maar scheldwoorden en een schop van haar vader, die haar sommeerde vooral niet te janken. Wat moesten de buren wel niet van hen denken? Dreigementen ... Ze was nog maar klein, en stond zo wankel op haar beentjes toen het gebeurde. De herinnering stond op het punt om op haar netvlies te verschijnen, maar ze vermande zich. Dit wilde ze niet. Het verleden was voorbij.
'Dan komt het goed uit als je vanmiddag nog even bij mevrouw Van de Westen op bezoek gaat', zuchtte ze. Ze voelde zich ineens uitgeput. 'Dan kun je tenminste vrijuit praten, zonder dat Ellie meteen een risico loopt. Zolang ze in het ziekenhuis ligt, is ze veilig.' Brenda schoof haar stoel naar achteren en stond op. 'Bedankt voor je tijd, Bas. En ook voor je medewerking.'
'Dat is vanzelfsprekend.' Ook Bas schoof zijn stoel achteruit, maar hij bleef toch zitten. 'Zo hoort het ook te gaan, Brenda. We vormen met elkaar een team. Het is fijn met jou en de anderen een praktijk in 'Het Klaverblad' te hebben. Samenwerking, daar gaat het uiteindelijk om. Wil je op de hoogte gehouden worden van de situatie van Ellie?'
Brenda dacht een moment na. Wilde ze dat wel? Het haalde zo veel in haar binnenste overhoop. Bij de deur draaide ze zich om naar Bas. 'Ja', antwoordde ze onzeker. 'Ik besef dat niets weten beter voor me is. Maar het onzekere zal aan me blijven knagen. In Ellie herken ik mezelf. Daarom wil ik dolgraag weten dat het in de toekomst goed met haar gaat.'

Toen ze de deur opende om weg te gaan, riep Bas haar nog even terug. 'Je bent een fantastische collega, Brenda. Bedankt voor je openheid, en vooral voor je eerlijkheid.'

Brenda trok de deur met een glimlach in het slot. Een gevoel van opluchting doortrok elke vezel van haar lichaam. Ze kon weer verder met haar werk. Bas zou Ellie van de Westen niet uit het oog verliezen. Het meisje stond er niet alleen voor. Ze had er alle vertrouwen in.

Maar zo makkelijk lieten haar emoties zich niet sturen. De situatie van Ellie was die dag toch met haar op de loop gegaan. Brenda kon aan niets anders meer denken. Aan het begin van de avond had ze zelfs even in tweestrijd gestaan of ze Bas niet moest bellen om te vragen naar het resultaat van zijn visite bij de familie Van de Westen. Maar toen ze de mobiele telefoon in haar hand nam om zijn nummer in te toetsen, durfde ze niet. Stel je voor dat Ellie in hetzelfde schuitje zat als zij vroeger had gezeten. Dan deed ze vannacht geen oog dicht. Om acht uur, toen de zieke Robert en de drukke tweeling eindelijk sliepen, trok ze haar jas aan. Arno zat achter de computer en was voorlopig nog wel even druk bezig met een nieuw programma dat hij voor zijn werkgever had ontworpen. 'Ik ga een uurtje naar Eline', zei ze. 'Ik heb haar veel te vertellen, en dat kan ik niet via de telefoon.'

'Nu nog?' Arno fronste zijn wenkbrauwen. 'Eline woont drie kwartier rijden hiervandaan.'

'Ik wil haar vertellen dat ik graag contact wil met mijn jongere zusje. Eline moet het weten.'

'Dat weet ze vast al van moeke.'

'Als dat zo was, had Eline me allang gebeld.' Ze kuste Arno op zijn kruin en kneep even in zijn arm. 'Ik maak het niet te laat.'

'Dat is je geraden', lachte hij. 'Kijk je onderweg wel uit?'

Even voor negen uur parkeerde ze haar auto voor het huis van Eline en Erik. In de huiskamer zag ze licht branden. Terwijl ze haar auto afsloot, vroeg ze zich af waar ze moest beginnen met haar verhaal. Eline zou er vast van opkijken dat ze nog een jonger zusje had en dat ze graag met haar in contact wilde komen.

Erik maakte de deur open. 'Brenda, kom binnen. Daar zal Eline van opkijken. We zijn net bezig met het uitkiezen van meubeltjes voor de babykamer.'

Eline zat in de kamer aan tafel over enkele boeken gebogen. In haar ogen schitterden lichtjes. Op haar wangen lag een rode blos van spanning. Toen Eline opkeek, slaakte ze een vrolijk gilletje en liep onmiddellijk op Brenda af. Ze kuste haar op beide wangen en duwde haar vervolgens naar de tafel. 'Kijk, die meubeltjes willen Erik en ik voor onze baby bestellen. Wat vind je ervan?'

De ontvangst overdonderde Brenda. Ze had de afgelopen twee dagen nauwelijks meer aan Elines zwangerschap gedacht. Ze was zo met Ellie en zichzelf bezig geweest. Ze liet zich op een stoel naast die van Eline zakken en keek naar het afgebeelde wiegje en de commode. Alles van blank hout.

'Mooi!' Brenda's stem klonk aarzelend. Eline en Erik lieten er geen gras over groeien, terwijl Eline toch nog een paar weken in de gevarenzone van een mogelijke miskraam verkeerde. Ze was nog geen drie maanden zwanger.

'Erik heeft vanmiddag behang gekocht voor de babykamer. De levertijd van het wiegje en de commode is twee weken. Ik voorspel dat het kamertje over drie weken kant-en-klaar is.' De blijdschap spatte van Elines gezicht.

Erik informeerde hartelijk of ze zin had in een kop koffie.

'Graag', antwoordde Brenda. 'Ben je niet wat te snel met de babykamer?', vroeg ze aan Eline, nadat Erik naar de keuken verdwenen was om koffie te halen.

'O nee, ik wil vanaf het begin genieten. En ik ben gezond, Brenda. En de baby ook. Vanmiddag hebben Erik en ik de echo gezien. Dat was een geweldige ervaring. Het is dat je nu hier bent, maar anders had ik je vanavond nog gebeld om het allemaal te vertellen. De baby zag er helemaal compleet uit. Ik kan nauwelijks wachten tot de geboorte.' Behoedzaam legde Eline haar beide handen op haar platte buikje. 'Kun je al iets zien? Ik ben al wel wat dikker geworden, hoor.' Ze keek Brenda vol verwachting aan.

Brenda schokschouderde met een frons boven haar neus. 'Een heel klein beetje.' Met tegenzin sprak ze de woorden uit. Ze kon het niet over haar hart verkrijgen Elines blijdschap te temperen. Eline en Erik hadden hier al zo lang op gewacht. De gedachten aan haar zusje schoof ze naar de achtergrond. Eerst wilde Eline haar verhaal kwijt over de baby die op komst was.

Eline ratelde aan een stuk door, en Erik vulde haar af en toe aan. Ook hij was duidelijk uit zijn gewone doen en helemaal in de ban van de komende baby.

Nadat Brenda boven een uur lang tekst en uitleg had gekregen in het lege slaapkamertje, met een rol behang in haar hand, kondigde ze om elf uur haar vertrek aan. Eline kon blijkbaar aan niets anders meer denken.

'Groetjes aan Arno en de kinderen. En ook aan paps en moeke.' Eline zwaaide haar uit totdat ze met haar auto een zijstraat in reed en uit het oog verdween.

Met een gevoel van teleurstelling reed Brenda haar auto de snelweg op. Ze miste Elines warme belangstelling. Ze had niets over zichzelf kunnen vertellen en had ook de moed niet gehad om over haar zusje te beginnen. De baby was op dit moment belangrijker voor Eline, en dat zou nog wel even zo blijven.

Twee weken later werd Christien van Zelst overgebracht naar een verpleeghuis, en maakte Marleen een begin met de ontruiming van haar moeders appartement. De schaarse meubelen en spullen die geen enkele waarde meer hadden, liet ze afvoeren naar de gemeentelijke stortplaats. Volgens de specialist was het zeker dat moeder nooit meer zou kunnen terugkeren naar deze woning. Haar lichamelijke conditie was verder achteruitgegaan. Haar geest was verward, maar haar drang naar alcohol nog even sterk als voorheen. Het putte Marleen uit. Ze had op dit moment nog maar één lichtpuntje in haar dagelijkse leven. Dat was haar werk op de receptiepost van de polikliniek. Iedere doordeweekse dag was ze weer blij dat haar wekker 's morgens om halfzeven afliep. De weekenden duurden momenteel eindeloos lang. Ze zag iedere keer weer op tegen de dagelijkse bezoekuren in het ziekenhuis. Later fietste ze met tegenzin naar het verpleeghuis. Toen ze het hele appartement van haar moeder ontruimd had, moest ze tot haar grote teleurstelling vaststellen dat er helemaal niets van Brenda te vinden was. Geen enkele foto of brief die de Kinderbescherming vroeger had doorgestuurd en die moeder als een kostbaar kleinood had bewaard. Helemaal niets. Het was alsof Brenda nooit had bestaan, alsof er geen zus was geweest.

Marleen liet maandag tijdens de lunch in het personeelsrestaurant haar gedachten de vrije loop en kwam tot de conclusie dat ze tante Elsa nog maar eens een keer moest bellen. Tante Elsa had nog enkele kiekjes van Brenda, wist ze. En daar was ze erg benieuwd naar.

'Jij bent ver weg met je gedachten', concludeerde Joyce, die tegenover haar zat en haar al enkele malen een vraag had gesteld waarop ze nauwelijks reageerde. 'Sorry', verontschuldigde Marleen zich. Ze had juist een halve warme maaltijd op. De rest liet ze staan. Ze had geen trek. Het eten smaakte haar niet. 'Je hebt gelijk. Wat zei je? Ik ben het alweer kwijt.'

'Ik vroeg me af of je zussen en broers hebt.' Voor de derde keer stelde Joyce haar die vraag.

Er voer een schok door Marleen.

'Of ben je soms enig kind, net als ik?', drong Joyce aan.

Marleen glimlachte en schudde langzaam haar hoofd. 'Ik heb een oudere zus', zei ze. Verder wilde ze niets over haar privéleven kwijt. Het zweet brak haar uit bij het vooruitzicht dat Joyce erachter zou komen uit wat voor gezin ze afkomstig was. Ze schrok van de hand die onverwacht op haar schouder werd gelegd. Een bekende stem deed haar verstijven. Toen ze haar hoofd opzij draaide, staarde ze in het vriendelijke gezicht van Jeffry Vesters, het afdelingshoofd van de afdeling. Nu zou alles wat ze angstvallig verborgen had gehouden, aan het licht komen.

'Hoe gaat het met je moeder?', hoorde ze hem belangstellend informeren. 'Is ze al een beetje gewend in het verpleeghuis?'

Marleens gezicht werd beurtelings rood en wit. Haar handen beefden. 'Ja hoor!', piepte ze met hoge stem. Ze hoopte maar dat Jeffry nu snel zou weglopen.

De wenkbrauwen van Joyce schoten al vragend omhoog, en de nieuwsgierigheid stond onmiskenbaar op haar gezicht te lezen.

'Moeder voelt zich al een beetje thuis op de afdeling waar ze nu woont', voegde ze er op geruststellende toon aan toe. Ze hoopte dat Jeffry genoegen nam met dit leugentje om bestwil en haar verder met rust wilde laten. Moeder had het helemaal niet naar haar zin in het verpleeghuis. Ze wilde nog steeds terug naar haar appartement en haar eigen flessen drank. In het verpleeghuis werd haar ieder alcoholisch drankje onthouden. Dat riep dagelijks veel weerstand en agressie op.

'Ik wist niet dat jij ook in dit ziekenhuis werkte', ging Jeffry gewoon verder. 'Op welke afdeling zit je?'

'Receptie polikliniek.' Marleens woorden klonken afgemeten. Jeffry knikte tevreden. Hij kon zijn ogen niet van haar afhouden.

'Weet je, Marleen. Je lijkt op iemand die ik ken. Ik weet alleen niet wie. Ik kan er niet op komen.'

Marleen zuchtte onder zijn verhoor. Het kon haar niet zo veel schelen aan wie zij hem deed denken. Ze voelde zich op dit moment alleen maar steeds kleiner worden van angst.

Joyce zat al klaar om meer vragen te stellen.

Uiteindelijk liet Jeffry haar met rust en liep naar de tafel waar zijn andere collega's zaten te lunchen.

'Wat was dat allemaal met je moeder? Woont ze in een verpleeghuis?' Joyce was een en al nieuwsgierigheid. Ze keek haar strak aan.

Marleen knikte en schonk intussen een kop thee voor hen beiden in.

'Waarvoor? Wat mankeert haar?' Joyce was niet van plan zich te laten afschepen met een kort knikje.

Marleen was echter niet van plan haar de hele waarheid te vertellen. Ze zou zich vreselijk schamen. 'Dement', loog ze zonder blikken of blozen. 'Oud en dement. Die dingen gebeuren nu eenmaal, Joyce. Mijn moeder is niet de enige.'

'Wat is het dan fijn dat je nog een zus hebt, Marleen. Jullie zijn elkaar vast tot steun nu jullie moeder zo ziek is.' De woorden klonken welgemeend.

Marleen liet Joyce in de waan dat ze een goed contact had met Brenda en haalde opgelucht adem toen de lunchpauze voorbij was en ze zich weer op haar werk kon storten.

Om vijf uur haalde ze haar fiets uit de fietsenstalling en kwam ze Jeffry opnieuw tegen.

'Nou, dat is toevallig! Ik ben ook op de fiets. Welke kant moet jij uit? Misschien kunnen we een eindje samen opfietsen.'

Marleen voelde haar hart wild tekeergaan. Jeffry keek vast op haar neer omdat haar moeder verslaafd was. Morgen zou het roddelpraatje dat ze de dochter van een alcoholist was, vast de ronde doen in het ziekenhuis. Marleen moest zich voorbereiden op het allerergste. Ze huiverde bij voorbaat. Joyce zou haar geen blik meer waardig keuren.

Marleen wees naar rechts en stapte meteen op de pedalen. Jeffry volgde. 'Dat komt goed uit', zei hij. 'Ik woon in de Kromstraat. En jij?'

Marleen besefte meteen dat die straat niet ver van haar woning vandaan was.

'De Langeweg', antwoordde ze. Ze fietste voor hem uit vanwege het almaar drukker wordende autoverkeer.

Even later kwam Jeffry weer naast haar rijden. Ondanks de angst dat Jeffry wist dat ze uit een asociaal gezin kwam en allerlei praatjes over haar de wereld in kon strooien, deed het haar goed naast hem te fietsen. Het was lang geleden dat ze in het gezelschap van een man was geweest. Na Sander had geen enkele man meer belangstelling voor haar gehad. Dat was trouwens andersom ook het geval geweest. Na de dood van haar te vroeg geboren kindje durfde ze nog nauwelijks een man te vertrouwen. Ze keek van opzij naar Jeffry. Zijn donkerbruine haar en de al even donkere ogen gaven hem een jeugdige uitstraling, terwijl hij de dertig toch al gepasseerd moest zijn, schatte ze. Marleen vroeg zich af of Jeffry getrouwd was. Misschien waren er ook al kinderen. Ze voelde even een felle steek in haar borst toen ze zich afvroeg hoe het zou voelen als een man als Jeffry zijn armen liefdevol om haar heen zou slaan. De behoefte aan een arm om haar heen had ze sinds haar echtscheiding niet meer gehad. De fantasie van dit moment deed haar hart sneller kloppen en joeg het bloed naar haar wangen. Op de Langeweg stapte ze af voor haar huis. 'Hier woon ik.'

Jeffry stopte ook. Zijn blik dwaalde naar haar woning. 'Leuk huis', zei hij bewonderend.

Dat deed Marleen goed. Haar zelfvertrouwen schoot als een veer omhoog.

'Ik woon twee straten achter deze straat in eenzelfde soort huis', ging Jeffry verder. Hij maakte aanstalten om verder te rijden. 'Nou, Marleen, prettige avond en tot morgen.'

Marleen keek hem na. Tijdens de lunchpauze vanmiddag had ze hem wel weg willen kijken omdat hij meer over haar privéomstandigheden wist dan de andere collega's. Nu keek ze hem met spijt in haar hart na. Het zag er niet naar uit dat Jeffry aan anderen zou doorvertellen dat ze de dochter was van een verslaafde moeder. Ze had tijdens de fietstocht intuïtief aangevoeld dat Jeffry anders was. Betrouwbaar. Hij was niet zoals haar vroegere klasgenoten. Ze was een beetje te snel geweest met haar oordeel over hem, besefte ze beschaamd.

Na de avondboterham, nog voordat ze naar haar moeder in het verpleeghuis wilde gaan, belde ze tante Elsa op om een afspraak te maken.

Tante reageerde opgetogen. Ze vertelde dat ze enkele oude foto's van Brenda had gevonden en die al klaar had liggen.

Marleen voelde haar hart in haar keel bonzen toen ze een afspraak met tante maakte voor de volgende dag. Dan zou ze voor het eerst in haar leven beelden zien van haar oudere zusje, dat toen nog een klein meisje was. Ze kon nauwelijks wachten.

'Morgenavond om acht uur ben ik bij u', beloofde ze, voordat ze de verbinding verbrak.

6

De ontvangst door Koen Schipper van de Kinderbescherming was gastvrij. Zijn persoonlijkheid straalde rust uit, zodat Brenda de spanning in haar lichaam wat voelde afnemen. Arno, die vrij had genomen om met haar mee te gaan, hield haar hand vast. Koen nam het dossier uit zijn la en sloeg het open. Toen hij zag dat Brenda's ogen erop bleven rusten, glimlachte hij. 'Nieuwsgierig?'

'Ja, ik ben erg benieuwd. Mijn situatie is heel anders dan die van andere pleegkinderen. Biologische ouders willen doorgaans graag contact houden met hun kind dat bij een pleeggezin wordt ondergebracht. Bij mij was dat anders. Mijn beide ouders wilden helemaal geen contact meer. Ik weet dus erg weinig van de huiselijke situatie waarin mijn biologische ouders toen verkeerden. Ze hebben me mishandeld. Dat is het enige wat ik weet.' Brenda kneep in Arno's hand. Haar armen jeukten. Ze voelde een vreemde emotie, die ervoor zorgde dat haar keel dik werd.

'De laatste gegevens over je ouders en je zusje dateren van tien jaar geleden. Je zusje werd toen achttien en voor de wet volwassen. Ze is na een verblijf in een kindertehuis op haar achttiende weer bij haar ouders ingetrokken.' Koen ging achter zijn bureau zitten en sloeg de bladzijden om. 'Je vader is een maand voordat we het familiedossier afsloten, overleden aan levercirrose. Hoe het nu met de andere gezinsleden gaat, is niet bekend. Zelfs het adres kan veranderd zijn.' Koen sloot het dossier en reikte het Brenda aan. 'Lees het even door. Neem er samen de tijd voor. Dan schenk ik koffie in.'

Met trillende handen sloeg Brenda de eerste pagina op. Haar vader leefde dus niet meer. Het was een rare gewaarwording dat ze dit nieuws tien jaar na zijn dood te horen kreeg.

Arno las over haar schouder mee.

Christien en Ad heetten haar ouders. Allebei alcoholist, niet sociaal, erg depressief, vaak agressief en bekend bij de plaatselijke politie. Er sprongen tranen in Brenda's ogen toen zij haar naam zag staan met de toegebrachte verwondingen erachter. Hersenschudding na een val op tweejarige leeftijd. Daar herinnerde ze zich niets meer van. Op driejarige leeftijd had ze twee keer met een gebroken been in het ziekenhuis gelegen. Van de trap gevallen, stond erbij vermeld, met drie vraagtekens erachter. Daarmee werd door de Kinderbescherming gesuggereerd dat ze geduwd was. Precies zoals ze het zich ook allemaal herinnerde. Brenda slikte, en door een waas van tranen heen dacht ze meteen aan Ellie van de Westen. Tot op heden had ze nog niets van Bas gehoord over de gang van zaken in de huiselijke kring van de familie Van de Westen. Ze nam zich voor er aanstaande maandag meteen naar te vragen. Helemaal aan het eind van haar dossier las ze de naam van haar pleegouders. Daar was ze op vierjarige leeftijd naartoe gebracht, met daarnaast de definitieve mededeling dat haar biologische ouders geen enkel contact meer wensten.

'Ik begrijp dat het dossier van mijn zusje niet voor mijn ogen bestemd is, maar ik ben hier speciaal naartoe gekomen om naar haar te informeren', zei ze, toen Koen drie koppen koffie op het bureau zette. 'Ik weet zelfs haar naam niet eens. Ze was nog zo klein toen ik uit huis werd geplaatst. Ik wil heel graag contact zoeken met haar. Daarom ben ik hier.'

Koen nam weer plaats op zijn stoel en boog zich voorover. 'Marleen heet ze. Marleen heeft tijdens haar jonge leven ook heel vaak perioden doorgebracht in diverse pleeggezinnen en kindertehuizen. Na verloop van enkele weken stabiliseerde de thuissituatie zich dan weer en mocht Marleen terug naar haar ouders. Maar dat was helaas altijd tijdelijk. Je ouders verwaarloosden haar herhaaldelijk. Maar mishandelingen zoals jij die hebt ondergaan, kwamen bij je zusje niet voor.'

Brenda haalde opgelucht adem. Haar zusje had gelukkig niet hetzelfde meegemaakt als zij. Ze vroeg zich af of Marleen nog op het oude adres woonde. Maar dat antwoord moest Koen haar schuldig blijven. Daar moest ze zelf achter zien te komen door bij het gemeentehuis te informeren. Het adres waar haar ouders hadden gewoond, noteerde Brenda voor de zekerheid toch in haar agenda. Er zat een kleine kans in dat Marleen er nog steeds woonde, samen met hun moeder. Ze sloeg het dossier dicht. Er stond verder weinig in wat ze niet wist. Wat ze wilde weten, had ze te horen gekregen. Marleen heette het onbekende zusje. En haar vader leefde niet meer. Hoewel ze verwacht had dat mededelingen over haar ouders haar koud zouden laten, merkte ze toch een vreemde ontroering in haar binnenste. Ze zou haar vader dus nooit meer ontmoeten, en hij zou haar nooit meer kunnen kwetsen. Waarom had hij haar niet in bescherming genomen toen ze zo klein was? Vaders moesten toch van hun kinderen houden, net zoals pleegvader Wim van haar hield, en Arno van hun kinderen? Waarom was haar vader niet gewoon geweest zoals andere vaders? Wat had ze verkeerd gedaan dat hij haar altijd sloeg, hard duwde en bewerkte met brandende sigarettenpeuken?

Brenda huiverde. Verdriet, onbegrip, verontwaardiging en vooral woede wisselden elkaar in een snel tempo af. Ze overhandigde Koen het dossier weer. Haar hand trilde. Daarna spraken ze gezamenlijk nog over de huidige gang van zaken bij Raad voor de Kinderbescherming.

Koen vond het moedig van haar dat ze maatschappelijk werk als beroep had gekozen. 'Erg confronterend, gezien jouw verleden. Je bent niet iemand die voor moeilijkheden op de vlucht slaat. Je hebt een sterk karakter.'

Brenda beschouwde dat als een compliment. 'Dat heb ik te danken aan mijn pleegouders', voegde ze eraan toe. 'Hun liefde voor mij heeft ervoor gezorgd dat ik de persoon kan zijn die ik nu ben. Uiteraard ben ik ook dankbaar voor een organisatie als de Kinderbescherming. Als die me toen niet uit huis had geplaatst, hadden mijn kinderjaren voortdurend in het teken van geweld gestaan.'

Nadat ze een tweede kop koffie hadden leeggedronken, namen Brenda en Arno afscheid van Koen.

'Als ik jullie nog eens van dienst kan zijn, ben je altijd welkom.' Koen gaf hun beiden een hand.

Brenda stapte tevreden het gebouw uit.

'Zullen we maar meteen naar het adres van je moeder rijden?', stelde Arno voor toen ze in de auto zaten. Hij draaide het contactsleuteltje om en startte de motor. 'We zijn nu toch in je geboorteplaats.'

Brenda dacht een ogenblik na. Maar Arno's voorstel stond haar tegen. Daar had ze zich vandaag absoluut niet op voorbereid. Ze wilde liever niet oog in oog komen te staan met haar moeder. Ze had er ook geen behoefte aan haar moeder te ontmoeten. Nee, ze wilde alleen maar haar zusje Marleen zien. Niet onverwacht, maar na een afspraak. Marleen moest dit namelijk zelf ook willen. 'Nee, ik heb tijd nodig, Arno. Ik stel voor dat we even bij Jef-fry op bezoek gaan. We zijn nu toch in de buurt. En daarna wil ik weer naar huis, naar de kinderen.'

'Ik vind alles goed, liefje', mompelde Arno en reed zijn auto naar de Kromstraat, waar zijn zwager woonde.

Eline werd door haar huisarts doorverwezen naar een gynaeco-loog in het ziekenhuis voor verdere controles. De bevalling zou daar straks ook plaatsvinden. Haar leeftijd bracht bepaalde risi-co's met zich mee, vond de huisarts. Nu ze ruim drie maanden zwanger was, voelde ze zich 's morgens niet meer zo misselijk. De gevarenzone was definitief voorbij. Een miskraam was uitge-bleven. Erik had deze week de laatste werkzaamheden aan het babykamertje verricht. Morgen verwachtten ze de meubeltjes. Eline kon er bijna niet op wachten. Omdat haar kleding al be-hoorlijk knelde, had ze vandaag voor het eerst een positiejurk aangetrokken. Voordat ze naar haar werk vertrok, had ze voor de spiegel gestaan om naar haar figuur te kijken. Ze vond het heer-lijk zwanger te zijn. In deze jurk kon iedereen duidelijk aan haar zien in wat voor staat ze verkeerde. Toen ze Martin voor aanvang van de lessen in de lerarenkamer ontmoette, zag ze zijn ogen vol bewondering over haar lichaam glijden.

'De mogelijkheid dat dit misschien mijn kind is, laat me niet los', fluisterde hij haar in het voorbijgaan in haar oor.

Eline voelde al het bloed uit haar gezicht wegtrekken. 'Het is Eriks kind', siste ze verontwaardigd. 'Van niemand anders.'

Martin lachte spottend. 'Jij en ik weten beter, Eline.'

Eline sloot haar ogen. Het duizelde haar een moment. Datgene wat ze vertrouwelijk met Martin deelde, dreigde een verkeerde kant op te gaan. Martin schepte er op een of andere manier be-hagen in haar kind als van hem te beschouwen. Dit kon natuur-lijk niet zo doorgaan. Als Martin haar lastig bleef vallen met dat-gene wat ze krampachtig probeerde te verdringen, werd ze bij voorbaat bang voor de toekomst. Hoe moest het dan verder?

Gedurende de dag was ze erg afwezig, en de kinderen in haar klas maakten dankbaar misbruik van de situatie, zodat het druk en rommelig werd in haar lokaal.

Om halfvier kondigde de bel aan dat de schooltijd erop zat. De kinderen holden weg, en Eline borg zuchtend haar lesmateriaal op, nam haar tas en liep meteen door naar buiten, waar haar auto geparkeerd stond. Ze wilde Martin vandaag liever niet meer ontmoeten.

Maar Martin dacht daar blijkbaar anders over. Toen ze haar auto wilde starten, tikte hij tot haar grote schrik op het raampje. Hij had hard gelopen. Ze zag hem hijgen. Ze voelde haar hart bonzen in haar keel toen ze het raampje liet zakken.

'Je loopt toch niet voor me weg?'

Eline schudde haar hoofd en kneep met haar handen in het stuurwiel.

'Je kunt achterhalen wie de donor is, Eline. Het zou voor mij een hele geruststelling zijn te weten dat je mijn kind verwacht.' De klank in Martins stem was wanhopig. 'Als ik dat weet, praat ik nergens meer over.'

'Martin, doe me dit niet aan. Laat me met rust', smeekte Eline met tranen in haar ogen. 'Ik wil dit niet. Ik verwacht Eriks kindje.'

'Eline.' Door het raampje heen legde hij zijn hand op haar hand, die het stuurwiel nog steeds krampachtig vasthield. 'Ik mag je heel erg graag. Ik denk dat ik zelfs verliefd op je ben. Als het donormateriaal nu eens afkomstig is van mij, dan ...'

'Ga naar Stella, Martin. Zij is je vrouw', riep Eline geïrriteerd uit. Met een driftig gebaar draaide ze het raampje dicht, zodat Martin zijn arm snel moest terugtrekken. Ze startte met bibberende hand haar auto, reed weg en liet een verbaasde Martin achter. Ze wist nu heel zeker dat ze in de toekomst niet opgewassen zou zijn tegen dergelijke confrontaties. Wat verbeeldde Martin zich eigenlijk wel? Maar aan de andere kant voelde ze dat haar geheim nu niet langer veilig was. Zenuwachtig besefte ze dat er maar één mogelijkheid was om tot een oplossing te komen: ze moest haar baan eerder opzeggen dan ze had gepland, en het contact met Martin moest ze op alle fronten verbreken.

Eenmaal thuisgekomen kwam Eline weer tot rust. 's Avonds bij de koffie vertelde ze Erik dat ze graag definitief wilde stoppen met haar werk op school. 'Het wordt me toch te zwaar, Erik. De kinderen zijn zo druk. Dat kan niet goed zijn voor mijn zwangerschap.'

Dat verbaasde Erik. 'Hier kijk ik van op', zei hij. 'Vorige week opperde je nog na de bevalling twee dagen les te blijven geven.'

'Ik ben van mening veranderd.' Eline kreeg het benauwd. 'Dit is mijn eerste en waarschijnlijk ook enige zwangerschap. Het moet voorspoedig gaan. Ik wil niet dat er straks iets misgaat met ons kindje doordat het werk me boven het hoofd groeit.' Erik haalde zijn schouders op. 'Ik vind het prima, hoor', zei hij. 'Ik vind het trouwens ook een geruststelling dat we onze baby straks niet aan een oppas hoeven toe te vertrouwen.' Eline haalde opgelucht adem. Ze zou er meteen werk van maken en deze week haar ontslag indienen.

De volgende dag moest Eline zich bij de gynaecoloog in het ziekenhuis melden voor controle. Haar gewicht en bloeddruk waren in orde. De omvang van haar buik groeide ook. De specialist leek tevreden. Hij maakte opnieuw een echo en keek met gefronste wenkbrauwen naar de bewegende beelden.

Eline wilde na de echo opstaan, toen de specialist haar voorstelde toch vooral een prenataal onderzoek te laten verrichten. Hij stelde een vruchtwaterpunctie voor. 'Over drie weken bent u zestien weken zwanger. Dan kan het gebeuren. Denkt u er maar eens over na.'

'Ja, maar ... alles is toch goed, dokter?' Eline begreep er niets van. Waarom moest ze een vruchtwaterpunctie ondergaan als alles in orde was?

'U hebt een ietwat verhoogd risico op chromosoomafwijkingen, mevrouw. Vanwege uw leeftijd wil ik een vruchtwaterpunctie adviseren om te controleren of het kindje gezond is.'

'Waar denkt u dan aan?' Een ijzige angst bekroop Eline.

'Ik denk nog nergens aan, mevrouw. Ik adviseer standaard een vruchtwaterpunctie bij vrouwen van vijfendertig jaar en ouder. U moet zich daar niet meteen door laten afschrikken. Het onderzoek is ook niet verplicht. Praat er maar eens over met uw man.'

Met een licht gevoel van paniek ging Eline naar huis. Het onderzoek was niet verplicht, maar toch had de specialist het haar geadviseerd. Zou zij straks een kindje krijgen met een afwijking? Nee, dat bestond niet. Aan die mogelijkheid wilde ze niet eens denken.

Erik was het volkomen eens met de zienswijze van de specialist. 'Het is een hele geruststelling als we weten dat ons kindje gezond is.'

'En als dat niet het geval is?' Eline werd steeds onrustiger. Over een ongezond kindje hadden ze allebei nog niet nagedacht.

'Daar kunnen we nu beter niet aan denken. Alle zwangerschapscontroles zijn goed. Dus gaan we ervan uit dat de baby verder ook gezond is. De vruchtwaterpunctie heeft alleen maar een toegevoegde waarde. Een bevestiging dat ons kind niet met een open ruggetje geboren zal worden.'

Eline rilde bij de gedachte aan de ernstige afwijking en knikte gehoorzaam. Als Erik het wilde, zou ze het onderzoek zeker laten verrichten. Hij had haar weten te overtuigen.

'Maak je nu maar niet zo druk', probeerde hij haar te kalmeren. 'De uitslag is vast goed.'

Later die avond, toen Eline op bed lag, en Erik allang in slaap was, woelde ze om en om. Ze kon niet zo makkelijk in slaap komen. Stel je voor dat de uitslag niet goed was, en ze een kindje zou krijgen met een nare afwijking. Zou zij dan genetisch gezien de veroorzaker zijn? Of was het misschien de donor van wie ze in verwachting was geraakt? Haar gedachten dwaalden automatisch naar Martin, die uitdrukkelijk had geopperd dat het kindje dat ze droeg, ook van hem kon zijn. Hij was een van de vele donoren van wie ze in verwachting kon zijn, al geloofde ze daar zelf geen snars van. Maar het was op dit moment wel een hele geruststelling voor haar te weten dat het zoontje van Martin en Stella een normaal, gezond kindje was. Nee, ze moest niet meteen aan het allerergste denken. Het zag ernaar uit dat haar kindje gezond op de wereld zou komen. Ze nam zich voor morgen meteen het ziekenhuis te bellen om een afspraak te maken voor een vruchtwaterpunctie. En ze moest ook niet vergeten Brenda te bellen. Brenda moest ook op de hoogte blijven van het wel en wee van haar zwangerschap. Nu Brenda al enige tijd haar eigen praktijk had in 'Het Klaverblad', was hun vriendschap wat op de achtergrond geraakt. Brenda had het erg druk met haar werk, en dat kon Eline ook wel begrijpen. Maar ze miste het contact dat ze voorheen veel vaker hadden. Langzaam sukkelde Eline in slaap.

Jeffry had een drukke dag achter de rug. Vanmorgen waren er op zijn afdeling twee spoedopnamen geweest. Door de ernstige lichamelijke conditie waarin de patiënten verkeerden, had dat veel tijd gekost. Normaal gesproken was de personeelsbezetting op de afdeling goed, maar sinds gisteren hadden twee fulltimers zich ziek gemeld. Hij miste hun ervaren handen aan het bed, zodat de dag chaotisch en vol strubbelingen was verlopen. Personeelszaken was niet van plan de komende dagen een oproepkracht op zijn afdeling in te schakelen, en de collega's hadden opstandig gemopperd vanwege de toenemende werkdruk.

Toen hij na werktijd naar huis fietste, was het al veel later dan hij gewend was. Met een gevoel van teleurstelling besefte hij dat Marleen al een uur eerder naar huis was gefietst. De laatste twee weken was hij vaker met haar meegefietst. Er was iets in deze jonge vrouw dat hem aantrok. Hoewel ze hem enigszins ontweek en hem duidelijk op een afstand hield, hoorde hij haar graag praten. Haar lach klonk sprankelend en bleef uren lang in zijn oren naklinken. Hij vroeg zich de laatste tijd vaak af hoe het zou zijn als ze elkaar wat beter zouden leren kennen. Jeffry moest eerlijk bekennen dat Marleen hem niet onverschillig liet. In het verleden had hij wel eens een langdurige relatie gehad met een vriendin, die hem echter uiteindelijk voor een ander in de steek had gelaten. Daarna was hij nooit meer een vrouw tegengekomen die dergelijke gevoelens bij hem wist los te maken. Nu was Marleen in zijn leven gekomen. Een vrouw van wie hij met grote zekerheid wist dat ze een moeilijke jeugd had gehad. De moeder van Marleen vond hij minder sympathiek. Het drankmisbruik had haar hersens volledig aangetast. Het mens was al jaren alcoholist. Nee, Marleen had het vast niet gemakkelijk gehad in haar leven.

Jeffry fietste langzaam langs Marleens huis en zette twee straten verderop zijn fiets in het schuurtje achter het huis. Hij speelde vertwijfeld met de gedachte Marleen het komend weekend mee uit te vragen. Ze zouden naar een leuke film kunnen gaan of samen in een restaurantje iets kunnen eten. Hij probeerde zich voor te stellen dat Marleen op zijn uitnodiging inging en dat ze stralend naast hem in de bioscoop zou zitten, zodat hij zijn arm losjes om haar schouder kon leggen.

Jeffry stapte peinzend zijn woning binnen, sloot de achterdeur en werd meteen opgeschrikt door de voordeurbel. Toen hij opendeed, keek hij verbaasd in de gezichten van Brenda en Arno. 'Wat een verrassing.' Jeffry opende de deur helemaal. 'Kom binnen. Dat treft. Ik kom net thuis.'

Brenda en Arno stapten binnen. Brenda kuste hem op beide wangen. 'We waren in de buurt. Komt het gelegen, Jeffry?'

'Altijd. Jullie zijn altijd welkom. Kom verder en vertel. Hoe gaat het in Andel? Met paps en moeke alles goed? En jullie kinders?'

Jeffry keek naar Brenda's gezicht terwijl ze praatte en hem vertelde dat Robert en de tweeling momenteel de waterpokken doormaakten.

'Ik ben van plan volgende week een dagje naar paps en moeke te gaan. Dan maak ik meteen van de gelegenheid gebruik om naar jullie rakkers te komen kijken. Wat zeg je daarvan, Brenda?'

'Dat zullen ze heerlijk vinden, Jeffry. Je weet dat ze dol op je zijn.'

Jeffry stelde voor bij de Chinees een portie nasi te gaan halen. Brenda en Arno hadden daar wel oren naar. Daarna wilden ze huiswaarts keren.

Tijdens de maaltijd vertelde Brenda hem dat ze vanmiddag een bezoek had gebracht aan de Kinderbescherming om informatie in te winnen over een zusje van wier bestaan ze nooit had geweten. Het klonk Jeffry vreemd in de oren. Hij zag Brenda allang niet meer als zijn pleegzusje. Zo lang als hij zich kon herinneren, was Brenda er altijd al geweest. Ze was gewoon zijn zusje, net zoals Kathy en Eline zijn zusjes waren.

Toen hij Brenda en Arno een uur later uitzwaaide, hoorde hij Brenda's schalkse lach nog naklinken in zijn oren. Hij bedacht ineens dat haar lachje hem bekend voorkwam. Terwijl hij naar boven ging om zich te douchen en te verkleden, moest hij ineens sterk aan Marleen denken. Zij kon ook zo sprankelend lachen. Jeffry besefte plots dat Brenda degene was aan wie Marleen hem steeds deed denken. Zijn eigen pleegzus, Brenda. Dat was merkwaardig.

Nadat hij gedoucht had, overwon hij zijn twijfel, nam de telefoon op en toetste het telefoonnummer in van Marleen. Hij wilde haar graag zien en mee uit nemen om haar beter te leren kennen. Maar de telefoon werd niet opgenomen. Teleurgesteld legde hij zijn telefoon weer weg. Misschien had Marleen al een vriend. Tot dusver had hij aan die mogelijkheid niet gedacht, hoewel ze tijdens de bezoekuren in het ziekenhuis altijd alleen was geweest en nooit in het gezelschap van een andere man. Hij had als vanzelfsprekend aangenomen dat ze alleenstaand was. Een vrijgezelle jonge vrouw. Hij nam zich voor het morgenvroeg opnieuw te proberen. Dan was het zaterdag, en hoefde Marleen niet te werken. Waarschijnlijk had hij dan meer kans om haar thuis te treffen.

Jeffry zette de televisie aan om naar zijn favoriete sportprogramma te kijken. Een eenzame lange avond lag voor hem.

De vlekjes van de waterpokken waren bij Robert overgegaan in droge korstjes. Laura en Benny vonden de kinderziekte allang niet meer zo grappig nu ze er zelf ook volop last van hadden. Benny had zijn armen tot bloedens toe gekrabd. Zo veel jeuk had hij. Brenda strooide enkele malen per dag mentholpoeder over hun lijfjes, wat enige verlichting bracht. Het was vermoeiend voor moeke nu dagelijks op de drie kinderen te passen wanneer Arno en zij naar hun werk waren. Ze moesten alle drie hun kinderziekte noodgedwongen thuis uitzieken, en de temperamentvolle Benny hield moeke wel bezig. Paps stond haar meer dan eens terzijde. Na halfvier 's middags nam Brenda het weer van hen over. Ze werd na een drukke dag op 'Het Klaverblad' doodmoe van de zeurderige tweeling, die zich enorm verveelde nu ze niet naar school mochten. Ze haalden allerlei ondeugende streken uit, zodat Brenda het gevoel kreeg een politieagent te zijn in plaats van een zorgzaam moedertje. Gelukkig was Robert al aan de beterende hand. Ze dacht erover hem aanstaande maandag weer naar school te sturen. Met haar oudste jochie had ze weinig moeite gehad, zo plooibaar als hij was. Robert was snel tevreden en verveelde zich eigenlijk nooit.

De drukke week met haar drie zieke kinderen had ervoor gezorgd dat Brenda nog geen navraag had kunnen doen naar Marleens huidige adres. En dan was Eline er ook nog. Ze belde haar momenteel veel te weinig, zeker nu ze voor de naderende vruchtwaterpunctie stond. Brenda had Eline geadviseerd even niet op visite te komen zolang de kinderen de waterpokken hadden. Eline dacht alleen maar aan het kindje dat ze verwachtte. Daar mocht absoluut niets mee gebeuren. Stel je voor dat Eline ook ziek werd.

Tijdens enkele spaarzame vrije momenten dwaalden Brenda's gedachten naar Elines onverwachte zwangerschap. Ze wist niet hoe het kwam, maar ze had nog steeds haar bedenkingen en vragen. Ze had Elines zwangerschap als eerste reactie 'een wonder' genoemd, en dat was het natuurlijk ook. Elke zwangerschap was immers een door de Schepper gegeven wonder. Ze piekerde over de diagnose die de specialist vijf jaar geleden aan Erik had gegeven. Het was een definitieve diagnose geweest. Brenda betwijfelde of Erik de echte vader van Elines baby was. Haar zus moest iets voor haar verzwijgen. Dat kon niet anders. Brenda wist alleen niet precies wat het was, omdat ze aan een andere relatie binnen Elines huwelijk niet durfde te denken. Maar intuïtief voelde ze aan dat er iets niet klopte. Jammer, dat ze door het werk in haar praktijk nog maar zo weinig tijd kon vrijmaken voor Eline.

Gisteravond had Eline haar weer eens opgebeld, maar nu om te vertellen dat ze op school haar ontslag had ingediend. Ze wilde ermee stoppen, had ze gezegd. Ze was erg bang dat ze overbelast zou raken door de drukke kinderen van groep zeven gedurende haar zwangerschap. Dat vond Brenda ook wel een beetje vreemd. Eline was op en top schooljuf. Het was niet haar stijl thuis te blijven en niets meer te doen.

Al met al begreep Brenda weinig meer van haar. In korte tijd ontgroeiden ze elkaar sneller dan ze ooit voor mogelijk had gehouden. Daarom had ze Elines dringende vraag met haar mee te gaan wanneer de vruchtwaterpunctie zou plaatsvinden, meteen positief beantwoord. Natuurlijk wilde ze haar zus graag terzijde staan. Erik kon vanwege zijn werk niet mee. Hij was er altijd voor Eline en ging overal met haar naartoe, maar deze afspraak paste niet in zijn agenda. En Eline wilde de gemaakte afspraak niet ongedaan maken. Brenda verschoof bij 'Het Klaverblad' enkele afspraken op de bewuste dag naar de late namiddag. Het was nog niet eerder voorgekomen dat ze een middag tot halfzes moest werken, maar het ging deze keer niet anders. Ze kon Eline niet alleen naar het ziekenhuis laten gaan. En moeke vond het niet erg de kinderen onder haar hoede te nemen.

'Vind jij een vruchtwaterpunctie niet wat overdreven?', had Eline voorzichtig bij haar geïnformeerd. 'Het gaat prima met mijn zwangerschap en ik ben zelf zo gezond als wat. Jij gelooft toch ook niet dat dit kindje kans maakt op een of andere afwijking? Dit kleine wonder moet gezond zijn. Dat kan niet anders.'

Brenda had even met een mond vol tanden gestaan. Nee, geen enkele aanstaande moeder hield graag rekening met een baby waarbij afwijkingen aan het licht zouden komen. Ze kon zich goed voorstellen dat Eline tegen het onderzoek opzag. Tijdens haar zwangerschappen van Robert en de tweeling had ze daar niet eens bij stilgestaan. Ze had ook geen advies van de verloskundige gekregen om een vruchtwaterpunctie te laten verrichten. Ze was nog jong geweest toen Robert zich aankondigde. Vierentwintig, om precies te zijn. Dat Elines specialist dit onderzoek adviseerde, kwam natuurlijk door haar leeftijd. Vijfendertig. Hoe ouder een vrouw werd, des te groter de risico's. Tja, dat was nu eenmaal zo. 'Het onderzoek is preventief, Eline. Wacht de uitslag eerst maar af. Het zal een opluchting voor je zijn te horen dat alles goed is met jullie baby.'

Brenda's antwoord had niet erg overtuigend geklonken. Eline hield krampachtig aan de gezondheid van haar baby vast.

Een uur voor de afspraak in het ziekenhuis haalde Brenda Eline op. Eline zag er nerveus en paniekerig uit. Brenda zag meteen dat de kleine welvende ronding van Elines buikje zich in haar positiejurk aftekende. Ze herinnerde zich haar eigen zwangerschappen weer, maar ook de vraag die Arno haar kortgeleden stelde. Of ze ook zo naar een vierde kindje verlangde? Het antwoord moest ze hem voorlopig even schuldig blijven. Hun zieke kindertjes en de drukke praktijk vergden momenteel al haar energie.

Toen ze met Eline zat te wachten op de oproep van de specialist voor de punctie, kneep ze plotseling hard in Brenda's hand. 'Ik ben bang, Brenda. Doodsbang.'

'Kop op, Eline.'

'Als deze baby een afwijking heeft, is dat vast een straf ...' Eline maakte haar zin niet af. De deur van de onderzoekkamer ging open en de assistente riep Eline naar binnen.

Brenda keek Eline met een verbijsterde blik na toen ze de assistente volgde. Ze was geschrokken van Elines uitspraak. 'Nee, Eline. Dat mag je nooit denken', riep ze haar na.

Eline draaide zich een ogenblik om en glimlachte krampachtig.

Brenda zag de blik van wanhoop en angst in haar ogen. Hoe was het toch mogelijk dat Eline een mogelijke afwijking als een straf van God zag. Ja, dat had ze willen zeggen. Een straf van God. Maar waarom zou God Eline willen straffen met een zieke baby? Brenda vond het vreemd. Zo waren ze niet opgevoed door paps en moeke. Ze hadden juist geleerd dat God liefde was. Natuurlijk gebeurden er ook onbegrijpelijke dingen die moeilijk te verklaren waren, maar aan de liefde van God hoefden ze, ook in moeilijke situaties, niet te twijfelen.

Eline bleef een uur weg. Daarna kwam de assistente Brenda halen.

'De vruchtwaterpunctie is achter de rug. Mevrouw Maas vraagt naar u. De specialist wil graag dat ze nog even blijft liggen. Mevrouw is nog steeds nerveus en erg gespannen.'

Toen Brenda de onderzoekkamer binnenliep en Eline met een rood behuild gezicht op een bed zag liggen, wist ze dat ze al haar gemaakte afspraken voor vandaag bij 'Het Klaverblad' moest afzeggen. Ze had Eline nog nooit zo overstuur gezien. Het was duidelijk dat ze haar nu niet aan haar lot kon overlaten. Er zat Eline iets dwars. Brenda wist het zeker. Daar kende ze haar zus veel te goed voor.

De specialist en de assistente verdwenen uit de onderzoekkamer toen Brenda plaatsnam naast Elines bed.

7

Tante Elsa woonde in een kleine aanleunwoning naast het plaatselijke woonzorgcentrum. Tante Coba was ook van de partij toen Marleen op de afgesproken tijd aanbelde. Twee grijze dames, mager, en beiden met een ietwat gebogen rug. Ze leken op elkaar. Alleen was tante Coba iets groter. Marleen werd door beide tantes stevig omhelsd.

Tante Elsa bood haar een kop koffie aan met iets lekkers erbij. 'Ga zitten, lieverd. Hoe gaat het met je? Je ziet er goed uit. Ad kan trots zijn op een dochter als jij', kwetterde tante Elsa. Naar moeder Christien vroeg ze niet.

Marleen vertelde uit eigen beweging dat haar moeder onlangs in een verpleeghuis was opgenomen en dat haar geestelijke conditie sterk afnam door het syndroom van Korsakov.

'Tja, zo zie je maar wat een alcoholverslaving kan aanrichten', verzuchtte tante Coba. 'Elsa en ik hebben het de laatste tijd nog vaak over vroeger gehad. Over jou, en ook over je zus, Brenda. Dat arme kind!'

Tante Elsa pakte een mapje van het dressoir. 'Hier, de beloofde foto's van kleine Brenda.'

Met een kleur van opwinding nam Marleen de foto's aan die tante haar aanreikte. Op de kiekjes zag ze een kleutertje staan in een vaal bruin jasje en met schoentjes aan waarvan de gespjes duidelijk stuk waren. De helblonde haren van het kindje piekten slordig om het gezichtje. De blik op het gezichtje van het kleutertje was ernstig. Er kon geen lachje vanaf. Wat triest, waren de eerste woorden die in Marleens hoofd opkwamen. Wat een zielig meisje. Ze sprak de woorden niet uit, maar haar ogen vulden zich met tranen. Wat hadden haar ouders dit kind allemaal aangedaan? 'Mijn zus Brenda', fluisterde ze geëmotioneerd. 'Wat fijn dat u deze foto's nog hebt.' Ze slikte de dikke brok in haar keel weg.

'Die heb ik zelf gemaakt op haar verjaardag. Brenda werd toen vier. Je ouders hadden helaas nooit erg veel aandacht voor je zus. Zelfs niet op haar vierde verjaardag. Het zou me niets verbazen als er geen andere foto's meer zijn van Brenda. Ad en Christien hadden niet eens een camera.'

'U hebt gelijk. Toen ik moeders appartement onlangs moest

ontruimen, kon ik ook niets van Brenda vinden. Helemaal niets. Alsof Brenda er nooit is geweest.'

'Tja, kind. Dat was allemaal de schuld van je vader, onze broer Ad. Hij dacht dat Brenda zijn kind niet was, hoewel Christien dat altijd hardnekkig bleef ontkennen.'

'Dat vertelde u al eerder. Maar waarom dacht vader dat? En als het toch waar was, had hij als volwassen kerel toch wel het besef dat Brenda daar niets aan kon doen? Een meisje van vier.' Marleen klonk hevig verontwaardigd. Ze wilde het graag opnemen voor het kleine verwaarloosde meisje op de foto's.

'Ach, het kwam allemaal door de drank, kind. Ad wilde de verantwoordelijkheid voor Brenda niet dragen. Dat was vanaf haar geboorte al goed te merken', zei tante Coba, die duidelijk meeleefde. 'Je ouders deden niets anders dan de hele dag wijn, bier en jenever drinken. Ad was 's morgens vaak al zat, en Christien kon om twaalf uur 's middags niet eens meer rechtop blijven staan. Zo erg was het. Naar Brenda werd niet omgekeken, en wanneer ze om aandacht vroeg, werd dat snel afgestraft met een ferme tik. Soms werd ze ook uren lang in een kast opgesloten. Afschuwelijk.'

'Lieve help ...', zuchtte Marleen. Hier kon ze niets tegen inbrengen. Tante Coba sprak de waarheid. Ze herinnerde zich weer als de dag van gisteren hoe dronken vader kon zijn. Hoe onberekenbaar en agressief zijn gedrag altijd was tegenover haar moeder. Het moet Brenda in haar peuterjaren erg slecht zijn vergaan, besefte ze. Het kind had geen enkele kans gekregen. Gelukkig waren er mensen van de Kinderbescherming geweest, die haar uit huis hadden geplaatst. Maar niet alleen Brenda was de dupe geweest. Marleens eigen leven was ook troosteloos en moeizaam verlopen, door haar ouders. Ze had een allesbehalve gelukkige kindertijd gekend. En ook geen leuke tienerjaren, geen fijne jeugd. Alles was altijd even somber geweest. En tijdens haar verblijf bij diverse pleeggezinnen had ze nooit ergens haar draai kunnen vinden.

'Ben jij al getrouwd, Marleen?', vroeg tante Elsa nieuwsgierig. 'Heb je soms al een paar kleine kindertjes? Ik ben dol op kleine hummeltjes. Mijn kleinkinderen zijn alweer groot. Die laten zich niet graag meer door oma Elsa knuffelen.'

Marleen bloosde toen ze aan Sander dacht. Er schoot een felle pijn door haar borststreek toen ze zich opnieuw herinnerde wat hij haar had aangedaan. En niet alleen haar, maar ook haar kleine ongeboren baby. Daar wisten de tantes niets van, en dat wilde ze voorlopig graag zo houden. Ze schaamde zich voor het alcoholmisbruik van Sander, en omdat ze in die tijd zo vreselijk naïef geweest was met een alcoholist in het huwelijksbootje te stappen. Zij had tenslotte beter moeten weten. Maar de liefde had haar blind gemaakt. 'Nee, ik ben niet getrouwd', antwoordde ze naar waarheid. 'En ik heb geen kinderen.' Haar gedachten gleden naar de kleine begraafplaats achter de kerk, waar zich het grafje van haar doodgeboren kindje bevond. Zonder steen, zonder gedenkteken. Alleen een bult zand met een genummerd bordje. Het verdriet drong zich weer aan haar op, maar ze duwde het van zich af. Ze wilde zich in de nabijheid van de tantes niet laten gaan. Er was zo veel wat zij niet wisten. De foto's hield ze in haar trillende handen. 'Mag ik deze foto's houden, tante?'

Tante Elsa knikte. 'Natuurlijk, per slot van rekening is dat kleutertje je zus.'

Nadat ze beloofd had binnenkort terug te komen, fietste Marleen weer naar huis. Daar zette ze de kiekjes in een lijstje op het televisiekastje. Dan kon ze er iedere dag naar kijken.

Zaterdagmorgen bleef ze wat langer in bed liggen. Daarna stond ze op, stapte ze onder de douche en kleedde ze zich aan. Het deed haar goed weer in het wekelijkse ritme van arbeid en weekend te zitten. Wat had ze geboft met haar tijdelijke baan. Ze moest er niet aan denken straks weer zonder werk te zitten.

Toen ze om elf uur klaarstond om naar de supermarkt te fietsen voor wat boodschappen, rinkelde haar telefoon. Ze bloosde licht bij het horen van Jeffry's stem. Hij vroeg haar of ze zin had vanavond een hapje met hem te gaan eten. Marleen keek naar de wijzers van de klok. Vanmiddag moest ze ook nog een uurtje bij moeder op bezoek. Dat had ze beloofd. Maar vanavond was ze vrij. Ze accepteerde zijn uitnodiging. Haar gezicht tintelde toen ze de verbinding verbrak. Jeffry zou haar om zeven uur komen halen. Hij wist een leuk eethuisje waar hij haar mee naartoe wilde nemen. Intussen wist ze van Joyce dat Jeffry ongetrouwd was. En op dit moment had hij blijkbaar geen relatie. Anders had hij haar vast niet mee uit gevraagd. Marleen had na zijn telefoontje even het gevoel dat ze zweefde. Ze kon zich niet voorstellen dat Jeffry Vesters belangstelling voor haar aan de dag legde. Hij was na Sander de eerste man die haar mee uit vroeg. Het stemde haar tevreden.

's Middags kwam ze met een opgewekt humeur in het verpleeghuis aan waar moeder een eigen kamertje had.

Een zuster die haar aansprak toen ze naar moeders kamer wilde lopen, waarschuwde haar voorzichtig. 'Uw moeder heeft op dit moment last van een kater. Via een andere patiënt, die een dagje naar huis mocht, heeft ze gisteren enkele flessen wijn naar binnen weten te smokkelen. Toen we daarachter kwamen, was het al te laat. Ze heeft de flessen gisteravond tot de allerlaatste druppel leeggedronken en is er behoorlijk beroerd van geworden omdat alcohol en de medicijnen die ze gebruikt, niet goed samengaan.'

Marleen hoorde het verhaal met verbijstering aan. Ze wist dat overmatig alcoholgebruik bij moeder meer schade kon aanrichten dan goed voor haar was. Dat ze op een dergelijke slimme manier aan alcohol was gekomen, kon Marleen zich wel voorstellen. Moeder had er alles voor over om aan drank te komen. Dat was nooit anders geweest. Maar dat het met hulp van een andere patiënt was gelukt, schokte haar diep.

'Hoe is het nu met die andere patiënt?', informeerde ze met een benepen stemmetje.

'Maak je daar maar geen zorgen over. We hebben al met die patiënt gesproken, en deze persoon heeft ons beloofd geen flessen drank meer voor je moeder te zullen meenemen.' De zuster glimlachte Marleen bemoedigend toe. 'Ik wilde u alleen maar even waarschuwen voor de kater van uw moeder. Dan weet u meteen hoe de vork in de steel zit.'

'Dank u', zuchtte Marleen. 'Het spijt me dat mijn moeder zo veel overlast veroorzaakt.'

'Tja, en het spijt ons dat we dit niet hebben kunnen voorkomen.' De zuster haalde in een machteloos gebaar haar schouders op. 'We weten dat dergelijke dingen kunnen gebeuren op een afdeling als deze. Er wonen hier namelijk meer mensen met die ziekte. Het is ons niet opgevallen dat uw moeder een andere patiënt heeft benaderd om aan alcohol te komen.'

'Het is nu eenmaal gebeurd', zuchtte Marleen. Ze bedankte de zuster voor het vertrouwelijke gesprek. Tja, wat dat betrof, was moeder heel vindingrijk.

Marleen bleef voor moeders kamerdeur staan en haalde diep adem, bang voor wat ze zou aantreffen. Zachtjes opende ze de deur. Moeder lag in bed. De kamer rook naar alcohol, vermengd met een zure braakselllucht. De verpleging had het raam op een kier gezet om wat frisse lucht binnen te laten. Marleen keek naar het grauwe gezicht van de slapende vrouw, die nu overduidelijk haar roes lag uit te slapen. Het was allemaal zo herkenbaar. Moeder snurkte en ronkte als een oud paard. Moeder, die haar leven, en ook dat van Brenda, zo grondig had verpest. Moeder, van wie ze, ondanks alle ellende, toch hield. Was dat niet tegenstrijdig? Marleen voelde de weerstand tegen deze vrouw heel even de kop opsteken. Was het niet raar dat ze ondanks alles gewoon van haar moeder bleef houden? Het voelde op dit ogenblik zelfs enigszins als verraad ten opzichte van Brenda, het mishandelde zusje dat ze nooit gekend had. Haar weerstand zakte echter snel weer weg. Wat bleef, was een diep gevoel van medelijden met de vrouw die Christien van Zelst uiteindelijk was geworden. Niets meer dan een wrak. Een korsakovpatiënt. De drank had niet alleen vaders leven, maar ook haar leven compleet verwoest. Gelukkig had Marleen zelf nog steeds de kans om iets van haar toekomst te maken.

Hoe zou het Brenda zijn vergaan, vroeg ze zich ineens af. Was haar grote zus een gelukkige vrouw geworden? Wat zou ze dat graag willen weten.

Na vijf minuten verliet ze moeders kamer weer. Haar bezoekje had op dit moment geen enkele zin.

Jeffry zag ernaar uit deze avond met Marleen in een restaurantje van zijn keuze te gaan eten. Ruim op tijd arriveerde hij met zijn auto voor haar huis. Op zijn bellen maakte Marleen de deur open. Het viel hem op dat ze een verdrietige, afwezige uitdrukking in haar gezicht had. 'Is er iets? Ben je soms ziek?', informeerde hij bezorgd.

Marleen schudde haar hoofd. 'Ik heb mijn dag niet. Moeder heeft voor problemen gezorgd in het verpleeghuis. Daar schaam ik me voor. Ik ben er gewoon akelig van.' Ze kon het Jeffry wel vertellen. Hij kende haar moeder en wist van het alcoholprobleem en het korsakovsyndroom.

Jeffry luisterde aandachtig, zonder haar in de rede te vallen. Hij zou Marleen wel in zijn armen willen trekken om haar te troosten. Zo kwetsbaar zag ze eruit. Maar hij deed het niet. Ze zou er misschien van schrikken en het niet op prijs stellen. Zo goed kende hij haar nog niet.

'Ik ben blij met je uitnodiging, Jeffry.' Ze glimlachte hem aan het eind van haar betoog moedig toe. 'Het is fijn vanavond wat afleiding te hebben.'

Jeffry haalde opgelucht adem. Terwijl Marleen naar de badkamer liep om nog een kam door haar haren te halen, keek hij nieuwsgierig in het rond. Marleen had stijl en een goede smaak. De meubels waren eenvoudig, maar met zorg uitgekozen. Dat zag hij wel. De zachte pasteltinten vrolijkten de woonkamer op. Hij zou zich thuis kunnen voelen in dit huis. Het voelde vertrouwd. Jeffry's ogen dwaalden langs het schilderij aan de muur naar het televisiekastje. De kiekjes die op het kastje stonden, trokken zijn aandacht. Hij stond op van zijn stoel en boog zich voorover. Voorzichtig nam hij een lijstje in zijn hand. Was dit haveloos uitziende kleine meisje Marleen soms? Het gezichtje had iets bekends. Jeffry fronste zijn wenkbrauwen. Hij zou bijna denken dat ... Het kon niet anders. Dit meisje was niemand anders dan ...

'Dat is mijn zus', hoorde hij Marleen plotseling achter zich zeggen. 'Ik heb nog een zus. Op die foto is ze pas vier jaar.' Hij zag haar wangen kleuren.

Ze nam het lijstje van hem over.

'Hoe heet je zus?' Er lag spanning in zijn stem. Zijn hart sloeg een slag over toen de naam Brenda over haar lippen kwam. Hij ging weer zitten, te verbijsterd om meteen te reageren.

'Mijn zus is al op jonge leeftijd naar een pleeggezin gebracht. Het alcoholprobleem van mijn ouders was daar de oorzaak van, snap je? Mijn vader had een erg kort lontje en zijn handen zaten nogal los wanneer hij dronken was.'

Jeffry knikte. Hij ging op het randje van zijn stoel zitten en gebaarde naar het lijstje. Marleen overhandigde het hem aarzelend.

'Ik ken dit meisje, Marleen. Het is niet alleen jouw zusje, maar ook dat van mij. Jouw zus Brenda is namelijk mijn pleegzusje.

Ze kwam bij ons wonen toen ze vier jaar oud was. Ze ...' Jeffry wilde verderpraten, maar de herinnering aan Brenda's laatste bezoek stond hem ineens haarscherp voor ogen. Ze had hem verteld dat Arno en zij informatie ingewonnen hadden bij de Kinderbescherming over een zusje dat ze nog ergens op de wereld moest hebben. Een zusje dat nota bene een paar straten van hem vandaan woonde.

Marleens gezicht trok spierwit weg.

'Heet jouw zusje dan ook Brenda?'

'Ja, Brenda van Zelst! Net als jij, met dezelfde achternaam: Van Zelst. Lieve help, dat ik dat niet eerder heb gezien.' Jeffry was een en al verbazing. Brenda's lachje had hem onlangs nog aan Marleen herinnerd. Ook zo'n klaterend lachje.

'Tjonge, ik kan het nog niet geloven ...', prevelde hij.

Marleen liet zich in een stoel tegenover Jeffry zakken. 'Kun je me alsjeblieft wat meer over Brenda vertellen, Jeffry?' Er klonken tranen in haar woorden door. 'Ik zou haar graag een keer willen ontmoeten. Denk je dat Brenda mij ook wil zien?'

'Dat wil ze heel graag, Marleen. Daar ben ik van overtuigd. Ze is momenteel zelfs op zoek naar je', onderbrak hij haar.

'Naar mij?' Marleen kleurde opgewonden. De spanning deed haar wangen gloeien toen Jeffry haar het verhaal over zijn pleegzusje vertelde. Daarna vertelde Marleen hem alles wat ze van de tantes te weten was gekomen over Brenda. Ze huilde toen ze met een gebroken stem vertelde over haar gewelddadige vader, die er de oorzaak van was dat Brenda definitief uit huis werd geplaatst. Pas twee uur later keek Jeffry weer op zijn horloge. Zijn maag knorde luidruchtig toen hij besefte dat ze het etentje allebei waren vergeten.

Met tussenpozen waarin Eline het steeds uitsnikte, hoorde Brenda uit Elines mond op welke wijze ze zwanger was geworden. Door middel van kunstmatige inseminatie via donorzaad. Een collega op school had haar op het idee gebracht, vertelde ze aan het eind van haar betoog. 'Al deze onderzoeken jagen me zo veel angst aan. Ik heb er nooit bij stilgestaan dat mijn baby misschien met een erfelijke afwijking geboren kan worden. En ik was nog wel zo blij met deze zwangerschap. Nu ben ik alleen maar bang.

Erik zal niet bij me blijven als hij dit hoort. Ik durf het hem niet te vertellen. Hij mag het niet weten, Brenda.'

Brenda omarmde haar zus, wreef troostend over Elines schouder en besefte dat haar intuïtie juist was geweest. Al die tijd had ze diep van binnen geweten dat er een verklaring moest zijn voor Elines zwangerschap. Erik kon de vader van haar baby niet zijn. De diagnose van toen was heel definitief geweest. Wat moest Eline al die jaren eenzaam zijn geweest met haar verlangen naar een eigen kindje. 'Als het ooit zo ver komt, moet je het Erik zelf vertellen. Ik kan zwijgen als het graf. Dat weet je.'

Eline zuchtte diep van opluchting. 'Het is zo fijn dit geheim met jou te delen. Ik weet dat je betrouwbaar bent, maar ik heb je de laatste maanden zo gemist. We hadden vroeger nooit geheimen voor elkaar.'

Brenda liet Eline weer los en droogde met haar zakdoek haar tranen af. 'Kom, ga je aankleden. We gaan in de stad lunchen, en dan vertel je me alles nog eens.'

Terwijl Eline zich aankleedde, belde Brenda naar 'Het Klaverblad' om door te geven dat al haar afspraken van vandaag kwamen te vervallen vanwege een nijpende privésituatie. Joost van Empel, die ze aan de lijn had, zegde haar toe dit klusje voor haar te zullen klaren.

Die middag kwam Brenda laat thuis. De kinderen waren druk, en moeke stond met een hoogrood gezicht achter het fornuis te koken. Brenda had de afgelopen middag een goed gesprek gehad met Eline. Eline had haar nogmaals, tot in detail, alles verteld over haar verlangen naar een kindje. Uiteindelijk was ze overgegaan tot de wanhopige daad van kunstmatige inseminatie. Brenda kon zich Elines verlangen naar een kindje goed voorstellen, maar waarom had ze geen adoptie overwogen? Eline vertelde dat ze koste wat kost een eigen kindje onder haar hart wilde voelen. Een kindje van haarzelf dat daar groeide. Dat vurig gewenste kindje verwachtte ze nu ook. Maar het was niet van Erik. Hij was niet de echte vader. De vruchtwaterpunctie had Eline met beide benen op de grond gezet. Het idee dat dit kindje wellicht niet perfect op de wereld zou komen, joeg haar angst aan, omdat dan ook zou uitkomen wat ze verborgen had willen houden.

Brenda had Eline gerust weten te stellen. Over drie weken zou ze de uitslag van het onderzoek krijgen. En tot op heden was er geen reden om aan te nemen dat er iets niet goed was met de baby. Voorlopig moest Eline zich geen zorgen maken, was haar advies.

Brenda trok haar jas uit en nam de werkzaamheden van moeke over.

'Is alles goed gegaan met Eline?', informeerde die belangstellend.

Brenda knikte met een glimlach. Moeke, paps, Erik en alle andere familieleden zouden niet op de hoogte worden gebracht van Elines keuze zwanger te worden van een donor. Dat had Eline haar verteld. Ze was niet van plan haar huwelijk in een crisis te brengen. En anderen hadden daar niets mee te maken. Daar kon Brenda zich in eerste instantie wel in vinden, hoewel Elines beslissing ook iets gluiperigs had. Deze zwangerschap was niet op een eerlijke basis ontstaan. Brenda had vooral medelijden met Erik. Die dacht dat het zijn kindje was en had er laaiend enthousiast op gereageerd. Erik werd nu overal buiten gehouden. Heel even had ze er bij Eline op aangedrongen het juist wel aan Erik te vertellen. In een goede huwelijksrelatie speelde eerlijkheid toch ook een grote rol. Maar Elines angst was nog groter. Erik zou haar verlaten als ze het hem vertelde. Dat wist ze zeker.

'Ja, hoor, moeke. Eline ziet vol vertrouwen uit naar de uitslag. Haar buikje begint nu ook aardig te groeien. Is u dat al opgevallen?'

Moeke beaamde het en haalde enkele herinneringen op aan haar eigen zwangerschappen.

Brenda luisterde geduldig.

In de kamer kuste moeke daarna de drie kinderen gedag. Ze maakte aanstalten om naar haar eigen huis te vertrekken.

Intussen zag Brenda Arno's auto voor het huis parkeren. 'Wordt het niet te veel voor u op onze kinderen te passen?', vroeg ze nog aan moeke, voordat die de deur uit zou gaan. 'U hebt het er zo druk mee.'

Maar daar wilde moeke niets van weten. 'Over een paar dagen gaat de tweeling ook weer naar school. Dan wordt het weer een heel stuk rustiger. Ik ben blij dat ik dit mag doen. Heus. Maak je over mij geen zorgen. Dag, kind.' Moeke liep weg. Ze stak haar hand nog even op als groet naar Arno.

Brenda was weer overtuigd. Ze had zich enigszins schuldig gevoeld toen ze moeke met een hoogrode kleur achter het fornuis had zien staan. Ze had zo veel bewondering, zo veel respect voor deze lieve vrouw, van wie ze zo ontzettend veel hield. Moeke had haar pijnlijke verleden veranderd in een leven waarin geloof, hoop en liefde op de eerste plaats kwamen. Moeke leefde haar dat nog steeds dagelijks voor. Brenda wist dat ze ondanks haar verleden een sterke vrouw was geworden, die positief in het leven stond. Dat alles had ze aan haar pleegouders te danken. Af en toe was er nog het verleden, zoals nu met de situatie van Ellie van de Westen. De herinneringen waren nog steeds levend. Maar ze waren te hanteren. Ze kon ermee omgaan.

Brenda vroeg zich voor de zoveelste keer af hoe het Marleen in haar leven was vergaan. Ze nam zich voor de komende week werk te gaan maken van haar zoektocht. Ze was eraan toe haar zusje te ontmoeten, het andere kind van haar biologische ouders.

Arno kwam op haar toe lopen, drukte een kus op haar wang, kneep even plagend in haar arm en werd vervolgens met luid gejuich begroet door hun kinderen. Benny eiste meteen alle aandacht op.

Brenda keek met een dankbaar hart toe. Ja, dit geluk zou ze ook graag met Marleen willen delen. Ze had een geweldig fijn gezin.

Het weekend werd ingevuld met leuke bezigheden, waarbij Brenda zich enigszins kon ontspannen. Zaterdag stond ze met Arno en de tweeling langs de zijlijn van het plaatselijke voetbalveld. Robert rende daar met zijn teamgenoten achter een voetbal aan en probeerde de wedstrijd te winnen van de tegenstanders. Hij zag er weer blakend van gezondheid uit.

Benny en Laura waren intussen ook voldoende opgeknapt van de waterpokken en waren vandaag voor het eerst weer in de buitenlucht. Laura zag er nog wel wat pips uit, en er zaten nog wat korstjes op haar wangen en voorhoofd, maar verder was ze weer helemaal de oude.

Later die middag nam Arno hen als verrassing mee naar een McDonald's-restaurant.

Het was al na achten toen ze moe maar voldaan thuis arriveerden. Samen hielpen Arno en Brenda hun kinderen in bad en daarna in bed.

'Het was een geslaagde dag', merkte Arno op toen ze om negen uur eindelijk aan de koffie zaten. 'We moeten er vaker op uittrekken met de kinderen, Bren.'

'Je hebt gelijk, maar dat lukt helaas niet ieder weekend', antwoordde Brenda, die besefte dat de meeste activiteiten – huishoudelijke klussen, de boodschappen, het ontvangen van bezoek en het afleggen van bezoeken – nu eenmaal in het weekend op haar agenda stonden.

Zondag, na de kerkdienst, besloten ze samen een wandeling door de bossen te maken met de kinderen. Zondagmiddag was het meestal tijd voor familiebezoek over en weer, maar vandaag voor één keer niet. De herfstwind had de meeste bladeren van de bomen gewaaid. Het was sinds vandaag een heel stuk kouder, maar wel droog.

De verjaardag van Sinterklaas was in aantocht, en de kinderen zagen opgewonden uit naar de cadeautjes die ze hadden gevraagd. Benny en Laura geloofden nog eerlijk en oprecht in de mythe van de goedheilig man. Robert kende sinds vorig jaar de waarheid. Hij keek zijn ouders samenzweerderig aan wanneer ze het over 'de goede Sint' hadden waar de tweeling bij was. Dit geheim schiep een band met zijn ouders. Hij voelde zich duidelijk de grote broer.

De telefoon ging over.

Brenda nam op.

Moekes stem sprak zenuwachtig in haar oor. 'Jeffry is vandaag bij jullie aan de deur geweest. Hij heeft iets belangrijks te vertellen.'

Brenda fronste haar wenkbrauwen. 'Hè, wat jammer nu. Arno en ik wisten niet dat hij van plan was te komen. Anders waren we thuisgebleven. U weet dat de kinderen dol zijn op oom Jeffry.'

'Ja, dat weet ik', lachte moeke in haar oor. Daarna klonk ze weer ernstig. 'Je moet Jeffry vanavond bellen, Brenda. Het is echt belangrijk.'

Brenda verbrak de verbinding en drukte Jeffry's nummer in. Ze was benieuwd naar het belangrijke nieuws dat haar broer blijkbaar te vertellen had. Misschien was er een nieuwe relatie in zijn leven gekomen en wilde hij hen daarvan op de hoogte brengen. Maar Jeffry's telefoon was in gesprek. Brenda probeerde het een kwartier later nog eens, maar ook toen kreeg ze de ingesprektoon te horen. Jammer, want door moekes telefoontje was wel haar nieuwsgierigheid gewekt.

'Ik probeer het morgenavond nog eens', zuchtte ze. Het was al ruim na tien uur. De koude buitenlucht had haar moe en slaperig gemaakt. Ze verlangde naar haar bed. Morgen beloofde het een drukke dag te worden op 'Het Klaverblad'. Trouwens, de hele komende week puilde haar agenda uit van de afspraken. Ze kon er absoluut niets meer bij hebben. Voordat ze naar boven ging, vulde ze nog snel de schoenen van Robert, Benny en Laura met een kleine lekkernij. De drie schoenen stonden al klaar voor de open haard. Sinterklaas had er gedurende deze weken een zware taak aan aan de wensen en verwachtingen van haar drie kinderen te voldoen. Dit was de mooiste tijd van het jaar, met het naderende kerstfeest in het vooruitzicht. Het was alsof de tijd vleugels had gekregen, zo snel trok alles aan haar aandacht voorbij.

8

De mist had zich maandagmorgen als een wollige deken over het land van Heusden en Altena gelegd. Brenda reed stapvoets achter het andere verkeer aan. In de buurt van 'Het Klaverblad' reed ze de snelweg af. Ze parkeerde haar auto achter het gebouw. Door de mist had ze een uur vertraging opgelopen. Dat gold ook voor de anderen. Martine en Joost waren haar net voor en stonden nog met koude gezichten bij het koffiezetapparaat. 'Goedemorgen', begroetten ze elkaar. 'Wat is het mistig, hè? Gelukkig zijn we weer heelhuids aangekomen. Ik stond niet alleen in de file vanwege die mist, maar er was ook nog een ongeluk gebeurd', vertelde Martine. 'Wil jij ook een kopje koffie?', vroeg ze in één adem aan Brenda, terwijl ze de koffiepot demonstratief omhooghield. 'Graag.' Brenda trok haar jas uit en gluurde om het hoekje de wachtkamer in. Haar eerste patiënt van deze dag zag ze al zitten. 'Sorry dat ik wat later ben. Ik kom u zo halen', zei ze glimlachend tegen de man, die daarop mompelde dat ze het maar rustig aan moest doen. Maar Brenda had vandaag geen tijd om het rustig aan te doen. Haar agenda stond vol afspraken. Vrijdag had ze zich noodgedwongen moeten afmelden, en het in de mist verloren uur wilde ze vanmiddag graag inhalen. Het kon niet anders. Ze wilde haar werk niet nog meer vertraging laten oplopen. Straks moeke even bellen, of ze de kinderen vanmiddag een uurtje langer bij zich kan houden, nam ze zich voor. Brenda nam de kop koffie van Martine aan en haastte zich naar haar spreekkamer, waar ze meteen de computer aanzette en het cliëntenbestand opende.

Haar ochtendprogramma liep uit, zodat ze tussen de middag nauwelijks een halfuur tijd had om te lunchen. Toen ze met een warme kop thee en haar lunchpakketje bij de andere collega's neerstreek, vroeg Bas of ze even tijd voor hem had. Hij wilde haar iets vertellen over Ellie van de Westen. Brenda nam haar lunchpakketje en kop thee weer op en liep achter hem aan de spreekkamer in. Er was wat tijd verstreken sinds ze haar laatste gesprek met Bas over Ellie van de Westen had gehad. Brenda voelde haar nieuwsgierigheid groeien.

'Heb je er geen bezwaar tegen dat ik hier even mijn boterham eet? Over een klein halfuurtje komt mijn volgende cliënt alweer.'
'Ga je gang', gebaarde Bas en ging achter zijn bureau zitten. Hij lachte vriendelijk. 'Is thuis alles weer in orde? Ik begreep van Joost dat je afgelopen vrijdag onverwachts verhinderd was praktijk te draaien.'
'Ja, dat klopt. Ik moest met mijn zus naar het ziekenhuis. Er waren onverwachts enkele problemen. Ik kon haar op dat moment niet alleen laten.' Brenda nam een slokje van haar thee en ging meteen op het doel af waarvoor Bas haar had meegenomen naar zijn spreekkamer. 'Hoe is het met Ellie? Je hebt nieuws, begrijp ik.'
'Ja.' Er lag een korte aarzeling in het kleine woordje.
Brenda hoorde het meteen. Een gevoel van onbehagen nam bezit van haar.
'Wat Ellie van de Westen betreft, had je gelijk.' Bas snoof, alsof hij het moeilijk vond het toe te geven. 'Een andere maatschappelijk werker, uit een naburig plaatsje, heeft vastgesteld dat Ellie niet alleen verwaarloosd werd, maar ook met enige regelmaat mishandeld. Die kleine littekentjes op haar beentjes zagen er vrijwel hetzelfde uit als die plekjes op jouw armen. Dan weet jij wel wat er met Ellie gebeurd is. Geen restant van waterpokken dus. Ik ben tekortgeschoten in mijn opmerkzaamheid, Brenda. Het spijt me. Maar ik ben blij dat jij aan de bel hebt getrokken. Ellie is intussen uit het ziekenhuis ontslagen en bij een pleeggezin ondergebracht. Aan de thuissituatie wordt gewerkt. Ellies ouders gaan uit elkaar. Haar moeder heeft alles een tijd lang onder haar ogen laten gebeuren. Ze heeft er zelf lichamelijk ook erg onder geleden en regelmatig slaag gekregen van haar man. Ellies vader blijkt thuis al jaren een echte tiran te zijn. Zodra Ellies moeder een eigen dak boven haar hoofd heeft, mag Ellie weer naar haar toe. Natuurlijk gebeurt dat onder begeleiding van de Kinderbescherming. Ellies moeder woont nu tijdelijk in een blijf-van-mijn-lijfhuis om tot rust te komen. We mogen van geluk spreken dat er geen broertjes of zusjes bij betrokken zijn. Ellie is enig kind.'
Brenda slaakte een diepe zucht. Ze had nog geen hap van haar boterham gegeten en voelde dat ze door de opkomende emotie ook geen hap weg zou kunnen krijgen. Er prikten tranen in haar

ogen, en haar armen jeukten. Ze wist wat kleine Ellie had doorstaan. Ze kende hetzelfde verdriet. De woedende blik op het gezicht van haar vader die een sigarettenpeuk in zijn hand hield, stond op haar netvlies gebrand. Hij had haar pijn gedaan. Ze had gegild en gekrijst, en ze had harde klappen gekregen omdat ze haar mond niet hield. Maar haar arm had zo'n pijn gedaan. Papa's sigaret was vreselijk heet geweest. Hij had haar arm stevig vastgehouden zodat ze zich niet eens kon bewegen, en hij had de peuk erop uitgedrukt zoals hij dat in de asbak deed. Ze was nog maar zo klein. Had papa dan niet gezien dat hij haar pijn deed? Mama lag altijd op de bank. Ze mopperde wel eens dat papa het niet te gek moest maken, maar dat was alles. Brenda herinnerde het zich opnieuw. Alles stond haar nog steeds glashelder voor ogen, hoe vaak ze het ook had verdrongen. Ze had het niet eerder aan anderen verteld, ook niet aan haar pleegouders, en ook niet aan Arno. Voor haar pijn en ellende had ze nooit de goede woorden gevonden. Toen ze vier was en bij paps en moeke kwam wonen, had ze haar pijn en verdriet ergens in haar binnenste kunnen verstoppen. In het gezinnetje Vesters had ze zich veilig gevoeld. Het was er zo fijn geweest, en er werden geen klappen uitgedeeld. Haar nieuwe broer en zusjes waren aardig en lief voor haar.

Brenda slikte moeizaam. Ze slikte nog eens, en daarna snikte ze het uit. De tranen lieten zich niet terugdringen. Ellie van de Westen stond in deze situatie zo dicht bij haar. Ja, ze had het destijds goed gezien. Ellies benen hadden de mishandelingen verraden. Ze had het al die tijd geweten. Arm kind.

Bas reikte haar een papieren zakdoekje aan. Ze snoot haar neus en depte haar tranen weg.

'Het komt goed met Ellie', zei Bas zachtjes.

Brenda schudde driftig haar hoofd. 'Dat is een dooddoener, Bas. Wat Ellie thuis heeft meegemaakt, zal ze haar leven lang bij zich dragen.'

'Zo bedoel ik het niet. Ellie is momenteel op een goede plek. Daar kan ze tot rust komen. De mensen van de Kinderbescherming houden haar in het oog.'

'Ja, gelukkig maar.' Met ogen waarin nog tranen stonden, glimlachte ze krampachtig naar Bas, die voor haar zat en haar observeerde.

'Misschien moet je eens met Martine afspreken. Ik denk dat je wel wat hulp kunt gebruiken. De situatie met Ellie heeft je erg aangegrepen. Bespreek het eens met haar, zodat je het allemaal wat objectiever kunt bekijken.'

'Martine heeft het veel te druk met haar praktijk in het ziekenhuis en hier.'

'Morgen is het 1 december. Dan is Martine definitief fulltime onze collega. Ze is voortaan iedere werkdag op 'Het Klaverblad' aanwezig.'

'Ach ja, natuurlijk.' Brenda's wenkbrauwen schoten omhoog. Haar ogen gleden naar de dagkalender aan de muur. Dat ze dat was vergeten. Vanaf 1 december zouden ze als team compleet zijn. 'Ik zal over je advies nadenken en het te zijner tijd met Martine bespreken.'

'Laat er geen weken overheen gaan', adviseerde Bas toen ze opstond.

Met haar lunchpakketje en het lege theekopje verliet Brenda zijn spreekkamer.

De hele middag bleven haar gedachten cirkelen om de situatie van Ellie van de Westen. Haar werk verrichtte ze bijna op de automatische piloot. De gesprekken met haar cliënten zorgden voor de nodige afleiding. Aan het eind van de middag was ze niet ontevreden. Om halfvijf zette ze haar computer uit. Haar ledematen voelden stram aan van het langdurig zitten op haar bureaustoel. Het werkloze uur in de mist tijdens deze vroege ochtend had ze ingehaald. Ze was weer keurig op schema met haar afspraken. Zijdelings wierp ze een blik in haar agenda naar de dag van morgen. Die beloofde wederom een latertje te worden. Toen ze het licht in haar spreekkamer uitdeed, nadat ze haar jas had aangedaan, wilde ze de deur achter zich dichttrekken. Bij het gerinkel van de telefoon aarzelde ze even. Zou ze het apparaat gewoon laten rinkelen en weggaan? Morgen was er immers weer een dag. Of toch maar opnemen?

Ze besloot het laatste te doen. Ze glimlachte verrast toen ze Jeffry's stem aan de andere kant hoorde. Ze had zich gisteravond voorgenomen hem vanavond terug te bellen, maar dat hoefde nu niet meer. Was datgene wat Jeffry haar te vertellen had, dan zo belangrijk? Langzaam ging ze weer op haar bureaustoel zitten. De glimlach op haar gezicht maakte plaats voor een blik van oprechte verbazing toen Jeffry haar vertelde dat hij haar jongere zusje, Marleen van Zelst, kende.

Jeffry stak daarna een heel verhaal af over een tante Elsa en een tante Coba die ze niet kende en over een paar fotolijstjes. De woorden gingen bij Brenda het ene oor in en het andere uit. Haar jongere zusje Marleen naar wie ze op zoek was, wilde haar graag ontmoeten. Die boodschap zette zich vast in haar hoofd en in haar hart. Al het andere was nu even bijzaak. Jeffry vroeg haar naar een tijdstip waarop een ontmoeting met Marleen eventueel kon plaatsvinden.

Brenda had door de telefoon meteen 'vanavond' willen roepen. Maar ze besefte dat een dergelijke ontmoeting heel wat voeten in de aarde zou hebben. Het moest op een rustig moment gebeuren, waarbij tijd geen rol speelde. 'Zaterdagmorgen', antwoordde ze met een hartstochtelijke klank in haar stem. 'Dan gaat Arno een paar uurtjes met de kinderen naar het voetbalveld en kan ik alle tijd nemen voor mijn eerste ontmoeting met Marleen.'

'Afgesproken', hoorde ze Jeffry zeggen. 'Dan zorg ik ervoor dat Marleen zaterdagmorgen om tien uur bij je is.'

Brenda knikte. Ze knipperde een paar tranen weg en zuchtte diep. 'Bedankt, Jeffry. Je bent een schat!'

'En jij blijft mijn zus, wat er ook gebeurt.'

'Reken maar!' Brenda glimlachte door nieuwe opkomende tranen heen. Wat had ze toch een fijne familie om zich heen. Haar gedachten gleden naar Marleen. Ze zag uit naar een ontmoeting met haar zusje. Ze hoopte dat zij eveneens in een fijn pleeggezin was opgegroeid. Dat zou een band scheppen en een pleister op de wonde van hun pijnlijke verleden zijn.

Marleen was al een hele week in opperste staat van opwinding bij het vooruitzicht dat Jeffry haar zaterdagmorgen naar de woning van Brenda zou brengen en dat ze daar haar zus zou ontmoeten. Intussen had Jeffry haar deze week elke dag bezocht. Hij had haar veel verteld over Brenda, zijn andere zussen Eline en Kathy en zijn ouders. Gisteravond had hij enkele fotoboeken bij zich gehad, die ze samen hadden bekeken. Een vrij recente foto, waarop Brenda alleen stond afgebeeld, had hij voorzichtig losgemaakt van een bladzijde en aan haar gegeven. Als een kostbaar kleinood had ze het kiekje naast de andere lijstjes op het televisiekastje gezet. Toen ze op bezoek was bij moeder in het verpleeghuis, had ze het onderwerp Brenda voorzichtig aangekaart. Maar moeder had slechts onwillig haar schouders opgehaald en afwijzend gezucht. Ze gaf geen kik en vroeg verder niets. Marleen probeerde haar nog uit haar tent te lokken door te vertellen dat Brenda drie kinderen had. 'U hebt al twee kleinzoons en ook een kleindochter, moeder.' Daarop had haar moeder haar ineens strak aangekeken, en ze had gezegd: 'Een kleindochter? Dat vind ik nog eens leuk. Hoe heet die kleine meid?' 'Laura', antwoordde Marleen trots. Het meisje deed haar terugdenken aan haar eigen doodgeboren baby. Dat was ook een meisje geweest. Moeders belangstelling was echter van korte duur. Ze nam de naam van haar kleindochter voor kennisgeving aan en hulde zich verder in stilzwijgen.

Later die middag liep Marleen een speelgoedwinkel binnen en kocht voor haar neefjes en nichtje een cadeautje. Het was druk in de winkel doordat er veel sinterklaasaankopen werden gedaan. Met weemoed in haar hart zag Marleen dit alles aan. Als haar kleine meisje nog geleefd had, had ze dezelfde barbiepop gekocht die ze nu voor Laura liet inpakken. Het verdriet schrijnde weer hevig. Haar kindje had geen kans gehad. Sander was monsterlijk agressief geweest. Ze haatte hem om wat hij haar had aangedaan. Met de cadeautjes in haar tas ging ze weer naar huis.

Om Brenda te verrassen kocht ze op zaterdagmorgen een mooie bos bloemen. Halverwege de ochtend belde Jeffry aan om haar te halen. Ze stond al klaar.

'Wat zie jij er mooi uit!', zei Jeffry vol bewondering terwijl hij haar van top tot teen bekeek.

Marleen had haar beste kleren aangetrokken. Ze wilde graag dat Brenda een goede indruk van haar kreeg tijdens hun eerste ontmoeting. Toen Jeffry voor Brenda's huis stopte, stapte ze nerveus uit zijn auto. Jeffry zou zijn ouders een bezoekje brengen en later naar Brenda's huis terugkomen. De deur zwaaide al open, en Marleen liep aarzelend naar de lachende, jonge, blonde vrouw die haar met geopende armen tegemoetkwam.

Ze omhelsden elkaar enkele momenten. Marleen snoof Brenda's bloemige parfum in zich op en voelde haar krachtige armen om zich heen. Ze kreeg drie zoenen op haar wangen. Daarna keken ze elkaar een poosje aan, alsof ze enige herkenning zochten.

'Wat fijn je te ontmoeten. Kom mee naar binnen. Ik heb koffie en thee.' Brenda pakte Marleens hand vast.

Binnen overhandigde Marleen haar het boeket bloemen. Er verschenen tranen in Brenda's ogen.

Marleen werd er even verlegen van.

Terwijl Brenda de bloemen in een vaas schikte en twee mokken met koffie vulde, keek Marleen haar ogen uit. Wat een smaakvol ingericht interieur had Brenda in dit huis, en wat een ruimte. Haar man moest wel directeur van een bedrijf zijn of een ander belangrijk beroep uitoefenen. Dat kon niet anders. Het was duidelijk: Brenda had het goed getroffen. Dat kon zij van zichzelf niet zeggen. Ze had tot op deze dag hard gewerkt en altijd moeten schipperen met geld. Voor leuke uitspattingen was geen ruimte geweest. Ook nu niet.

'Arno en de kinderen komen straks. Robert speelt op zaterdagmorgen bij de voetbalvereniging altijd een partijtje. Daarna is het voor de kinderen in de kantine sinterklaasfeest met een kleine verrassing. Dat hoort erbij op 5 december.'

Marleen opende haar tas en haalde de drie cadeautjes eruit. 'Ik heb ook iets meegenomen voor mijn neefjes en nichtje', lachte ze voldaan.

'Wat lief van je. Ik heb van Jeffry begrepen dat jij nog steeds vrijgezel bent. Geen man of kinderen?'

Marleen slikte moeizaam en schudde haar hoofd. Ze kon zo gauw geen woorden vinden om te vertellen dat Sander in haar leven was geweest en dat er toen een dochtertje op komst was. Een klein meisje dat het daglicht nooit had gezien.

Brenda wachtte niet op het antwoord, maar praatte gewoon verder. 'Nog niet zo lang geleden hoorde ik van mijn pleegouders dat ik nog een jonger zusje had. We komen uit hetzelfde probleemgezin, Marleen. En toch is ons beider leven anders gelopen.'

Marleen wuifde met haar hand. Er drukte een zware steen op haar borst. Ze slikte moeizaam.

Brenda zag het en nam haar hand in die van haar.

Marleen keek door haar tranen heen naar de gemanicuurde nagels en voelde Brenda's fluweelzachte handen. 'Tja, toen ik klein was, woonde ik regelmatig thuis bij onze ouders en dan weer eens een poosje bij een pleeggezin. Dat heeft jaren geduurd. Na vaders dood ben ik zelfstandig gaan wonen. Ik heb nu een leuke woning, vlak bij Jeffry in de buurt.' Ze lachte door haar tranen heen naar Brenda. Over haar huidige leventje wilde ze graag praten. Maar niet over vroeger. Ze wilde tijdens deze eerste ontmoeting niet allerlei pijnlijke herinneringen ophalen. Dat werd emotioneel te veel.

'Ik zou het leuk vinden als je binnenkort ook eens bij mij op visite wilt komen.'

'Heel graag, Marleen. Kom, drink je koffie op. Dan laat ik je mijn huis zien. Let vooral niet op de rommel die de kinderen laten slingeren. Ik ben een werkende moeder. Erg veel tijd om alles steeds op te ruimen heb ik niet.'

Belangstellend informeerde Marleen naar Brenda's baan. Het duizelde haar toen ze te horen kreeg dat haar zus een eigen praktijk had in een medisch centrum. Toe maar. Maatschappelijk werk, daar hadden haar ouders ook jaren lang mee te maken gehad. Moeder had er altijd een hekel aan gehad dat dergelijke personen onverwachts aan de deur stonden om poolshoogte te nemen. Het zijn mensen die zich altijd met andermans zaken bemoeien, had ze meer dan eens op minzame toon gezegd. Marleen voelde zich erg klein en onbeduidend naast haar zus. Brenda's leven was duidelijk anders gelopen dan het hare. Ze was goed terechtgekomen in het pleeggezin Vesters. Zoiets was haar niet overkomen. Zij had zich in geen enkel pleeggezin thuis gevoeld. Ze was overal en altijd een vreemde eend in de bijt gebleven.

Marleen bewonderde Brenda's huis. Ze keek haar ogen uit in de moderne badkamer met ligbad en de kleine sauna.

'Jouw haar heeft een prachtige kleur, Marleen', bewonderde Brenda haar kapsel.

'Dat komt uit een flesje.' Marleen bloosde ervan. Ze zag zichzelf in de grote badkamerspiegel.

'Die rode gloed staat je goed. Ben je van nature ook blond?'

'Net als jij.'

'Dat hebben we dan gemeen.'

Ze glimlachten naar elkaar. Beneden hoorden ze plotseling gestommel en stemmen.

'Mijn pleegouders en Jeffry. Ik hoor het aan moekes stem',

lachte Brenda. 'Kom, dan stel ik je eerst even aan paps en moeke voor. Zo meteen komen Arno en de kinderen ook thuis om te lunchen. Dat doen we gezellig met z'n allen. Iedereen wil jou graag ontmoeten.'

Marleen voelde zich verlegen met zo veel belangstelling. Ze kneep haar ogen dicht toen moeke Vesters beide armen om haar heen sloeg en haar zachtjes heen en weer wiegde. Het maakte het verlangen naar geborgenheid in haar wakker. Er was in het verleden niet één pleegmoeder geweest die dat bij haar had gedaan. Zo veel warmte en genegenheid was ze niet gewend, en ze was er ook niet tegen bestand. Ze slikte de brok in haar keel weg en wurmde zich los.

In de keuken hoorde ze plotseling opgewonden kinderstemmen. Drie nieuwsgierige gezichtjes staarden haar vanuit de deuropening aan. Het gezichtje van kleine Laura, met de springerige blonde haartjes om het gezichtje, vertederde haar. Zo had haar meisje er misschien ook uitgezien, als Sander haar niet zo schandalig hard tegen de tafel had geduwd.

'Bent u tante Marleen?', vroeg Robert op plechtige toon, zodat alle volwassenen spontaan in de lach schoten. Marleen maakte vervolgens kennis met de kinderen, met Arno en met Jeffry's oude vader, die ze allemaal paps noemden.

Intussen had Brenda de tafel gedekt voor de lunch, en iedereen ging zitten. De kinderen maakten ruzie wie er naast haar mocht zitten. Benny, de meest gehaaide van het stel, zat rechts naast haar, Robert links en Laura tegenover haar. Brenda knipoogde even vriendelijk, alsof ze haar op haar gemak wilde stellen. Toen Benny luidkeels begon te vertellen over Sinterklaas die vanmorgen in de kantine van de voetbalvereniging was geweest, maande Arno hem tot stilte.

'Eerst even bidden, Benny.'

Het ventje sloeg zijn knuistjes onmiddellijk in elkaar en kneep zijn ogen stijf dicht, net als alle anderen aan tafel. Marleen voelde zich ernstig in verlegenheid gebracht door deze situatie. Ze was niet gewend voor iets te bidden. Dat had ze van thuis ook niet meegekregen. Ze wist eigenlijk niet eens of ze nu wel of niet in God moest geloven. Misschien was er ergens wel iets, een hogere macht of zo. Dat zou kunnen. Ze had er nooit zo ernstig over nagedacht.

Brenda's gezin en haar familie hielden eerbiedig hun ogen gesloten, hun handen gevouwen.

Arno vroeg hardop Gods zegen over de maaltijd.

Om niet uit de toon te vallen sloot Marleen haar ogen eveneens. Later hoorde ze de kinderen vertellen over de sinterklaasochtend bij de voetbalvereniging. Na de maaltijd overhandigde zij haar presentjes aan Brenda's kinderen. Ze haalde opgelucht adem toen ze de dankbaarheid op die kleine smoeltjes zag verschijnen. Wat een aardige neefjes en wat een lief nichtje had ze toch. Marleen voelde zich ineens heel rijk. Met Brenda had ze er meteen een hele familie bij gekregen.

Aan het eind van de middag maakte Brenda een nieuwe afspraak met haar.

Daarna nam Jeffry haar weer mee en bracht haar thuis. Toen hij haar bij de deur afzette, zei hij: 'Ga je opfrissen en omkleden. Dan haal ik je over een uur weer. Het is sinterklaasavond. Ik trakteer je op een etentje bij mij huis. En eh ... Sinterklaas heeft voor jou ook een cadeautje bij me afgegeven.'

Blij verrast keek Marleen hem na. Hij leek een beetje op zijn moeke. Dat herkende ze nu in hem. Bij Jeffry voelde ze dezelfde geborgenheid en warmte.

Jeffry reed naar huis en boog zich bij binnenkomst meteen over de warme maaltijd die hij voor Marleen en zichzelf wilde bereiden. Vanmorgen vroeg had hij al enkele voorbereidingen getroffen: aardappels geschild, groenten schoongemaakt en het vlees uit de vriezer gehaald zodat het kon ontdooien. Hij was blij dat hij Marleen nu wat beter kende. Ze was de zon in zijn leven. Hij moest het eerlijk toegeven: hij was verliefd op haar geworden en dacht ernstig na over een gezamenlijke toekomst. De ontwikkelingen van de afgelopen week en het feit dat ze Brenda's biologische zusje bleek te zijn, hadden wel roet in het eten gegooid. Hij kon haar op dit moment nog niet vragen of ze een relatie met hem zag zitten. Marleen was helemaal in de ban van haar nieuwe familie. Dat was duidelijk. Ze had even ruimte en tijd nodig om aan de situatie te wennen en dingen te verwerken. Maar intussen ging zijn hart wel naar haar uit. Daarnaast vond hij het ook heel bijzonder dat Marleen het zusje van Brenda was. De gelijkenis zat in kleine subtiele dingetjes, zoals haar klaterende lach en sommige gebaren. Jeffry glimlachte toen hij daaraan dacht. Hij herinnerde zich zijn eerste ontmoeting met Marleen weer, toen haar moeder werd opgenomen op de afdeling. Dat mevrouw Christien van Zelst ook de biologische moeder van Brenda was, kon hij zich nauwelijks voorstellen. Vanmorgen hadden moeke en paps hem het hele verhaal over Brenda's gewelddadige verleden en de hopeloze thuissituatie verteld. Hij wist er wel iets van, maar dat Brenda nooit meer welkom was geweest bij haar echte ouders, stak hem. Dat mensen zo wreed konden zijn. Marleen had hem niet al te veel over het leven bij haar ouders verteld, maar uit de korte woordspelingen had hij duidelijk opgemerkt dat er nooit ruimte was geweest voor plezier en geluk. Ja, voor zover hij Christien van Zelst kende, wist hij van het jarenlange alcoholprobleem af. Marleens vader had hetzelfde probleem gehad. Het was zelfs de oorzaak van zijn dood geworden. Een ellendige situatie. Een dergelijk leven moest je als ouder toch niet willen voor je kinderen. In dat opzicht was Brenda veel verdriet bespaard gebleven toen ze op vierjarige leeftijd bij moeke en paps kwam wonen. Wat een geluk dat er mensen waren zoals zijn ouders. Altijd met een open hart en uitgestrekte armen. Hij was trots op hen.

Na een klein uurtje kokkerellen was de maaltijd klaar. Jeffry stapte in zijn auto. Het regende. Bij Marleens huis drukte hij op de bel. Toen ze de deur opende, keek hij in haar stralende ogen. Hij herkende meteen dezelfde genegenheid die hij voor haar voelde. Jeffry's hart sloeg een slag over. Wat hij voor haar voelde, was wederzijds, besefte hij onmiddellijk. In haar ogen las hij namelijk hetzelfde verlangen. Zonder iets te zeggen boog hij zich voorover en kuste haar mond. Marleen liet het gewillig toe, beantwoordde zijn kus en sloeg haar beide armen om zijn hals.

9

De dag waarop Eline de uitslag van de vruchtwaterpunctie te horen zou krijgen, naderde snel. De laatste drie weken was ze elke dag wat nerveuzer geworden. Ze deed tijdens de laatste decembermaand dat ze in dienst was van school, haar uiterste best om met de kinderen een kerstmusical voor te bereiden. De uitvoering zou voor de kinderen en hun ouders plaatsvinden vlak voor aanvang van de kerstvakantie. De leerlingen van alle klassen leverden hieraan een bijdrage, van klein tot groot. Het regisseren van toneelstukken en musicals was Eline doorgaans op het lijf geschreven. Maar deze keer wilde het niet echt lukken. Er ging te veel mis, en ze wist nauwelijks controle over de kinderen te houden. Daarbij voelde ze dat Martin haar steeds nauwgezet in de gaten hield. Zijn ogen waren meer dan eens gericht op haar groeiende buik. Het was een hele geruststelling dat hij haar verder met rust liet. Hij drong zich niet langer op met fantasieën over zijn mogelijke vaderschap. Toch zou het een hele opluchting zijn als ze over enkele dagen haar baan als onderwijzeres definitief achter zich kon laten. Maar eerst kreeg ze de uitslag van de vruchtwaterpunctie nog te horen, en daarna kwam als definitieve afsluiting de musical. Na de kerstvakantie hoefde ze niet meer terug te keren naar groep zeven. Het hoofd van de school had alles geregeld. De kinderen zouden een andere onderwijzeres krijgen, die onlangs was aangenomen.

Op de dag van de uitslag nam de onrust bij Eline toe. Erik steunde haar. Hij had voor deze gelegenheid vrij gekregen van zijn baas om met haar mee te gaan naar de gynaecoloog.

'We krijgen vast te horen dat onze baby kerngezond is', zei hij steeds. 'Je maakt je veel te druk!'

Maar Eline kon er niets aan doen. Ze raakte haar angst niet kwijt. Voordat ze vertrokken, kreeg ze nog een telefoontje van Brenda. Het was erg lief dat ze op dit moment toch aan haar dacht.

'Houd je haaks, Eline.'

'Ik wou dat jij met me mee kon gaan', pruilde Eline. 'Zodra ik de uitslag weet, bel ik je.' Eline vond het erg jammer, en een groot gemis, dat Brenda de laatste weken zo in beslag genomen werd door de ontmoeting met haar echte zusje. Brenda was er helemaal door opgebloeid. Eline had intussen ook al kennisgemaakt met Marleen. Een aardig vrouwtje, dat wel. Maar in Elines hoofd draaide alles momenteel om haar zwangerschap en de uitslag van de vruchtwaterpunctie. Het onderzoek had haar hele leven overhoopgehaald. Als ze nu eerst maar zeker wist dat alles goed was met haar baby. Dan zou ze vanzelf ook wat meer belangstelling kunnen opbrengen voor de ontwikkelingen in Brenda's leven.

Erik sloeg zijn arm om haar schouders toen de gynaecoloog hen in zijn spreekkamer uitnodigde.

Met knikkende knieën ging Eline zitten.

Erik bleef achter haar staan.

De gynaecoloog kuchte.

'Ik vrees dat ik geen goed nieuws heb', hoorde Eline hem zeggen. 'Het vruchtwateronderzoek heeft een chromosomale afwijking aangetoond. U verwacht een kindje met het syndroom van Down.' Ze slaakte een kreet en sloeg in een reflex een hand voor haar mond. Haar benen trilden nu hevig. Ze voelde Eriks hand hard in haar schouder knijpen.

'Is dat zeker, dokter? Misschien is er iets misgegaan met het onderzoek.' Eriks stem klonk duidelijk aangeslagen.

De gynaecoloog schudde zijn hoofd. Nee, op de uitslag konden ze vertrouwen.

'Ik begrijp dat dit een klap is voor u beiden. Het gaat hier om de niet-erfelijke vorm. Bij vier procent van alle zwangerschappen met een baby die het syndroom van Down heeft, is sprake van erfelijkheid. Dat is bij u niet het geval. Enfin, dat is allemaal theoretisch en voor u op dit moment niet van belang. Ik raad u aan de komende dagen ernstig na te denken over de voortgang van deze zwangerschap. We kunnen aan de hand van deze uitslag de zwangerschap ook afbreken.'

'O nee, dat zullen mijn vrouw en ik niet toestaan, dokter. Geen abortus.' Erik klonk onverbiddelijk.

Eline sloot haar ogen. Ze wist niet meer wat ze moest denken. Het kindje in haar buik zou geboren worden met het syndroom van Down. Wie had dat ooit kunnen vermoeden? Ja, de gedachte aan een baby met een afwijking had eerder door haar hoofd gespookt. Alsof ze het voelde aankomen. En het was niet eens Eriks kind.

Eline opende haar ogen weer en wreef met de muis van haar hand langs haar natte wangen. Ze besefte plotseling duidelijk waarmee ze Erik had opgezadeld. Ze had gekozen voor een zwangerschap buiten hem om, en dit was haar straf. Ze had het al die tijd geweten. Vanaf het moment dat ze de vruchtwaterpunctie kreeg en Brenda in vertrouwen had genomen, wist ze intuïtief al dat er iets niet goed was met de baby. Als Erik dit ooit te weten kwam, zou hij haar en hun mongoloïde kind voorgoed verlaten.

De specialist bood hun heel tactvol een kop koffie aan. Ze mochten hem alles vragen, zei hij. Hij wist veel te vertellen over kindertjes die met het syndroom van Down geboren werden.

Maar Eline luisterde niet. Het suisde in haar hoofd toen ze nadacht over de mogelijkheid de zwangerschap toch te laten afbreken. Daar zou ze alle problemen in één keer mee kunnen omzeilen zonder dat Erik ooit te weten kwam wat ze had gedaan. En God, die haar met dit kindje wilde straffen voor haar daden, zou het vast wel begrijpen.

Erik maakte een vervolgafspraak bij de gynaecoloog. De uitslag had hen beiden erg aangegrepen. Hij en Eline hadden tijd nodig om na te denken en met elkaar te praten. De gynaecoloog knikte begripvol.

Eline wilde daarna meteen naar huis. Ze was niet meer in staat tot helder nadenken. Haar gedachten cirkelden slechts om één oplossing. Het was beter dat dit kindje niet geboren werd. Maar daar kon ze nu juist niet met Erik over praten. Ze wilde Brenda zien, en het liefst zo snel mogelijk met haar praten. Thuisgekomen gaf ze Erik opdracht Brenda te bellen. Daar was ze zelf niet toe in staat.

'Ze komt', antwoordde Erik, nadat hij haar verzoek had ingewilligd. 'Brenda komt eraan.' In zijn ogen verscheen een blik van machteloosheid. 'Eline, laten we er samen over praten. Het gaat toch om onze baby, ik ...'

'Nee', schreeuwde Eline. 'Ik ben in de war. Ik wil helemaal geen baby met het syndroom van Down krijgen, Erik!' De wanhoop lag op haar gezicht.

'Eline.' Erik stond op. Zijn ogen keken haar gekwetst aan. 'Zo mag je niet praten. Deze baby heeft ons straks hard nodig. Kom, sta op en loop eens mee naar boven.' Erik dwong haar op te staan van haar stoel. Haar benen voelden aan als zandzakken. Boven gekomen opende hij de deur van het babykamertje, waar de geur van verf en behang hun tegemoetkwam.

Eline zag de nieuwe wieg, de commode, de stapels kleertjes en de speelgoedbeesten die her en der verspreid zaten als een kleurrijke decoratie. Ze waren in dit vroege stadium van haar zwangerschap al goed voorbereid op de komst van de baby. Het ontbrak hun aan niets. Eline voelde zich rustiger worden bij de aanblik van alle babyspullen. Hier had ze bewust voor gekozen. Ze had samen met Erik werkelijk aan alles gedacht, behalve aan een baby met het syndroom van Down. Haar leven zou vanaf vandaag nooit meer hetzelfde zijn. En aan de dag van morgen durfde ze niet eens te denken. De tranen stroomden over haar wangen.

Erik nam haar in zijn armen.

Ze vlijde haar hoofd tegen zijn schouder.

'Huil maar, liefje. Een baby met het syndroom van Down of niet, wij zullen heel veel van dit bijzondere kindje houden. Dat doen we toch al? God zal ons kracht geven. Daar ben ik van overtuigd.'

Eline kon alleen maar knikken. Ze begreep dat hij haar wilde opbeuren en haar moed wilde inspreken. Maar Erik wist niets van haar grote geheim. Als hij dat kende, zou hij vast anders praten en haar aan haar lot overlaten. Ze hoopte maar dat Brenda zich snel kon vrijmaken. Ze had dringend behoefte aan het luisterende oor van haar zusje. Brenda zou haar overweging om deze zwangerschap vroegtijdig af te breken wel begrijpen. Ze wilde Erik onder geen beding kwijtraken.

Brenda genoot intens van het contact met Marleen. Een week na hun eerste ontmoeting had ze Marleen opgezocht in haar woning, zonder Arno en de kinderen. In de woonkamer had ze na vijf minuten de foto's op het televisiekastje ontdekt. De tranen sprongen in haar ogen toen ze hoorde wie het kleine verwaarloosde meisje was dat haar vanuit het lijstje zo somber aankeek.

'Dat ben jij', vertelde Marleen. 'Tante Elsa heeft die genomen.

Ik heb ze nog niet zo lang in mijn bezit. Meer foto's zijn er helaas niet van je.'

'Tante Elsa?' Brenda fronste haar wenkbrauwen. De naam kwam haar enigszins bekend voor. Ze herinnerde zich dat Jeffry haar door de telefoon iets verteld had over een tante Elsa. Maar wat precies, was haar ontschoten.

Marleen vertelde alles wat ze wist over de beide tantes.

Brenda hoorde het zwijgend aan. Het viel haar op dat Marleen maar weinig informatie gaf over hun beide ouders. Omdat ze niet wilde dat er iets tussen Marleen en haar in zou staan, vroeg ze er uiteindelijk zelf naar. Haar hart bonkte daarbij wel hard in haar keel. Dat vader dood was, wist ze. Maar hun moeder, hoe was het met hun moeder gesteld? Had Marleen nog wel contact met haar? Brenda schudde haar hoofd toen ze het verhaal over Christien van Zelst aanhoorde. Syndroom van Korsakov. Ze wist beroepshalve dat er de laatste jaren een behoorlijke toename was van het aantal korsakovpatiënten in Nederland door ernstig alcoholmisbruik. Dat haar zusje dit drama van dichtbij meemaakte en te verwerken kreeg, greep haar aan. Ze zette de foto's snel terug op het kastje. Het waren foto's uit een pijnlijk verleden, met herinneringen die ze altijd bewust had verdrongen. Dat wat haar was aangedaan, moest ook iets uit een ander leven blijven. Het hoorde niet bij het gelukkige leven dat ze had bij paps en moeke Vesters.

'En jou? Wat hebben ze jou aangedaan, Marleen?' Het hoge woord was eruit.

Marleen schokschouderde gelaten. Haar wangen vertoonden blosjes. 'Niets', zei ze schor. 'Niets bijzonders! Nou ja, het was niet altijd leuk thuis, met al die drank en zo. Pa en ma konden vaak niet eens voor zichzelf zorgen, laat staan voor mij. Ach, de Kinderbescherming hield een oogje in het zeil. Af en toe brachten ze me enkele weken naar een pleeggezin, totdat het thuis weer wat beter ging.'

'Je vader leeft niet meer, heb ik gehoord?'

'Hij is overleden aan levercirrose.'

'Triest!' Brenda zuchtte onhoorbaar.

Marleen gaf maar mondjesmaat informatie over het verleden. Ze was om een of andere reden erg terughoudend. 'Ma vindt het leuk dat ze een kleindochter heeft', zei Marleen, om de stilte te overbruggen die tussen beiden viel. 'Ik heb haar verteld dat je drie kinderen hebt.'

'Heb je dat echt verteld?' Brenda voelde haar hart in haar keel bonzen.

Marleen knikte met een glimlach.

'Vroeg je moeder naar me?' Brenda barstte bijna van nieuwsgierigheid.

'Niet echt. Ze reageerde alleen op het nieuwtje dat Laura haar kleinkind is. Een meisje, dat vond ze leuk. Tja, ze wist niet eens dat ze oma was.'

'Dat heeft ze aan zichzelf te wijten, Marleen.' Brenda voelde de teleurstelling door haar lichaam golven. Christien van Zelst had tot op de dag van vandaag nog geen enkele belangstelling voor haar getoond. Alsof ze een stuk oud vuil was, zo hadden ze afstand van haar gedaan. Onvoorstelbaar.

'Dat zal ze nooit helemaal beseffen, Brenda. Ma leeft momenteel in haar eigen wereld. Sinds ze in het verpleeghuis woont, staat ze droog. Elke dag opnieuw is ze op zoek naar een borrel. Als je haar opzoekt, zal ze je beslist vragen een fles jenever voor haar mee te brengen. Dat weet ik zeker.'

Brenda fronste haar wenkbrauwen. Dacht Marleen nu echt dat ze hun moeder wilde bezoeken? 'Ik ben niet van plan haar op te zoeken.' Ze sprak ieder woord nadrukkelijk uit en hielp met deze woorden Marleens verwachtingen meteen om zeep.

Marleen zweeg. Er hing ineens een zekere spanning tussen hen beiden in.

'Dat kun je niet van me verwachten, Marleen. Het was misschien anders geweest als je moeder naar me vroeg en me graag wilde ontmoeten. Maar dat wil ze niet. Ik wil het hier graag bij laten.'

'Ik begrijp het.' Marleen schokschouderde een beetje verlegen. 'Ik wil het ook niet aan je opdringen. Het komt doordat ik er nu helemaal alleen voor sta. Het verantwoordelijkheidsgevoel drukt soms zwaar op me. Ma heeft verder niemand anders meer.'

Brenda sloeg een arm om Marleens schouder en drukte haar even tegen zich aan. 'Je mag er altijd met mij over praten. Ik wil graag een luisterend oor zijn. Op die manier kan ik je toch ook ondersteunen.'

'Ja, fijn.' Marleen knikte.

Brenda las de opluchting van haar gezicht. 'En nu even iets anders. Kom je volgende week zaterdag weer bij ons op bezoek? De kinderen vragen steeds naar hun nieuwe tante. Ze willen je graag beter leren kennen. Zaterdagmorgen ben ik van plan de kerstboom op te tuigen. Daar kan ik wel wat hulp bij gebruiken. En 's middags kunnen we naar 'Het Klaverblad' rijden. Dan laat ik je mijn praktijkruimte zien. En ik wil je ook nog graag voorstellen aan mijn pleegzusje Eline. Die is zwanger.'

'O ja, leuk!', antwoordde Marleen meteen. 'Ik ben dol op je kinderen, Brenda. Het zijn schatjes.'

'En Kerstmis vier je ook met ons. Dat doen we altijd met de hele familie bij elkaar. Dit jaar is het bij Arno en mij.'

'Komt Jeffry dan ook?' Marleens wangen kleurden.

'Natuurlijk! Jeffry is mijn broer. Die is ook van de partij.' Brenda lachte. 'Je mag Jeffry erg graag, is het niet?'

'We werken in hetzelfde ziekenhuis en zijn al een poosje bevriend.'

'Aha ...' Brenda wilde Marleen niet verder in verlegenheid brengen. Ze voelde haarscherp aan dat Marleens gevoelens voor Jeffry boven een normale vriendschap uit reikten. Ze vroeg zich alleen af of dat bij Jeffry ook het geval was. Ze wist van hem dat hij niet snel overstag ging. Jeffry was geen man voor zomaar een avontuurtje. Het zou natuurlijk wel verschrikkelijk leuk zijn als haar pleegbroer en haar zusje samen een relatie kregen. Maar Brenda wilde niet op de feiten vooruitlopen. Ze moest gewoon geduldig afwachten hoe alles zich in de toekomst zou ontwikkelen.

Een week later kwam Marleen weer bij Brenda op bezoek.

De kinderen renden naar de voordeur en verdrongen elkaar om aandacht te krijgen.

Later vertrok Arno met het kroost naar het voetbalveld, en haalde Brenda dozen met kerstversiering van zolder tevoorschijn.

Moeke kwam een uurtje later ook om het hoekje kijken. Ze omhelsde Marleen zo hartelijk dat het Brenda ontroerde.

Diep vanbinnen hoopte Brenda dat Marleen in deze vrouw een tweede moeder zou vinden. Wat extra liefde en hartelijkheid had haar zusje broodnodig. Toen ze Marleen de kerstballen in de kerstboom zag hangen en haar klaterende lach hoorde klinken over iets grappigs wat moeke vertelde, was het alsof ze al jaren met elkaar optrokken. Heel gewoon, vertrouwd.

Er ging geen werkdag voorbij of Brenda's gedachten gleden ook even naar Ellie van de Westen. Bas hield haar wekelijks op de hoogte van de situatie. Het zag ernaar uit dat Ellie het komende kerstfeest bij het pleeggezin zou vieren. De pleegouders van Ellie hadden mevrouw Van de Westen voor eerste kerstdag ook uitgenodigd. Toen Brenda dat vanmorgen van Bas te horen kreeg, besefte ze dat Ellie het erg goed met haar lieve pleegouders had getroffen. Mensen die, net als paps en moeke in het verleden, de deur van hun hart wijd open hadden gezet.

Halverwege de ochtend herinnerde Brenda zich dat Eline vandaag de uitslag van de vruchtwaterpunctie zou krijgen. Voordat ze haar derde cliënt uit de wachtkamer ging roepen, drukte ze nog snel Elines telefoonnummer in. Gelukkig had Erik vandaag de mogelijkheid met Eline mee te gaan. Ze wenste haar sterkte toe, toen ze de nerveuze trilling in Elines stem bemerkte. Natuurlijk kreeg Eline straks van de gynaecoloog te horen dat alles goed was met het kindje. Dan waren de zenuwslopende weken waarin Eline zich van alles in haar hoofd had gehaald, voorgoed voorbij, en kon ze weer volop gaan genieten van haar zwangerschap. Vorige week zaterdagmiddag, toen Brenda haar zusje Marleen aan Eline had voorgesteld, was Eline erg tobberig en afwezig geweest. Zo kende ze Eline niet, die was altijd optimistisch gestemd. Brenda herinnerde zich ook nog dat Marleen erg stilletjes was geworden toen Eline haar de babykamer had laten zien. Het wiegje, de kleine kleertjes en de pluchen beesten had ze met trillende handen gestreeld, diep in gedachten verzonken, met een droevige blik in haar ogen. De indruk die Marleen door haar houding wekte, kon ze evenmin vergeten. Er was iets met Marleen. Die droevige blik, waarin een stukje verlatenheid lag, verried veel meer dan ze besefte. Ze had er Marleen later naar willen vragen, maar de tijd verstreek en Marleen herstelde zich weer toen ze beneden in Elines woonkamer samen koffiedronken.

Brenda riep haar derde cliënt van die dag naar binnen en verdiepte zich in de problemen van de persoon in kwestie. Ze vond het iedere keer weer een uitdaging haar cliënten de juiste handvatten aan te reiken, zodat de mensen weer verder konden met hun maatschappelijke leven.

Tijdens de lunch voerde ze een geanimeerd gesprek met haar collega's over de betekenis van Kerstmis, waarbij Joost opmerkte dat hij al het uiterlijke vertoon van kerstbomen en versieringen verfoeide. Brenda vertelde net dat haar kinderen al die versieringen juist zo mooi vonden, toen de telefoon ging. Martine stond zuchtend op, luisterde enkele seconden en gaf daarna de telefoon aan Brenda.

'Het is voor jou. Erik Maas.'

Brenda fronste haar wenkbrauwen. Er voer een schok door haar heen. Erik? Op dit tijdstip? Wat had dat te betekenen? Brenda zonderde zich even van haar collega's af.

'Erik, met Brenda. Is alles goed?' Brenda voelde een lichte duizeling door haar hoofd trekken toen ze Erik in één zin hoorde zeggen dat de baby die Eline en hij verwachtten, geboren zou worden met het syndroom van Down. Ze was even niet in staat te reageren. Zo overdonderde dit nare bericht haar. Ze besefte ineens dat Eline dit al enkele weken aangevoeld moest hebben.

'Hoe ... hoe is het met Eline?', vroeg ze, nadat ze van de grootste schrik was bekomen.

'Ze vraagt naar je, Brenda. Kun je zo snel mogelijk komen? Alsjeblieft? Ik kan haar momenteel niet bereiken. Ze wil niet met me praten over onze baby.'

Brenda hoorde de snik in Eriks stem en sloot haar ogen om haar eigen opkomende tranen te onderdrukken. Na een korte stilte beloofde ze zo snel mogelijk te komen. Na wat over en weer gebeld te hebben lukte het haar laatste afspraak naar een andere datum te verzetten. Ze verontschuldigde zich bij Bas en beloofde het verloren uur dezelfde week nog in te halen.

De collega's wensten haar sterkte toe, toen ze hen kort op de hoogte had gebracht van het nare bericht dat haar zus te horen had gekregen.

Erik stond haar al bij de voordeur op te wachten toen ze haar auto voor het huis parkeerde. 'Ze is erg depressief, Bren. Ik weet niet wat ik met haar moet aanvangen. Ze sluit zich helemaal af.'

'Ik praat wel met Eline', beloofde ze Erik. Ze legde even haar hand op zijn schouder. Ze had duidelijk met hem te doen. Erik wist niet wat Eline en zij wel wisten. Het grote geheim dat Eline hem niet wilde vertellen, stond levensgroot tussen hen in. Eline zag het als een straf van God. Met Erik had Brenda zielsveel medelijden. Nee, dit geheim mocht Eline niet langer voor hem verzwijgen. Dat was niet eerlijk.

In de kamer zat Eline als een schimmetje ineengedoken op de bank. De tranen begonnen onmiddellijk te stromen toen ze Brenda zag. Ze stond op. 'Zie je wel, ik wist het! Ik wist dat deze baby niet goed zou zijn', riep ze snikkend.

Brenda sloot Eline in haar armen, klopte troostend op haar rug en wiegde haar zachtjes heen en weer, zoals moeke altijd deed wanneer er pijn en verdriet was.

'Stil nu maar. Ga even rustig zitten, Eline.' Brenda duwde haar zachtjes terug in de bank. Maar Eline stribbelde opstandig tegen.

Erik had zich intussen uit de voeten gemaakt. Door het raam zag Brenda hem in de tuin lopen. Tobberig en met de handen in zijn broekzakken. Hij wist zich met het verdriet van Eline geen raad. Dat was duidelijk.

'Ik laat het weghalen, Brenda. Ik wil geen baby met het syndroom van Down krijgen. De gynaecoloog zei dat we de zwangerschap nog kunnen laten afbreken.' De tranen stroomden onafgebroken over Elines wangen.

Brenda schrok van de intensiteit waarmee Eline de woorden uitsprak.

'Dat meen je niet!'

'Ik kan dit niet aan. Het is niet eens Eriks baby.'

'Maar het is wel jouw baby, Eline.' Met die woorden bracht Brenda haar weer enigszins tot zichzelf.

'Ik wil Erik niet kwijtraken. Ik kies voor Erik.' Eline droogde haar tranen.

'Je weet net zo goed als ik dat Erik tegen het afbreken van een zwangerschap is. En als jij diep in je hart kijkt, wil jij dat toch ook niet? Zo ken ik je niet, Eline! Paps en moeke hebben ons altijd bijgebracht respect te hebben voor het leven dat God geeft. Hoe moeilijk ook, abortus is geen oplossing. En als je ervoor kiest, zul je Erik eveneens kwijtraken en daarna een leven lang gebukt gaan onder schuldgevoelens.'

'Wat moet ik dan doen?'

'Vertel hem de waarheid. Daarmee kies je niet alleen voor Erik, maar ook voor je kind. Je was in het begin zo blij met deze baby.'

'Toen wist ik niet wat ik nu wel weet.'

'Je krijgt een baby met het syndroom van Down, maar dat is evengoed een kindje om van te houden, Eline. Ik hoop dat je dat beseffen zult. Je kunt het leven nu eenmaal niet opdelen in stukjes en alleen de leukste uitkiezen.'

Brenda bleef tot laat in de middag bij Eline, die langzaam uit de diepe put probeerde te klauteren waarin ze zat. Uiteindelijk stemde Eline ermee in Erik op een geschikt moment de waarheid over zijn vaderschap te vertellen. Opgelucht vertrok Brenda daarna huiswaarts. Toen ze de kinderen bij paps en moeke ging halen, trof ze de oudjes in tranen aan. Eline had hen juist telefonisch op de hoogte gebracht van het verdrietige nieuws.

Brenda was weg.

Erik, die de pas schoongeveegde tuinpaadjes opnieuw had aangeveegd om de tijd te verdrijven, zette de bezem in het schuurtje.

Eline zag hem daarna aarzelend naar het huis lopen. Vanaf het raam keek ze toe, met ogen die zwommen in tranen.

Hij zag het. Er verscheen een liefdevolle glimlach op zijn gezicht.

Eline draaide zich om en kroop in haar hoekje van de bank. In de keuken hoorde ze het kraanwater lopen.

Erik waste zijn handen.

Ze moest hem op een geschikt moment de waarheid vertellen. Maar welk moment was daar eigenlijk geschikt voor? Eline schrok op van een kleine golfbeweging die ze in haar buik voelde, kort, maar krachtig. Zo krachtig had ze het nog niet eerder gevoeld. Voorzichtig legde ze een hand op haar buik. Daarbinnen groeide haar baby. Het kindje waar ze jaren lang naar had uitgekeken. Brenda had gelijk. Het was niet Eriks baby, maar wel van haar. Haar kindje. Met een beweging reikte ze naar de telefoon en drukte moekes nummer in. Ze moest het paps en moeke ook laten weten.

Zoals ze verwacht had, praatte moeke haar moed in, maar Eline hoorde de tranen in haar stem. Dit was voor haar ouders eveneens een schokkend nieuwtje, besefte ze. De rest van de familie zou er ook enorm van schrikken. Eline zag het al voor zich. Voorlopig zou zij met haar baby met het syndroom van Down het onderwerp van gesprek zijn. Ze zag tegen het komende kerstfeest op. Nog maar een paar dagen, dan was het weer zo ver. Eline wist ineens zeker dat ze dit jaar thuis zou blijven. Ze was niet in staat zo snel al een lange dag in het gezelschap van de familie te blijven. Ze wilde het kerstfeest, dat deze keer bij Arno en Brenda zou worden gevierd, niet bederven. Daar was ze te labiel voor. Ze vertelde het eerlijk aan moeke, die haar probeerde over te halen toch te komen. Maar Eline hield voet bij stuk. Ze verbrak de verbinding toen Erik op kousenvoeten de kamer binnenkwam, zijn gezicht nog rood van de vrieskou. Hij keek haar vol verwachting aan.

'We moeten samen praten, Eline.' Hij trok een stoel naar zich toe, zodat hij tegenover haar kon gaan zitten. 'Ik begrijp dat de band die je met Brenda hebt, hecht is. En dat je je problemen graag met haar bespreekt. Maar ik wil niet dat je mij buitensluit. Het gaat om onze baby die straks met het syndroom van Down geboren wordt. Dit kindje is welkom in mijn leven, Eline.'

Er rolden opnieuw tranen over Elines wangen. Was dit nu een geschikt moment om Erik de waarheid te vertellen? Erik had een heel groot hart en accepteerde dit kind nu al met alles erop en aan, zoals het was. 'Je weet niet wat je zegt', fluisterde ze schor. 'Je begrijpt het niet!'

Erik nam haar handen in zijn koude knuisten. 'Zorg er dan voor dat ik het ook begrijp, meisje.'

In een flits vroeg Eline zich af welke woorden ze moest gebruiken. Ze had nog geen tijd gehad om na te denken. Hoe vertelde je zoiets eigenlijk? Moest ze hem plompverloren vertellen dat hij niet de vader van haar kindje was? Dat ze een spermabank in het ziekenhuis had bezocht en dat ze de anonieme donorvader van haar baby niet eens wilde kennen? Dat ze dit geheim nooit had willen prijsgeven? Eline kreeg het benauwd.

Eriks ogen keken haar liefdevol aan. Hij had altijd vertrouwen in haar gehad.

Zij had zijn vertrouwen op een geniepige manier beschaamd. 'Ik heb voordat deze zwangerschap tot stand kwam, jaren lang naar een kind verlangd. Dat weet je', zei ze zachtjes.

Erik knikte. 'Dat verlangen deelden we samen', voegde hij eraan toe. 'Uiteindelijk heeft God onze gebeden verhoord. Er heeft een wonder plaatsgevonden. Zo zie ik het. Zo zie jij het toch ook, lieve schat?'

Eline haalde diep adem en zuchtte. Daarna schudde ze haar hoofd. 'Iedereen die van onze situatie op de hoogte was, dacht aan een wonder. Maar om je de waarheid te zeggen, Erik, deze baby is in het ziekenhuis verwekt door het zaad van een anonieme donor.' Ze zag de liefdevolle blik in Eriks ogen langzaam wegsterven. Zijn gezicht trok spierwit weg. Zijn koude knuisten lieten haar handen langzaam los en hij stond op van zijn stoel. Wat ze zag, was totale ontreddering, en ze besefte meteen dat het allerergste gebeurde. Ze raakte hem kwijt.

Erik liep wankelend, met een uitdrukking van verbijstering op zijn gezicht, naar de deur, die hij vervolgens met een harde klap achter zich dichttrok.

Eline had de laatste weken verwacht dat ze vreselijk overstuur zou raken als ze Erik op deze manier zou kwijtraken. Maar niets van dit alles gebeurde. Er daalde zelfs een vredige rust op haar neer. Ze legde haar handen opnieuw op haar buik. Koesterend en behoedzaam. Ze schaamde zich ineens vreselijk voor alle negatieve gedachten van eerder op de dag. Dat dit kindje niet welkom was in haar leven. Dat ze de zwangerschap wilde laten afbreken. Het was alsof ze wakker werd uit een roes, uit een boze droom. Dit was haar baby. Ze had heel bewust voor dit kindje gekozen. Ze zou het niet laten weghalen. Ze zou zelfs voor dit kindje vechten, al moest ze het helemaal alleen doen.

10

Marleen zocht in haar computer naar de gegevens van een ziektekostenverzekering die een patiënt aan de balie haar had gegeven. Ze controleerde vervolgens het nummer en maakte een nieuw ponsplaatje. Enkele gegevens werden gecorrigeerd. Nadat ze het ponsplaatje aan de patiënt had meegegeven, zuchtte ze even van opluchting. Het laatste uur was het erg druk geweest. Samen met Joyce had ze zo al een lange rij van wel tientallen patiënten op weg geholpen naar de spreekuren van diverse specialisten. Daar was nu een eind aan gekomen. Er meldden zich op dit moment geen nieuwe patiënten meer. Marleen draaide haar zilveren armband, het sinterklaascadeautje van Jeffry, om en om. Vanaf de dag dat hij haar dat sieraad had gegeven, had ze het dagelijks trouw omgedaan. Dan was het net alsof Jeffry steeds dicht bij haar was. De afgelopen maand was er veel veranderd in haar leven. Het prettige contact met haar zus Brenda vormde een absoluut hoogtepunt, net als haar relatie met Jeffry, die langzaam tot bloei kwam. Ze had niet gedacht dat de liefde van een andere man haar hart nog eens zou kunnen veroveren. Daar had ze zich gelukkig in vergist. Jeffry was qua karakter totaal anders dan Sander. Bij Jeffry voelde ze zich veilig, maar bovenal geliefd. Hij droeg haar op handen. Haar gevoelens voor Jeffry reikten dan ook veel dieper dan de gevoelens die ze destijds voor Sander had.

Sander. Het was dan wel allemaal verleden tijd, maar op een dag moest ze Jeffry toch vertellen dat ze al eerder getrouwd was geweest. Deze laatste dagen voor de kerst moest ze er regelmatig aan denken. Ze wilde niet dat Jeffry het van een ander te horen kreeg. Marleen nam zich voor het hem na de feestdagen op te biechten. Hij had er recht op dat ze hem eerlijk alles over haar verleden vertelde. Ook over haar zwangerschap en het doodgeboren kindje. Marleens maag kneep al samen wanneer ze daaraan dacht. Ze was toch wel een beetje huiverig voor zijn reactie. Jeffry zou het vast ongelooflijk stom van haar vinden dat ze zich jaren geleden in een huwelijk had gestort met een alcoholist. Het feit dat hij nu een relatie met haar had, een gescheiden vrouw, boezemde Marleen ook enigszins angst in. Jeffry en zijn familie waren zulke gelovige mensen. Misschien zorgde haar verleden er wel voor dat Jeffry zijn relatie met haar niet langer wilde voortzetten. Het maakte haar erg onzeker. Misschien moest ze dit eerst maar eens met Brenda bespreken. Die wist ook nog niets van haar eerdere huwelijk met Sander. En natuurlijk moest ze moeder Christien binnenkort het een en ander vertellen over Jeffry. Marleen zag erg op tegen deze dingen. Ze schaamde zich bij voorbaat al voor moeders gedrag wanneer ze met Jeffry bij haar op bezoek zou gaan. Ze kon zich het scenario al precies voorstellen. Moeders gezeur over alcohol, het steeds maar weer aandringen om toch eens een flesje voor haar mee te nemen.

Marleen zuchtte diep en deed haar werk op de automatische piloot, terwijl Joyce intussen een nieuwe patiënt verderhielp. Nog drie maanden, dan zat haar werk achter deze balie er weer op. Ze had van Jeffry begrepen dat er op de afdeling Chirurgie tegen die tijd een baantje vrij zou komen op het afdelingssecretariaat. Als ze dat werk graag wilde doen, moest ze van de gelegenheid gebruik maken en snel solliciteren. Interne sollicitaties werden doorgaans met voorrang behandeld, wist Jeffry haar te vertellen. Maar Marleen was nog niet zo zeker van zichzelf. Receptiewerk was heel wat anders dan het afdelingssecretariaat op Chirurgie, en ze was ook niet goed op de hoogte van alle medische terminologie. Jeffry had haar bezwaren weggewuifd. Na enkele weken zou ze overal van op de hoogte zijn, voorspelde hij. Gewoon een kwestie van inwerken.

'Zeg, waar zit jij eigenlijk met je gedachten? Op de Bahama's?'

Marleen draaide zich om naar Joyce, die haar lachend aankeek.

'O, sorry!'

'Het is tien uur. Koffiepauze. Jij mag vandaag eerst.'

Marleen stond op. Ze had maar een kwartier de tijd. Daarna moest ze Joyce aflossen. Zo bleef de receptie altijd bemand.

In de kantine kwam Jeffry even bij haar zitten. Samen dronken ze hun kop koffie.

'Overmorgen is het Kerstmis. Ik wil 's morgens al op tijd naar Brenda's huis rijden. We zijn als familie gewend op kerstochtend gezamenlijk naar de kerk te gaan. Ik vind het fijn als je met ons meegaat. Kan ik je om halfnegen al oppikken?'

Marleen fronste haar wenkbrauwen. Hier had ze niet op gerekend. Ze was ook niet gewend met Kerstmis naar de kerk te gaan. En hoe moest het dan met moeder? Ze moest eerste kerstdag ook even bij moeder in het verpleeghuis op bezoek.

'Ik dacht ... eh ... dat we pas 's middags naar Brenda en Arno zouden gaan', hakkelde ze. 'Ik wil mijn moeder 's morgens graag nog even opzoeken. Daar kan ik op eerste kerstdag niet onderuit.'

'Ach, natuurlijk.'

Ze zag heel even een blik van teleurstelling in zijn ogen.

'Tja, dan kom ik je 's middags halen, om een uur of twee.' Jeffry glimlachte alweer. Toen ze na een kwartier terugliepen naar hun afdeling, wreef Jeffry haar nog even liefkozend over haar arm. 'Ik wacht vanmiddag bij de fietsenstalling op je.' Hij knipoogde nog en verdween daarna uit haar zicht.

Marleen wist dat Jeffry vanmorgen om elf uur een vergadering had met enkele verpleegkundigen van zijn afdeling. Tijdens de lunch zou ze hem niet in de kantine treffen. Dergelijke vergaderingen liepen doorgaans uit, vertelde hij. Ze loste Joyce af en hielp enkele patiënten aan de balie. Daarna keerde de rust opnieuw terug. Vandaag zou de polikliniek vanwege de naderende Kerst om vier uur de deuren sluiten.

Marleen was blij met dit vroege tijdstip. Het gaf haar de gelegenheid vanavond, tijdens de koopavond ,nog wat extra inkopen voor de feestdagen te doen. Ze wilde graag iets lekkers voor moeder kopen. Chocola, daar was ze – naast alcohol – ook dol op. En voor Brenda en haar gezin wilde ze morgen zelf een appeltaart bakken, zodat ze hen op eerste kerstdag op iets lekkers bij de koffie kon trakteren. Marleen krabde zich bedenkelijk achter het oor. Ze kon maar beter twee taarten bakken. De hele familie zou die dag aanwezig zijn. Eén appeltaart was vast niet voldoende. Marleens hart maakte een klein sprongetje. Voor het eerst in haar leven zou ze Kerstmis vieren met haar zus. Haar zus. Tot voor kort had ze niet eens kunnen vermoeden dat ze haar oudere zus al zo snel zou leren kennen.

Twee weken geleden hadden ze samen met moeke Vesters de kerstboom opgetuigd en allerlei versieringen in Brenda's huiskamer aangebracht. Het resultaat was sfeervol en gezellig geworden. Laura was intussen haar kleine lieveling. Ze voelde zich erg tot het meisje aangetrokken. Ze leek uiterlijk erg veel op Brenda toen die nog klein was, maar ze deed haar ook iedere keer opnieuw aan haar eigen meisje denken. Dat zou nu ongeveer net zo oud zijn geweest, als dat erge niet was gebeurd. Laura klom op haar schoot als Benny zich uitsloofde en probeerde stoerder te zijn dan Robert.

Marleen vond het jammer dat Brenda aangegeven had dat ze hun moeder niet wilde bezoeken. Opnieuw vroeg Marleen zich af wat Brenda vroeger allemaal doorstaan had. Tante Elsa had eerder al een tipje van de sluier opgelicht en tijdens haar bezoek verteld dat vaders handen toentertijd nogal loszaten. En dat Brenda ook uren lang in een kast werd opgesloten. Zou Brenda zich dat allemaal nog herinneren? Het was al zo lang geleden. Ze hoopte van niet, want dat moest verschrikkelijk zijn. Het was vreemd, maar Marleen begreep nog steeds niet waarom pa en ma definitief afstand van Brenda hadden gedaan. Vader had moeder altijd verweten dat Brenda zijn kind niet was, herinnerde Marleen zich tante Elsa's woorden weer. Vreemd, ze moest het toch nog eens aan moeder vragen.

Om vier uur fietste ze samen met Jeffry naar huis. Bij de voordeur kuste hij haar gedag. Hij beloofde vanavond met haar mee te gaan om wat boodschappen te doen. Toen ze zich omgekleed had, ging de telefoon, tante Elsa. Dat was leuk, ze had vandaag nog aan de tantes gedacht.

'Ik wil je graag met Kerstmis uitnodigen, kind. Het is vreselijk voor je alleen te moeten zijn tijdens deze dagen, nu Christien niet meer thuis woont. Coba en ik moeten er almaar aan denken.'

Het werd warm om Marleens hart, dat tante aan haar gedacht had. De uitnodiging zorgde voor tranen van ontroering in haar ogen. Kort en bondig vertelde Marleen dat ze de eerste kerstdag bij Brenda door zou brengen.

Tante Elsa reageerde erg enthousiast bij het nieuws dat de beide zusjes weer contact hadden met elkaar. 'Je moet een keer met Brenda naar Coba en mij komen, Marleen. Wij willen Brenda ook graag ontmoeten. Beloof je me dat?'

Marleen beloofde tante Elsa dat ze het Brenda zou vragen. Heel even kwam ze in de verleiding nog meer informatie over Brenda's kinderjaren uit tante Elsa los te peuteren, maar uiteindelijk besloot ze moeder eerst nog een kans te geven. Als moeder tenminste wilde meewerken. Wat dat betrof, zag Marleen het somber in. Moeder had ook nauwelijks gereageerd toen ze haar vertelde van de ontmoeting met Brenda.

Op eerste kerstdag, toen de kerkklokken om tien uur overal beierden, liep Marleen het verpleeghuis binnen. Moeder zat in de algemene huiskamer, naast de kerstboom. 'Prettige kerstdagen', wenste Marleen haar toe. Ze drukte een kus op haar wang en overhandigde haar de doos chocolade. Zonder enige schroom stopte moeder meteen vier chocolaatjes achter elkaar in haar mond. 'Je hebt zeker geen flesje bij je', informeerde ze met volle mond. 'Dat zou mijn Kerst pas echt goed maken.'

'Nee, dat is hier niet toegestaan, mam. Dat weet u toch?'

'Nou, mooie boel, hoor. Ze zeggen dat ik me hier thuis moet voelen. Vergeet het maar. Als ze me hier geen neutje gunnen, voel ik me niet thuis. Trouwens, ik wil weer terug naar mijn eigen huis. Kerstmis zonder borrel is voor mij geen echte Kerst. Dat begrijp jij wel, hè, Marleen. Ik heb er geen zin in mijn leven zo te slijten. Kun jij iets voor me regelen?' Moeders ogen keken lodderig. Haar handen beefden toen ze nog meer chocolaatjes in haar mond stopte.

Marleen schudde langzaam haar hoofd. Het was alsof er ineens een steen op haar borst gelegd werd. Haar hele leven had ze dergelijke praatjes moeten aanhoren. Altijd was alcohol het onderwerp van ieder gesprek. Wat een verademing dat het bij Brenda en de familie Vesters anders toeging. Zoals deze mensen in het leven stonden, zo wilde zij het ook. Ze snakte ernaar. Ze wenste zichzelf geluk, vrolijkheid, plezier en liefde toe. En daarbij wilde ze zich vooral veilig voelen. Al deze dingen had ze in haar ouderlijk huis moeten ontberen. Er waren geen fijne herinneringen.

De tranen sprongen Marleen in de ogen toen ze op de achtergrond een kerkkoor enkele bekende kerstliederen hoorde zingen. Jeffry zat nu ook met de hele familie in de kerk, met zijn ouders, zus Kathy, Brenda, Arno en hun kinderen. Hoewel Marleen zelden een kerk had bezocht, zou ze er op dit moment ook bij willen zijn. Ze verlangde ernaar de saamhorigheid te ervaren en naar de kerstboodschap te luisteren. Ze keek moeder aan. Ze had thuis niets van dergelijke dingen meegekregen. Helemaal niets. Het voelde als een verschraling, een inhoudelijk gemis.

'Ik kan niets voor u doen, mam', zei ze met gesmoorde stem. 'Maar u kunt wel iets voor mij doen.'

Moeder veegde haar mondhoeken af met de rechtermouw van haar vest, waarop Marleen haar een zakdoek in de hand duwde. 'Voor een flesje wijn doe ik veel.' Moeders stem klonk ineens helder. Ze wilde kennelijk weer onderhandelen. Ze liet geen kans voorbijgaan. Marleen begreep dat ze daar niet onderuit kon. Ze kende moeders kuren. Voor wat hoorde wat.

'U weet toch dat er op deze afdeling geen alcohol geschonken mag worden?'

'Kan me niets schelen.' Moeder grijnsde meedogenloos. 'Je kent mijn voorwaarden. Als ik iets voor je moet doen, breng je maar een flesje naar mijn kamer. Dat hoeft verder niemand te weten.'

'Ik wil dat u me alles vertelt over Brenda, over vroeger. Waarom hebben pa en u van haar definitief afstand gedaan, en van mij niet? Dat wil ik graag weten.' Marleen probeerde moeders voorwaarden te negeren.

Maar Christien liet zich niet van de wijs brengen. 'Ik vertel je alles, als je me dat flesje wijn maar belooft. En ik wil het vandaag nog hebben.'

'Daar kan ik niet voor zorgen. De winkels zijn dicht.'

Moeders ogen vernauwden zich. Met haar tong likte ze langs haar lippen. 'Wanneer kun je er dan wel voor zorgen?'

Marleen zuchtte diep. 'Als het per se moet, wordt het dinsdag. De dag na tweede kerstdag.'

'Zo lang kan ik niet wachten. Misschien heeft je buurvrouw nog een extra flesje op voorraad. Kom op, Marleen. Je weet toch wel hoe je zulke dingen moet aanpakken? Buurvrouwtjes genoeg in de straat die je met Kerstmis graag aan een flesje wijn willen helpen.'

Marleens hart bonsde in haar keel. Ze beet haar lippen op elkaar. Hier werd ze zo boos om. Moeder wilde altijd iedereen naar haar pijpen laten dansen. Ze vond het walgelijk van zichzelf dat ze zich zo liet chanteren om wat informatie over Brenda los te krijgen.

'Goed, ik doe mijn best. Dat flesje wijn komt nog wel een keer. Vertelt u me nu maar waarom Brenda op vierjarige leeftijd definitief uit huis werd geplaatst. Wat is er gebeurd, dat zoiets heeft plaatsgevonden?'

Moeders blik dwaalde naar buiten. Ze stak de laatste chocolaatjes in haar mond.

'Eerst dat flesje wijn. Dan vertel ik wel iets over ... je zus.'

Marleen duwde de stoel waarop ze zat, naar achteren en stond op. Ze kon het niet langer verdragen met moeder in één ruimte te verkeren. Moeder zou het gezeur net zo lang volhouden totdat ze haar flesje wijn kreeg. Dat wist Marleen zeker. Daar kende ze haar te goed voor. Drammen en zeuren, dat stond haar het komende uur te wachten. Maar daar paste ze voor. Als moeder een dergelijke bui had, moest ze maken dat ze wegkwam.

'Het spijt me, maar ik ga nu. Ik wil uw gezeur niet langer horen. Tot dinsdag, mam', zei ze nog bij de deur en liep meteen haastig de afdeling af. In de verte hoorde ze haar moeder verongelijkt roepen dat ze haar flesje wijn graag eerder wilde ontvangen. 'Vanmiddag, Marleen. Dat is de afspraak. Dan vertel ik alles wat je wilt weten. Ik beloof het ...' De schelle stem achtervolgde haar.

Marleen hoorde de woorden nog lang nagalmen in haar hoofd. Ze verafschuwde zichzelf omdat ze toch een ogenblik op het punt gestaan had toe te geven aan moeders eis. Maar nee, daar kon ze niet mee instemmen. Alcohol had alles in haar leven kapotgemaakt. Ze mocht nooit akkoord gaan met een dergelijk compromis.

Het kerstontbijt vormde elk jaar opnieuw een sfeervol hoogtepunt in Brenda's gezinsleven. Zo ook dit jaar. Ze genoot ervan. Ze aten hun kerstbrood bij kaarslicht, wat de kinderen ontzettend leuk vonden. Arno vertelde daarna het oude kerstverhaal vanuit een kinderbijbel, en Brenda hield Benny daarbij goed in de gaten. De vlammetjes van de kaarsen boeiden hem enorm. Hij kon zijn handjes nauwelijks in bedwang houden. Ze kwamen steeds angstvallig dicht bij het speels flikkerende vuur. Na het ontbijt bliezen ze de kaarsen uit, en zochten de kinderen het speelgoed op dat ze op sinterklaasavond cadeau hadden gekregen.

Brenda ruimde samen met Arno de tafel af. Voordat ze naar de kerk vertrokken, zette ze het servies alvast klaar voor de koffie die de familie gezamenlijk zou gebruiken na de kerkdienst.

Jeffry belde als eerste aan. Ze wist al dat hij Marleen vanmiddag zou gaan halen. Marleen wilde moeder Christien ook graag een prettig kerstfeest wensen, en dat deed ze liever 's morgens. Van huis uit was ze ook niet gewend naar de kerk te gaan, had Marleen zich bij haar verontschuldigd. Ze was behoorlijk verlegen met de situatie. Brenda besefte dat haar zusje altijd veel gemist had. Niet alleen een christelijke achtergrond, waarbij de kerkgang een grote rol speelde op feest- en hoogtijdagen, maar ook het harmonische samenzijn als gezin. Natuurlijk deed Marleen er goed aan haar moeder fijne kerstdagen toe te wensen. Daar had Brenda alle begrip voor.

Ze kon het desondanks niet over haar lippen krijgen Marleen te vragen dat ook namens haar te doen. Ze had er moeite mee moeder Christien als haar moeder te erkennen. Ze voelde geen band. Dat was heel anders met moeke. Naast moeke wilde ze eigenlijk ook van geen andere moeder weten. Moeder Christien en vader Ad waren eens haar ergste nachtmerrie geweest. Dat was nu voorgoed voorbij. Daar wilde ze niet langer bij blijven stilstaan, hoewel haar contact met Marleen het verleden wel gevaarlijk dichtbij bracht.

Brenda zuchtte en deed haar best om op deze feestelijke kerstochtend even aan iets anders te denken dan aan moeder Christien. De situatie wekte alleen maar meer nare gevoelens op uit het verleden.

Haar gedachten dwaalden vervolgens af naar Eline en Erik en de huwelijksproblemen die tussen hen waren ontstaan. Ze vond het ook erg jammer dat Eline en Erik zich om die reden voor deze feestdag in de familiekring afgemeld hadden. Toch kon ze er wel begrip voor opbrengen. Ze had intussen van Eline begrepen dat Erik nu volledig op de hoogte was van de waarheid over haar zwangerschap. Verder wist niemand in de familiekring er iets van. De spanningen die er waren, hadden volgens paps en moeke alles te maken met het feit dat de baby het syndroom van Down zou hebben. De baby van Eline en Erik was op dit moment de grootste zorg van iedereen. De uitslag van het onderzoek hing als een onzichtbare schaduw over de feestelijke dagen.

Brenda had zich voorgenomen Eline na de feestdagen beroepshalve te gaan ondersteunen. Toen ze nog in het ziekenhuis werkte, had ze een paar keer situaties meegemaakt waarin ze de ouders van een kindje met het syndroom van Down maatschappelijk begeleidde. Het voelde als een opluchting dat Eline voor het vertellen van de waarheid én het leven haar kindje had gekozen. Ze was weer strijdbaar. En met Erik, die de grootste klap te verwerken had gekregen, wilde ze ook graag eens praten, als hij daar behoefte aan had.

Brenda werd gestoord door stemmen in de gang. De andere familieleden arriveerden nu ook. Naast Jeffry, die zich al een poosje met haar kinderen bezighield, waren daar nu ook Kathy en Wil en paps en moeke. Vanwege Kathy's eigen zaak zagen ze elkaar helaas niet zo vaak. Ze omhelsde haar pleegzus innig en gaf haar een complimentje voor haar kleding, de bijpassende bijouterieën en haar kapsel. Kathy zag er altijd op en top modieus uit. Na wat nieuwtjes uitgewisseld te hebben, vertrokken ze gezamenlijk naar de kerk.

Het viel Jeffry meteen op dat Marleen stil en teruggetrokken was toen hij haar na de middag met zijn auto ophaalde. 'Gaat het goed met je moeder?', informeerde hij voorzichtig. Hij wist niet wanneer ze hem een keer wilde uitnodigen om mee te gaan naar haar moeder. Misschien vond ze het nog te vroeg. Hun relatie was ook nog zo pril.

Marleen schokschouderde.

Jeffry zag haar ogen glanzen van tranen.

'Ik vind het zo erg, maar ik schaam me ... Ik schaam me voor mijn afkomst, Jeffry. Mam was vandaag in zo'n vervelende bui. Drammen en almaar zeuren om een flesje wijn. Ze probeerde me zelfs om te kopen.'

Jeffry had haar in zijn armen genomen en geknuffeld. 'Ach, lieverd. Daar kun jij toch niets aan doen? Het wordt tijd dat we naar mijn familie gaan. Mijn moeder kan niet wachten totdat je er bent. Ze is nu al dol op je.'

Tijdens de autorit naar Andel hoorde Jeffry het verhaal van Marleen aan. Dat ze moeder Christien om wat meer informatie had gevraagd over Brenda's kinderjaren en het feit dat ze toen volledig afstand van het kind hadden gedaan. 'Laat je niet chanteren, Marleen. Dat is niet goed. Vraag er Brenda naar, of anders moeke of paps. Er is bij ons thuis nooit met evenzoveel woorden over Brenda's verleden gesproken, maar er is natuurlijk wel iets bekend.' Jeffry streek even liefdevol over haar haren, terwijl hij het stuur van zijn auto met één hand vasthield. 'Maar vandaag vieren we kerstfeest, schat. De kinderen van Brenda en Arno kijken al naar je uit. Zet dus alle zorgen even uit je hoofd.'

Er gleed een glimlach over Marleens gezicht. 'Ja, je hebt gelijk. Brenda heeft een stel geweldige kinderen. Ik ben dol op hen. Vooral op kleine Laura ...' Marleens gedachten gleden weer weg. Jeffry knikte instemmend. Hij was al net zo gek op zijn neefjes en nichtje. Daarna werd hij in beslag genomen door het drukke verkeer op een kruispunt.

Intussen legde Marleen haar beide handen een moment op haar buik, waar nu een veiligheidsgordel overheen lag. Jeffry moest eens weten, flitste het door haar heen toen ze aan de begraafplaats dacht waar haar meisje begraven lag.

Even later reed Jeffry zijn auto tot voor Brenda's huis.

Marleen nam de twee appeltaarten vanaf de achterbank mee. Ze gaf ze met een verlegen glimlach aan Brenda, die het resultaat bewonderde.

De tweeling sprong om haar heen. 'Ik wil ook taart bakken', pruilde Laura. 'Maar mama heeft niet zo veel tijd om me te helpen. Mag ik u een keer helpen bakken, tante Marleen?'

'Dan kom je meteen een nachtje bij me logeren. Vraag het maar aan mama.'

'Ja, ja, ik wil logeren, mam', jubelde Laura opgetogen. 'Mag het?'

Brenda knikte instemmend. 'Natuurlijk mag jij een keer bij tante Marleen logeren.'

'Vanavond?', dwong Laura. 'Ik wil vanavond logeren.'

Brenda schudde haar hoofd. 'Morgen is het tweede kerstdag, pop. Een ander keertje.'

'Wat denk je van komende vrijdag, de dag voor oud en nieuw?', stelde Marleen voor. 'Ik hoef in het weekend geen rekening te houden met mijn werk in het ziekenhuis. Dan ga ik zaterdagmorgen samen met Laura een nieuwe appeltaart bakken.'

Daar kon Brenda zich in vinden.

Robert keek zijn zusje minzaam aan toen ze enthousiast vertelde dat ze bij tante Marleen mocht logeren om daar een appeltaart te bakken.

Benny reageerde eerst afgunstig, maar draaide snel bij toen Brenda hem vertelde dat er die dag iets te doen was in de kantine van de voetbalvereniging. Dat wilde hij niet missen. Hij kon zich wel een dag zonder zijn zusje redden.

Marleen hielp Brenda in de keuken met het snijden van de taart. Even later werd ze in de woonkamer voorgesteld aan Kathy en Wil, Jeffry's zus en zwager die ze nog niet eerder had ontmoet. Moeke omhelsde haar en wenste haar een gezegend kerstfeest. Het deed Marleen zichtbaar goed dat moeke daarna op discrete wijze naar moeder Christien informeerde. Ze kon er niets aan doen, maar Marleen kon het niet over haar hart verkrijgen moeke iets te vertellen over moeders vervelende gedrag van deze ochtend. Het stond zo haaks op de gezelligheid en de saamhorigheid die ze hier aantrof. Maar de belangstelling van moeke was oprecht. Daar was Marleen haar dankbaar voor. 'Mama was erg helder', antwoordde ze naar waarheid. 'En de zusters hadden de afdeling gezellig versierd.'

Ze ving Jeffry's knipoog op, een knipoog van verstandhouding. Vervolgens spraken ze over Eline en Erik. Hun baby zou begin mei geboren worden. Marleen had het al eerder te horen gekregen van Jeffry. Ze had met Eline te doen. Het betekende voor de toekomst toch een enorme zorg. Maar bij deze familie zou het kindje in een warm nest terechtkomen. Het was gewenst en geliefd. Dat werd meteen duidelijk toen Marleen hoorde hoe hoopvol ze er allemaal over spraken.

Aan het eind van de dag besefte Marleen dat ze nog nooit een dergelijke fijne kerstdag had meegemaakt. In het huis van haar zus, en naast de man die ze liefhad.

Eline modderde enkele dagen alleen aan. De definitieve uitslag van de vruchtwaterpunctie drong nu pas helemaal tot haar door. De baby waarvan ze zich al die tijd een voorstelling gemaakt had, zou er na de geboorte een beetje anders uitzien dan een normale, gezonde baby. Ze herinnerde zich dat ze tijdens haar pabo-opleiding wat informatie over kinderen met het syndroom van Down had gekregen. Omdat er op de school waar zij lesgaf, nog nooit een kind met dat syndroomwas geweest, wist ze er nog maar bitter weinig van. Ze keek daarom op internet en verzamelde extra informatie waarover ze bij een volgende afspraak met de specialist wilde praten. Zo las ze dat de helft van de kindertjes die met het syndroom van Down werden geboren, een aangeboren hartafwijking hadden. Dat er sprake kon zijn van een vertraagde ontwikkeling, zowel lichamelijk als verstandelijk. Daarnaast was er een verhoogde kans op gehooraandoeningen, een oogafwijking, schildklierstoornissen en maag- en darmproblemen. De moed zonk Eline steeds verder in de schoenen. Ze durfde nog nauwelijks aan de toekomst te denken. Naar het zich liet aanzien, stond ze er straks helemaal alleen voor. Eline trok zich regelmatig terug in de babykamer en huilde daar vaak. Op Erik durfde ze niet meer te hopen. Hij had zich al enkele dagen zwijgend van haar afgekeerd. Hij was boos, verontwaardigd en verdrietig. Eline zag het en begreep het. Ze was er zelf schuldig aan en accepteerde zonder meer alle consequenties. Elke dag opnieuw verwachtte ze dat hij de beslissing zou nemen haar voorgoed te verlaten, maar hij deed het niet. Erik bleef. Ze besefte dat het in deze situatie goed was dat ze zich afgemeld had voor Brenda's familiefeest. Een familieontmoeting zou voor hen beiden te pijnlijk zijn. Ze zou geen enkel blijk van medeleven kunnen verdragen. Eerste kerstdag bleef ze thuis.

Toen Erik aanstalten maakte om naar de kerk te gaan, vroeg hij niet eens of ze hem wilde vergezellen. Maar toen hij thuiskwam, en ze in de keuken een potje verse koffie voor hem had klaarstaan, met een sneetje kerstbrood erbij, kwam hij achter haar staan. 'Eline,' zei hij zachtjes, 'kunnen we samen nog praten? Ik voel me zo ongelukkig met deze situatie.'

Ze draaide zich naar hem toe. 'Graag.' Haar stem klonk hees. Ze sloeg haar ogen neer. 'Ik begrijp het als je bij me weggaat. Ik ...'

'Nee', onderbrak Erik haar. 'Ik wil niet bij je weg, en ik ga ook niet bij je weg. Ik heb alleen wat tijd nodig om te accepteren dat dit kindje niet van mij is. Dat je dit allemaal buiten mij om hebt geregeld.'

'Ik kan alleen maar zeggen dat het me vreselijk spijt dat ik dit heb laten gebeuren. Ik had het anders moeten doen. We hadden het vooraf met elkaar moeten bespreken. Het is mijn welverdiende straf dat we nu een huwelijkscrisis doormaken en dat ik een baby verwacht met het syndroom van Down.'

'Nee, ik wil niet dat je zoiets denkt, Eline. Het is geen straf. Het krijgen van kinderen hebben we altijd als een zegen van God gezien. Toch niet als een straf?'

'Dat vind ik erg moeilijk. Vooral nu.'

'Ik wil dat dit kindje straks mijn naam draagt.'

Eline durfde hem nauwelijks aan te kijken. Haar hart bonsde wild in haar borst. In haar ogen sprongen ingehouden tranen, die zich niet meer lieten terugdringen. Ze gleden in een stroom over haar wangen.

Erik zag het, legde een hand op haar schouder en trok haar tegen zich aan. 'Vanaf nu kijken we niet meer naar het verleden, maar richten we onze blik op de toekomst.'

Eline slaakte een diepe zucht. Wat ze nooit had verwacht, gebeurde. Erik reikte haar zijn hand. En dat niet alleen. Hij accepteerde haar kind als van hem. Hij wilde het zijn naam geven. Ze voelde zich onbeduidend klein in de armen van deze man met zijn grote, ruime hart. De vrede van Kerstmis daalde langzaam maar zeker op haar neer.

Laat in de avond belde ze Brenda op om haar het goede nieuws te vertellen.

Brenda reageerde opgelucht en blij. 'Komende week, na de kerstdagen, ben ik nog druk bezig in mijn praktijk. Zaterdagmorgen kom ik naar je toe, Eline. Dan neemt Arno de jongens mee, en Laura logeert een nachtje bij Marleen. Het lijkt me een goed idee de situatie waarin je baby straks geboren wordt, eens door te spreken. Ik kan jullie met heel veel praktische zaken helpen.'

Eline was erg dankbaar voor Brenda's aanbod. Ze stond er niet langer alleen voor. Naast haar stond Erik, als een rots in de branding. En met een vriendin als Brenda voelde ze zich de koning te rijk. Deze eerste kerstdag zou ze nooit meer vergeten.

11

Marleen kon er geen genoeg van krijgen. De slapende Laura haalde alle weggestopte gevoelens naar boven. Als jaren geleden het onherroepelijke niet was gebeurd, had hier nu haar eigen meisje gelegen, met misschien wel net zulke blonde haartjes als Laura. Het verdriet daarover zou ze nooit meer kwijtraken.

Nadat Brenda halverwege de middag een kop koffie had gedronken en naar huis was vertrokken, had Marleen samen met Laura het kleine koffertje uitgepakt. Het eerste uurtje was de kleine meid wat verlegen, maar daarna kwam ze goed los. Voordat Marleen haar 's avonds naar het logeerbed bracht, had ze samen met Laura alle spulletjes voor het bakken van de appeltaart in de keuken klaargezet. Laura werd razend enthousiast bij het zien van alle attributen. Ze kon eerst nauwelijks in slaap komen, maar nu lag ze dan, met het zachte blonde haar uitgewaaierd op het hoofdkussen, in diepe slaap.

Om negen uur stond Jeffry bij Marleen aan de deur.

Marleen drukte een vinger tegen haar lippen toen ze opendeed. 'Sst! Laura slaapt', waarschuwde ze.

Ook Jeffry keek even later vertederd naar zijn slapende nichtje, dat er zo lief uitzag. Hij sloeg een arm om Marleens schouders, en in de kamer trok hij haar in zijn armen. 'Wat denk je ervan, Marleen? Ik ben niet meer zo jong, maar houd je genoeg van mij om met me te trouwen?'

Marleen keek hem perplex aan. 'O, Jeffry. Ja, ik houd van je. Maar ik weet niet of mijn verleden ...'

Jeffry drukte snel een kus op haar lippen. 'Niet verderpraten, liefje. Ik weet dat je het in je kinderjaren en je jeugd heel moeilijk hebt gehad, maar dat is nu niet belangrijk. Wil je met me trouwen, zodat we samen ook aan een gezinnetje kunnen denken?'

Er steeg een rode kleur naar Marleens wangen. Ze slikte van ontroering en knikte, omdat verstikkende tranen haar het spreken beletten.

'Dan prikken we meteen een datum.' Jeffry trok zijn zakagenda meteen uit zijn jaszak, terwijl Marleen hem met open mond aanstaarde. Ze voelde zich intens gelukkig. Jeffry's aanzoek leek verdacht veel op een mooie droom. Hij wilde al meteen een datum vastleggen. Ze kon nauwelijks geloven dat haar dit overkwam. 'Wat stel jij voor?', vroeg hij haar lachend. 'Zomer of herfst dit jaar?'

'Zomer.' Marleens ogen glommen van blijdschap. 'Het lijkt me geweldig in de zomer te trouwen.'

'Na de vakanties, eind augustus. Wat vind je daarvan?'

'Uitstekend.'

'Goed, dan trouwen we op de laatste vrijdag van de maand augustus. Schrijf maar op je nieuwe kalender.'

Marleen giechelde van opwinding. Trouwen met Jeffry betekende ook deel gaan uitmaken van de familie Vesters. Misschien zou ze, net als Brenda, zijn ouders dan ook met paps en moeke mogen aanspreken. Met trillende hand sloeg ze haar nieuwe afsprakenkalender erop na en schreef het op. 'Mijn trouwdag'. Ze keek ernaar en kon het nog nauwelijks geloven. Het flitste door haar hoofd dat Sander en zij lang geleden in het voorjaar waren getrouwd, op een regenachtige dag in april. Moest ze Jeffry nu niet meteen van dat huwelijk en de echtscheiding op de hoogte brengen? Ze kon het niet blijven verzwijgen. Maar Marleen kon de woorden toch niet over haar lippen krijgen. Ze wilde deze bijzondere avond niet in het water laten vallen door vervelende onthullingen uit haar verleden. Nog niet. Het zou op dit moment een donkere schaduw werpen over hun geluk. Ze nam zich voor er de komende week eerst met Brenda over te praten.

Jeffry nam haar opnieuw in zijn armen en kuste haar. 'Zeg, waar zit jij met je gedachten?', fluisterde hij plagend in haar oor. 'Na de feestdagen gaan we samen alles regelen. Het stadhuis, de kerk en een feestzaaltje voor de receptie. Maar eerst vertellen we het aan onze families.'

Marleen voelde een schok door zich heen gaan. Ze moest het haar moeder vertellen en Jeffry binnenkort meenemen om hem aan haar voor te stellen. Moeder kende Jeffry vast nog wel van haar periode in het ziekenhuis. Of misschien ook niet meer. Moeder vergat de laatste tijd heel veel. Marleen schaamde zich bij voorbaat. Ze hoorde moeder in gedachten al lallend zeggen: 'Daar moet op gedronken worden.' Ze hoopte vurig dat moeder zich voor één keer wist te gedragen. 'Ja, jouw familie en mijn moeder moeten het ook weten', antwoordde ze zachtjes. 'Je kent mijn moeder een beetje, Jeffry. Ze zal anders reageren dan jouw moeke.'

'Geeft niet. Ik begrijp het. Ik wil niet dat je je daar zorgen om maakt. Laat het je tantes ook weten. Het is goed voor jou en Brenda dat contact in de toekomst wat aan te halen.'

Daar was Marleen het roerend mee eens. 'Binnenkort wil ik Brenda aan de beide oudjes voorstellen. Ik moet het er alleen nog met haar over hebben. Ik ben toch een beetje bang dat ze de boot wil afhouden. Ze wil onze moeder ook niet bezoeken. Hoe moet dat op onze trouwdag, Jeffry? Als ik mijn moeder uitnodig om op die dag aanwezig te zijn en Brenda er vanzelfsprekend ook bij is, kan dat misschien tot problemen leiden.'

Jeffry liet haar los en keek haar in de ogen. 'Dat heeft tijd nodig, liefje. We zullen dit probleem samen van tevoren proberen op te lossen. Onze trouwdag moet, hoe dan ook, de mooiste dag van ons leven worden.'

Marleen dacht nog lang aan Jeffry's woorden. Later in bed lag ze er wakker van. Ze voelde zich overgelukkig met zijn aanzoek, maar overal waren nog obstakels die overwonnen moesten worden. Zoals een jurk. Toen ze jaren geleden met Sander trouwde, droeg ze een mooie witte bruidsjurk met veel kant en een kort sleepje. Kon ze nu dan wel weer in een witte jurk trouwen?

Marleen schrok op toen ze Laura vanuit de logeerkamer hoorde hoesten in haar slaap. Een glimlach gleed om haar mond. Het krijgen van eigen kinderen kwam nu ook weer in beeld. Kindertjes van Jeffry en haar. Misschien wel een klein meisje, zoals het kindje dat ze aan de dood had afgestaan.

Marleen viel niet lang daarna in een droomloze slaap. Ze werd 's morgens al vroeg gewekt door Laura. De helblonde haartjes zaten warrig, het gezichtje stond nog slaperig. In haar armen hield Laura teddybeer Pluk vast. Zonder dat vriendje ging ze nooit slapen, wist Marleen van Brenda.

'Gaan we nu appeltaart bakken, tante Marleen?' Laura stopte een duim in haar mond en keek haar vragend aan. Marleen zwaaide haar benen uit bed. De herinnering aan gisteravond kwam weer boven. Aan Jeffry, zijn uitgesproken liefde voor haar en zijn huwelijksaanzoek. Wat voelde ze zich gelukkig.

'We gaan eerst douchen, dan aankleden en eten, en daarna gaan we samen een appeltaart bakken. Goed?'

Laura vond alles goed. Ze huppelde naar de badkamer. Daar waste de kleine meid zich onder de douche en kleedde zich aan. Marleen verbaasde zich over de zelfstandigheid van haar nichtje. Een uurtje later stonden ze samen in de keuken, en gaf Marleen Laura kleine uitvoerbare opdrachtjes, zodat het meisje zich al heel groot voelde.

Laura's kinderhandjes schoven de gevulde taartvorm in de oven.

Marleen liet haar de baktijd instellen. Elke tien minuten sloop Laura naar de keuken om te zien hoe ver de appeltaart al klaar was. Toen de taart uiteindelijk uit de oven mocht, duurde het nog een hele tijd voordat Laura een stukje kon proeven. Zo trots als een pauw at ze een stukje op.

Marleen, die tijdens deze ochtend haar gedachten had laten dwalen over een manier waarop ze haar moeder over het aanstaande huwelijk kon inlichten, kreeg een grandioos idee. Na de middagboterham zou ze naar het verpleeghuis fietsen, met Laura achterop. Moeder had belangstellend gereageerd toen ze haar enkele weken geleden over Brenda's kinderen had verteld. Dat ze een kleindochter had, vond ze toen erg leuk.

'We gaan straks op bezoek bij mijn moeder, Laura. Dan nemen we een stukje van de appeltaart mee die jij hebt gebakken.'

Laura klapte in haar handjes van vreugde. 'Is jouw moeder net zo lief als mijn oma?', kletste het kleine mondje enthousiast.

Marleen was helemaal in de wolken van het idee Laura voor te stellen aan haar moeder. Om twee uur fietste ze met de kleine meid achterop naar het verpleeghuis.

Laura keek haar vol verwachting aan toen Marleen zei dat zij het stukje taart aan haar moeder mocht overhandigen.

De zuster op de afdeling zei dat moeder op haar kamer zat.

Met Laura in haar kielzog liep Marleen naar de deur en klopte voorzichtig. Zou moeder soms een middagdutje doen? Of misschien had ze zich teruggetrokken met een krant. Moeder las de krant nooit in gezelschap. Het geroezemoes om haar heen leidde dan te veel af.

Marleen hoorde niets en opende de deur. Voor het raam, in een stoel, zag ze moeder zitten met een fles aan haar lippen. De schrik sloeg Marleen om het hart. Ze liep haastig naar binnen. 'Mam!', stiet ze verontwaardigd uit. 'Dat mag niet. Het is tegen de regels hier alcohol te drinken.' Heel even was ze Laura vergeten, die achter haar de kamer in liep.

Moeder hikte, keek om en zei: 'Proost, kind!'

'Hoe komt u aan die fles wijn?'

Moeder lachte. Een straaltje vocht liep langs haar kin. 'Dat is mijn geheim. Ik vertel niet alles.'

Marleen voelde een handje tegen haar been. Laura kwam naast haar staan. Moeder zag het meisje nu ook. Met lodderige ogen en een gefronst voorhoofd keek ze toe.

Laura stak beide handjes met het stukje ingepakte appeltaart voor zich uit. 'Voor u. Deze appeltaart heb ik samen met tante Marleen gebakken.' Haar mondje glimlachte, de felblauwe oogjes schitterden van trots. Toen er een blik van afweer op moeders gezicht verscheen, kromp Laura ineen.

Marleen sloeg een arm om Laura's schouders.

'Ze lijkt precies op Brenda', hikte moeder schril. 'Is dat mijn kleindochter?' Ze deed geen enkele moeite om het stukje taart van Laura aan te nemen.

Marleen voelde Laura's handje nu in haar arm knijpen. Het onschuldige kindergezichtje keek haar enigszins verward aan. Marleen nam de punt appeltaart van Laura over en legde die neer op moeders nachtkastje. 'Die eet oma straks wel op', zei ze geruststellend.

'Ja, maar ... dat is mijn oma niet.' Laura keek geschrokken van moeder Christien naar Marleen. Hoe durfde tante Marleen nu te beweren dat deze rare mevrouw haar oma was? Haar oma heette moeke. Nee, deze mevrouw zag er niet uit als een oma.

'O ja, hoor, ik ben wel jouw oma, kleine wijsneus.' Moeders stem klonk lallend. 'Vraag het maar aan je moeder. Brenda herinnert zich vast nog wel iets.' Daarna barstte ze in lachen uit, dat langzaam maar zeker overging in een onbeheersbaar gesnik. Moeder sloeg zich hard op de knieën en liet de lege wijnfles spontaan uit haar andere hand vallen.

'Mam! Denk toch aan Laura. Ze is nog een kind. U kunt zich niet zo laten gaan. Toe, zeg eens iets aardigs tegen haar', siste Marleen. Ze bukte snel, raapte de lege fles op en stopte die ongezien in haar tas.

Laura deinsde terug. Zo'n rare mevrouw had ze nog nooit gezien.

Moeder snotterde en snoot haar neus. 'Je hebt gelijk', mompelde ze, en ze boog zich met de tranen op haar wangen naar Laura. 'Krijg ik een handje van jou?' Ze stak een rimpelige, trillende hand uit naar de kleine meid. 'Kom, ik doe je niets. Je hoeft niet zo bang te zijn. Opa Ad is al heel lang dood. Die kan je niet meer slaan.'

Laura week nog verder terug. Marleen fronste haar wenkbrauwen. Ze had zich iets anders voorgesteld van deze ontmoeting. Dit ging helemaal de verkeerde kant op. Moeder reageerde niet goed op kleine Laura. Ze moest weg. Het kind mocht niet de dupe worden van moeders dreinerige kat-en-muisspelletje. Ze was niet nuchter meer met een volle fles wijn achter haar kiezen.

'Kom, Laura, ik breng je even naar de zuster', stelde Marleen haastig voor, en ze duwde Laura voorzichtig moeders kamer uit.

'Is jouw moeder ziek, tante Marleen?', vroeg ze met een klein bevend stemmetje.

Marleen knikte. 'Heel erg, Laura.'

De kleine meid haalde meteen opgelucht adem. 'Ik vind haar wel een beetje eng, tante Marleen. Ze lijkt op de heks in mijn sprookjesboek. Lusten heksen ook appeltaart?' Laura had haar praatjes alweer terug en liet zich gewillig naar de zusterspost brengen. Een jonge verzorgende, die juist een afspraak in de agenda van de afdeling noteerde, wilde zich wel over haar ontfermen.

'Vijf minuutjes maar, kan dat?' Marleen keek de zuster bijna smekend aan.

Het vriendelijke meisje knikte geruststellend en schoof Laura een vel papier toe met een paar stiften. 'Maak maar eens een mooie tekening', stelde ze voor.

Dat liet Laura zich geen tweede keer zeggen. Ze kroop op een bureaustoel naast de verzorgende, en met het puntje van haar tong uit haar mond begon ze te tekenen.

Marleen haalde opgelucht adem en liep snel terug naar moeders kamer.

'Waar is mijn fles?', vroeg moeder meteen op boze toon toen Marleen binnenkwam.

'De fles is leeg, mam.'

'Ik geloof er niets van. Wat heb je eigenlijk met dat kind van Brenda gedaan? Waar is ze gebleven?'

'Bij de zuster. Ik dacht dat u het wel leuk zou vinden uw kleindochter een keer te ontmoeten, maar ik heb me vergist.'

Moeder schudde wild met haar hoofd. 'Nee, je hebt je niet vergist. Ik vind het ook leuk, maar ik heb juist een flesje leeggedronken. Dan kan ik me niet goed concentreren. Dat moet je toch weten, Marleen.'

'U hebt Laura bang gemaakt, mam.'

'Haar moeder was vroeger ook altijd zo'n angsthaas. Ik houd niet van angsthazen.' Moeder duwde een zakdoek tegen haar ogen en huilde. 'Ik was geen goede moeder voor Brenda. En ook niet voor jou ... Het is allemaal de schuld van Ad geweest.'

Marleen sloeg haar arm om moeders schouders. Iets dergelijks had ze nog nooit uit haar mond gehoord. Ondanks de fles wijn die moeder had leeggedronken, klonk ze nu toch helder.

'Wat heeft pa dan gedaan, mam?'

Moeder veegde met de mouw van haar trui langs haar vochtige kin. 'Brenda mocht niet meer thuiskomen. Ad sloeg zo hard. Ik was bang dat hij haar op een dag dood zou slaan. Dat mocht ik toch niet laten gebeuren, Marleen? En dat kleine meisje dat hier zo-even was ... ze lijkt zo veel op Brenda.'

'Is Brenda de echte dochter van pa?' Marleen moest het weten. Dit was het juiste moment. Moeder was zo spraakzaam. Misschien kwam dat wel door Laura. Het kind had waarschijnlijk iets in moeders herinnering wakker gemaakt.

Met lodderige ogen keek moeder haar aan. Haar trillende handen knepen hard in een zakdoekje, dat vochtig was van snot en tranen. Ze zweeg enkele seconden.

'Nou?' drong Marleen aan.

'Van wie dacht je anders dat ze een dochter was? Je lijkt net je vader. Die geloofde ook nooit dat Brenda zijn kind was. Maar ze is het wel. Daar durf ik mijn handen voor in het vuur te steken.'

'O mam, wat erg. Heb je ... heb je haar dan nooit gemist?'

Moeder snikte en lachte tegelijk. 'Niet echt. Daar zorgde mijn borrel wel voor. Als ik genoeg op had, kon ik al mijn ellende vergeten. Dat is nog steeds zo. Kun jij straks voor een ander flesje zorgen, Marleen?'

Marleen reageerde niet op de vraag. De zinloosheid van moeders leven overviel haar als een loden last. Ze moest hier weg. Ze kon het niet langer verdragen. Het gebeurde steeds vaker dat ze moest vluchten uit moeders nabijheid. Nadat ze moeder de punt appeltaart haastig had toegeschoven, verliet ze de kamer. Het goede nieuws van haar aanstaande huwelijk met Jeffry had ze niet eens kunnen vertellen. Zoals altijd was de alcohol het grote obstakel dat alles voor haar bedierf.

Laura zat nog steeds ijverig te tekenen naast de zuster. 'Ga je mee, Laura? Het is tijd. We moeten weer naar huis.'

Marleen bedankte de zuster en vertelde haar fluisterend dat moeder een fles wijn had leeggedronken en een beetje aangeschoten was. De zuster schudde haar hoofd en zegde haar toe een onderzoek te zullen instellen om te achterhalen wie de fles wijn ongezien aan moeder had gegeven. De zuster had zo haar vermoedens. Het was vaak moeilijk iets dergelijks te voorkomen. Sommige patiënten waren heel vindingrijk en slim. Ze wisten soms manieren te vinden om aan de aandacht van het personeel te ontsnappen.

Laura griste intussen haar kleurige tekening van het bureau, vouwde het papier dubbel en stopte het in haar jaszak.

Marleen was met haar gedachten ver weg toen ze met haar kleine, blonde nichtje het verpleeghuis verliet. Moeder had vanmiddag, lichtelijk aangeschoten van de alcohol, veel meer losgelaten over het verleden dan ze eerder had gedaan. Er was in ieder geval een heel belangrijke vraag beantwoord. Brenda was net als zij een kind van pa. Moeder wist het zeker.

Brenda merkte meteen dat er weer een ontspannen sfeer hing in Elines huis. Ze was op zaterdagmorgen hartelijk ontvangen door Eline en Erik. Met z'n drietjes hadden ze onder het genot van een kop koffie een goed gesprek gevoerd over Elines baby. Erik liet zich daarbij niet onbetuigd. Hij dacht mee, sneed onderwerpen aan en luisterde naar wat Brenda te vertellen had. De ontwikkeling van hun baby zou naar verwachting wat langzamer gaan dan bij andere kinderen. Dat wisten ze al. Wat ze nog niet wisten, was dat er sinds enkele jaren een begeleidings- en stimuleringsprogramma bestond voor deze kinderen. Brenda adviseerde Eline en Erik daarvan gebruik te maken. Een gemiddeld kind met het syndroom van Down ging tegenwoordig naar een gewone peuteropvang en daarna naar een gewone school. Daar zou hij of zij met speciale ondersteuning en extra assistentie in staat zijn toch nog heel wat van het gewone programma van lezen, schrijven en rekenen op te pikken, wist ze te vertellen. 'Zoek ook contact met andere ouders van jonge kinderen met het syndroom van Down. Dat kan heel geruststellend en ondersteunend zijn', besloot Brenda haar betoog. Ze overhandigde Eline het adres van een oudervereniging. 'En verder kun je altijd bij mij terecht voor advies en hulp, Eline. Dat weet je, hè?'

'Ja, bedankt, Brenda. Je bent een schat. Ik zie de toekomst van dit kindje nu niet meer zo heel somber in', antwoordde Eline met verstikte stem.

Erik viel haar bij.

Brenda leunde daarna achterover in haar stoel en wierp een blik op de klok. Ze zag dat het tijd werd om weer te vertrekken. Vanmiddag wilde ze met Arno oliebollen voor oudejaarsdag bakken, en met Marleen had ze afgesproken dat ze Laura na het avondeten zou komen halen. Ze bracht haar plannen onder woorden.

'Je hebt het erg getroffen met een zusje als Marleen. Het is een sympathiek vrouwtje, ondanks haar moeilijke kinderjaren', zei Eline. 'Ik hoop in de toekomst ook een goede band met haar te krijgen. Moeke spreekt steeds vol lof over haar.'

Brenda glimlachte breed. Ze had Marleen niet alleen teruggevonden als zusje voor zichzelf. De hele familie had haar met open armen ontvangen. Ze hoorde er helemaal bij. Een halfuurtje later reed Brenda weer naar huis. Daar was Arno met de jongens net gearriveerd van het voetbalveld.

'Papa heeft vuurwerk gekocht', glunderde Robert voldaan. 'Ik mag hem morgen helpen met afsteken.'

Verschrikt keek Brenda naar Arno, die haar geruststellend toeknikte.

Benny stond opgewonden naast hem te springen en trok aan Arno's arm om aandacht. 'Ik ook. Ik wil ook helpen.'

'Nee, daar ben jij nog te klein voor', antwoordde Robert heldhaftig. 'Benny mag dat niet, hè, pap?'

Benny stompte Robert baldadig in zijn buik. 'Ik ben helemaal niet klein, stommerd', riep hij boos. 'En ik help toch!' Het jaloerse ventje stak zijn tong uit.

'Misschien wil je papa en mij vanmiddag helpen met het bakken van oliebollen', probeerde Brenda hem af te leiden.

Maar Benny liet zich niet zo snel om de tuin leiden. Vuurwerk helpen afsteken was veel spannender.

Toen Arno een zak vuurwerk op tafel legde, bogen ze zich allemaal over de inhoud.

'Tja, voor Benny zit er ook wel iets bij.' Met een rimpel in zijn voorhoofd wees Arno naar enkele sterretjes die Benny onder zijn toeziend oog kon vasthouden.

Benny jubelde, blij dat hij toch kon deelnemen aan het spektakel.

Robert boog zich met Arno over het andere knalgoed.

Brenda draaide zich zuchtend om. Dat vuurwerk zo veel aantrekkingskracht op kinderen had, was haar niet onbekend. Gelukkig zou Arno alles in goede banen leiden. Dat hadden ze samen afgelopen week al afgesproken. Robert had dagenlang gezeurd om vuurwerk. Bij zijn vrienden thuis werd ook vuurwerk aangeschaft. Dan kon je als ouder niet achterblijven.

Nadat ze samen een boterham hadden gegeten, bracht Arno alles in gereedheid om oliebollen te bakken.

In het begin bleef Benny in de keuken toekijken. Toen Brenda een oliebol bestoof met poedersuiker en die aan hem gaf, at hij die met smaak op.

'Laura lust ook wel een oliebol, mam.' Met witte poederwangen en vette vingertjes zag hij er aandoenlijk uit, vond Brenda.

'Ik bak voor iedereen een oliebol, Benny. Die van Laura mag jij bewaren.' Brenda deed opnieuw enkele bollen beslag in de pan.

'Komt Laura vanavond weer thuis?'

'Mm, vanavond, ja. Ik ga haar straks halen bij tante Marleen.'

'Dan wil ik mee.'

Brenda knikte goedkeurend. 'Dat zal ze leuk vinden. Dan nemen we meteen een zak oliebollen mee voor tante Marleen.'

Na de warme avondmaaltijd reed Brenda met Benny op de achterbank naar Marleens huis. De geur van pasgebakken oliebollen verspreidde zich door haar auto.

Marleens woning rook echter naar pasgebakken appeltaart.

Laura had haar koffertje met spulletjes al in de gang klaargezet. Ze was opgewonden blij toen ze zag dat Benny mee was gekomen om haar te halen. Ze mocht hem het logeerkamertje laten zien van tante Marleen. Samen stommelden ze naar boven.

'Was het leuk met Laura?', informeerde Brenda belangstellend. Marleens wangen vertoonden rode blossen. Ze bracht enthousiast verslag uit van de logeerpartij en het bakken van de appeltaart.

Brenda overhandigde Marleen een zak met oliebollen. 'Wij hebben vandaag ook niet stilgezeten. Oliebollen horen erbij op oudejaarsdag. Alsjeblieft!'

'O lekker, dank je.' Marleen rook aan de zak en snoof de lucht op. Ze hoorden de tweeling weer naar beneden stommelen. 'Ik heb groot nieuws, Brenda!' Marleens gezicht begon helemaal te stralen. Haar ogen twinkelden. 'Het is namelijk zo dat Jeffry en ik ...'

Met een zwaai gooide Benny op dat moment de huiskamerdeur open, en Laura, die achter hem liep, hield een stuk papier in haar hand dat ze triomfantelijk omhoogstak. 'Laura heeft vandaag een heks gezien, mam', onderbrak Benny op schreeuwerige toon de woorden van Marleen. 'Kijk maar naar haar tekening.'

Brenda kreeg het papier met vouwen in haar handen gedrukt. Laura klom op haar schoot.

'Een heks?' Brenda was meteen afgeleid door de twee. Wat hadden ze nu weer in hun hoofdjes gehaald? 'Nou, dat kan niet. Die bestaan alleen in sprookjesboeken. Dat weten jullie toch wel?' Brenda glimlachte. Laura had altijd al een rijke fantasie gehad.

'De moeder van tante Marleen lijkt ook op een heks, mama. Echt waar. Ik heb het zelf gezien. Kijk, zo ziet ze eruit', riep Laura verontwaardigd. Ze trok de tekening uit Brenda's handen en duwde het papier tegen haar neus.

'Wat zei je?' Brenda haalde het papier voor haar ogen weg en keek verbaasd van Laura naar Marleen.

'De moeder van ... maar dat is ... ', hakkelde ze hees.

'Ja', beaamde Laura. 'Ze is heel erg ziek en denkt dat ze mijn oma is. Maar dat is ze niet, hè, mama? Moeke is toch mijn oma?'

Brenda voelde een lichte duizeling in haar hoofd. Begreep ze het goed? Had Marleen haar kleine Laura meegenomen naar moeder Christien? Had Marleen haar kleine meid blootgesteld aan de vrouw die medeschuldig was aan al haar mishandelingen? 'Marleen, ben je met Laura naar ... naar ...' Brenda's stem klonk hees. Ze slikte en kreeg verder geen woord meer over haar lippen.

Marleen sloeg haar ogen neer. 'Het was geen succes. Sorry!'

Brenda kneep haar ogen samen. Haar armen jeukten ineens, en een ongekende woede borrelde plotseling omhoog. 'Hoe durf je?' Brenda zette Laura van haar schoot en stond op. 'Hoe durf je Laura mee te nemen naar de vrouw die ...'

'Sorry. Ik had het je eerst moeten vragen.'

'Heeft ze ... heeft ze Laura aangeraakt?' Brenda zette een dreigende stap naar Marleen. 'Je bent te ver gegaan, Marleen. Ik wil mijn kinderen niet laten aandoen wat mij is aangedaan. Begrijp je dat? Ik wil niet eens dat mijn kinderen haar zien.'

Marleen trok spierwit weg. Zo boos had ze Brenda niet eerder gezien. 'Ja, maar er is ... niets ... Toe, Brenda, begrijp het nu niet verkeerd.'

Maar Brenda nam Benny en Laura bij de hand en holde de gang in naar de voordeur. Over haar wangen stroomden tranen. Ze dirigeerde de tweeling op de achterbank van haar auto, negeerde Marleens geroep bij de deur, startte de auto en reed met hoge snelheid weg.

'Mijn koffertje', riep Laura vanaf de achterbank. 'Mama, u bent mijn logeerkoffertje vergeten. Ik wil mijn beer. Pluk zit in het koffertje. We moeten terug naar tante Marleen!' Laura trapte boos met haar beentjes tegen de autostoel voor haar, omdat Brenda geen aanstalten maakte om te keren.

Maar Brenda hoorde niets. In haar hoofd klonk alleen maar een kakofonie aan geschreeuw en scheldwoorden. Haar armen deden pijn, alsof er opnieuw een sigarettenpeuk in brandde. Welke idioot drukte nu een brandende sigarettenpeuk uit in de armen van een kind? De pijn was nooit meer weggegaan. Een gevoel van machteloosheid en angst overviel haar. Zo sterk was de levende herinnering aan haar pijnlijke verleden in al die jaren niet geweest. Brenda huilde. Als door een waas zag ze tegenliggers langs zich heen flitsen. Een auto claxonneerde. Brenda schrok even op. Ze had een bocht veel te ruim genomen, zodat ze een andere auto bijna de weg afsneed. Ze trapte net op tijd op de rem. Ze kon aan niets anders meer denken dan aan wat Marleen haar kleine Laura had aangedaan. Marleen had de brutaliteit gehad haar meisje bloot te stellen aan deze wrede vrouw. Een heks had

Laura hun moeder genoemd. Nee, met dergelijke confrontaties kon ze niet leven. Ze had zich heel erg in Marleen vergist. Ze besefte ineens dat ze het verleden niet had moeten oprakelen. Ze was niet opgewassen tegen de gevolgen.

Even later parkeerde ze de auto voor het huis.

Arno opende de voordeur en liep haar tegemoet. Het was duidelijk dat hij op haar had gewacht. Terwijl Laura zich aan hem vastklampte en zich snikkend beklaagde over haar vergeten knuffel, boog Arno voorover en hielp Brenda met uitstappen.

'Er is iets naars gebeurd', snikte ze met haar hoofd op zijn schouder.

'Ik weet het. Marleen heeft me zojuist telefonisch ingelicht', antwoordde Arno. 'Kom snel binnen. Dan praten we erover.'

'En mijn beer Pluk dan?', krijste Laura nu. Ze vond het maar niks dat haar vaders aandacht zich volledig op hun moeder richtte.

Benny nam het handje van zijn zusje in de zijne. 'Je mag mijn konijn wel een nachtje lenen, hoor. Mama haalt Pluk morgen wel weer bij tante Marleen.'

Laura knikte dankbaar. Ze hield Benny's hand stevig vast toen ze achter hun ouders aan naar binnen liepen, waar Benny haar in de keuken een oliebol gaf.

12

Marleen stond te trillen op haar benen. Ze zag de achterlichten van Brenda's auto verdwijnen toen ze de straat uit reed. Ze besefte nauwelijks wat er in luttele minuten was gebeurd. In ieder geval had Brenda haar huis boos verlaten. Tja, achteraf gezien had ze Laura nooit zonder toestemming naar moeder mogen meenemen. Ze had kunnen weten dat Brenda daar bezwaar tegen had. Nu was het te laat. Het bezoek in het verpleeghuis vanmiddag was bovendien geen succes geweest. Marleen had er meteen al spijt van toen ze moeder in aangeschoten toestand met een lege wijnfles in haar kamer had aangetroffen. Laura had moeder angstig aangekeken en haar met een heks vergeleken.

Marleen deed de voordeur dicht. Wat moest ze nu doen? In de gang viel haar oog op Laura's koffertje. Ach, die was Brenda in haar haast vergeten. In dat koffertje zat Pluk, de teddybeer die Laura niet kon missen. In de kamer belde ze meteen het nummer van Brenda's huis.

Arno nam op.

Marleen vertelde hakkelend dat Brenda boos was weggereden vanwege een misverstand, en dat ze Laura's koffertje met beer Pluk was vergeten mee te nemen.

Arno reageerde verbaasd. 'Een misverstand tussen jullie?', hoorde ze hem zeggen. 'Dat kan ik niet geloven, Marleen.'

'Mijn schuld, Arno. Ik heb iets gedaan wat ik achteraf gezien beter niet had kunnen doen.'

'Vertel', drong Arno aan.

'Brenda zal het je zo meteen allemaal wel vertellen. Ik durf het niet ... Ik breng Laura's koffertje straks naar Jeffry. Die zorgt er wel voor dat hij op de goede plaats komt.'

'Is het dan zo erg?'

'Brenda is over haar toeren, en het is mijn schuld', snikte Marleen. 'Maar ik had het niet zo bedoeld. Echt niet.' De tranen beletten haar verder te praten. Ze verbrak de verbinding en liet zich op een stoel vallen.

Nadat ze zich had hersteld, besloot ze naar Jeffry's huis te fietsen en daar het logeerkoffertje van Laura af te geven. Jeffry zou haar vast wel begrijpen als ze hem vertelde dat ze moeder alleen maar een plezier had willen doen met het bezoek van haar kleindochter.

Jeffry opende de deur en omhelsde haar bij binnenkomst. 'Lieverd, fijn je te zien. Is de logee alweer naar huis?' Hij kuste haar en keek daarna bezorgd naar haar gezicht. 'Ik zie een traan. Wat is er gebeurd, Marleen?' Hij trok haar de kamer in en drukte haar dicht tegen zich aan. Er volgden meer tranen. Jeffry zocht in zijn zak naar een zakdoek. 'Toe, zeg eens wat?'

'Het gaat om Laura', snifte Marleen, terwijl ze haar wangen droogwreef. 'Ik heb een stomme fout gemaakt, Jef. Brenda is vreselijk boos op me. Ik heb haar niet eens iets kunnen vertellen van ons voorgenomen huwelijk.' Stotterend en hevig geëmotioneerd vertelde ze Jeffry wat er was voorgevallen.

Naarmate het verhaal vorderde, werd de rimpel in Jeffry's voorhoofd dieper. Hij schudde meer dan eens zijn hoofd en keek zorgelijk. 'Tja, voor zover ik Brenda ken – en dat is tamelijk goed –, heb je haar inderdaad diep gekwetst door Laura stiekem mee te nemen naar je moeder.'

'Dat heb ik niet stiekem gedaan, Jeffry.' Marleen snoot haar neus. Ze was verontwaardigd dat Jeffry het woord stiekem gebruikte. Ze had helemaal niets stiekem gedaan. Ze had alleen maar aan moeder gedacht. Ze was ervan uitgegaan dat moeder het prettig zou vinden kennis te maken met Laura. Haar kleindochter nota bene. Het was toch niet te voorzien geweest dat moeder juist een fles wijn achter haar kiezen had.

'Je had het Brenda eerst moeten vragen, lieverd.'

Marleen schokschouderde. Ze had er niet eens aan gedacht het Brenda te vragen. Ze waren toch zussen? Er was intussen toch wel enig vertrouwen in elkaar gegroeid?

'Ja, je hebt gelijk. Maar daar is het nu te laat voor.'

'Heeft Brenda je wel eens iets verteld over haar prille kinderjaren, toen ze nog bij jullie ouders woonde?'

Marleen haalde opnieuw haar schouders op. 'Nee, ze heeft me wel veel verteld over haar leven bij moeke en paps, over Arno, de kinderen en haar baan als maatschappelijk werkster bij 'Het Klaverblad'.' Ze zuchtte na deze woorden. Het leven van haar zus trok als een mooi sprookje aan haar oog voorbij. Brenda was, ondanks de ellende thuis, alsnog gelukkig opgegroeid in het liefdevolle gezin van de familie Vesters. Dat alles had zij – Marleen –

moeten missen. Ze had nooit een liefdevolle thuisbasis gehad, geen ouders die haar stimuleerden en motiveerden om een studie te volgen en voor een leuk beroep te leren. En nu was ze in haar impulsiviteit buiten haar boekje gegaan en gewoon vergeten Brenda toestemming te vragen. Ze deed het ook nooit goed. Zijdelings keek ze naar Jeffry's peinzende gezicht. Ze zag wel hoe aangeslagen hij was door haar bekentenis. Marleen voelde een pijnlijke knoop in haar maagstreek. Waarom kon hij wel zo veel begrip opbrengen voor Brenda, en niet voor haar? Ze had hem toch gezegd dat ze een fout had gemaakt? De tijd was niet meer terug te draaien. Ze kon haar fout niet meer ongedaan maken.

'Misschien moet je eens met moeke praten over wat jouw ouders Brenda op vierjarige leeftijd hebben aangedaan. Haar uithuisplaatsing was niet zomaar.'

'Ik heb het zelf ook meegemaakt, Jef. Ik weet uit welk gezin Brenda komt. We hebben dezelfde ouders.'

'Ja, maar jouw lichaam is nog mooi en onbeschadigd. Jij kunt truitjes aantrekken met korte mouwen, zelfs zonder mouwen. Brenda heeft haar armen altijd bedekt, al is het zomers dertig graden in de schaduw.'

'Hoezo? Dat begrijp ik niet. Mijn ouders hebben mij nooit met een vinger aangeraakt. Ze hebben me altijd ernstig verwaarloosd, dat wel. En er was ook altijd ruzie vanwege de drank. Maar lichamelijk geweld ... Pa sloeg alleen moeder. Ik kan echt niet geloven dat ze Brenda ... Nou ja, een pak rammel misschien. Dat vertelde moeder vanmiddag nog. Pa kon zo hard slaan dat ...'

Marleen zweeg abrupt. Ze durfde moeders woorden niet te herhalen. Was het dan toch waar?

Jeffry keek haar gekweld aan. 'Dan zal ik een tipje van de sluier oplichten, Marleen. Ik had gehoopt dat je er eerst met moeke over zou willen praten. Moeke is zo geduldig. Zij kan zoiets veel beter dan ik. Maar je zet me het mes op de keel, nu je beweert niet te kunnen geloven dat Brenda lichamelijk ernstig mishandeld is door je ouders. Maar je hebt het bij het verkeerde eind. Een klap zal ze beslist vaak hebben gehad. Het ergste is dat er naast die klappen zelfs brandende sigarettenpeuken op haar armen werden uitgedrukt. Dat weten moeke en paps van de Kinderbescherming. In vertrouwen hebben ze ons dat op latere leeftijd ook verteld, omdat we het als kinderen altijd vreemd vonden dat Brenda nooit wilde zwemmen. Ze wilde ook nooit kleding dragen met korte mouwtjes. Toen we dat te horen kregen, beseften we pas wat voor ellende ons pleegzusje had meegemaakt. Brenda heeft zich altijd geschaamd voor de achtergebleven littekens. Daarom houdt ze haar beide armen altijd bedekt. Het roept te veel herinneringen op.'

Marleen sperde haar ogen wijd open. Brandende sigarettenpeuken? Hadden haar ouders zich schuldig gemaakt aan dergelijke mishandelingen? Hadden ze Brenda zoiets aangedaan? Dergelijke beestachtige handelingen gebeurden toch alleen maar in oorlogen? Toch niet bij een klein meisje van vier jaar oud? Nee, dit kon Marleen nauwelijks geloven. Dit ging haar te ver. Hoogstwaarschijnlijk berustte alles op kinderlijke fantasie. Ze schudde krachtig haar hoofd.

'Je liegt, Jeffry. Je gelooft die leugens toch niet? Zoiets zouden mijn ouders nooit hebben gedaan. Verwaarlozing en klappen, dat wel, maar brandende peuken? Je schildert hen af als oorlogsmisdadigers.' Marleen snikte opnieuw.

Jeffry legde troostend een arm om haar schouders, maar ze weerde hem af.

Wat hij haar zojuist verteld had, nam elk greintje respect dat ze nog voor haar ouders koesterde, in één klap weg. En dat wilde ze niet. Het kleine beetje respect dat ze ondanks alles nog voor hen koesterde, wilde ze niet verliezen. Ze kon niet accepteren dat Jeffry haar dergelijke dingen vertelde, de man met wie ze volgend jaar in het huwelijksbootje hoopte te stappen.

'Marleen, toe ... ik ben niet tegen je.'

'Ik wil er verder niet over praten. Ik wil nu naar huis. Ik kan het niet uitstaan dat je dergelijke fabeltjes gelooft.' Marleen stond al bij de deur. 'Kun jij ervoor zorgen dat dat koffertje met beer Pluk bij Brenda terechtkomt? Laura kan niet zonder haar knuffel, en ik kan Brenda voorlopig niet onder ogen komen.' Haar stem klonk ijl.

Jeffry zette een stap in haar richting, maar schichtig trok ze de deur achter zich dicht.

Ze wilde weg uit dit huis, weg uit het leven van de mensen die haar de laatste tijd zo dierbaar waren geworden. Ze moest eerst in het reine komen met zichzelf, zodat ze niet langer hoefde te vluchten voor haar aan alcohol verslaafde moeder en haar mishandelde zus. Alles in haar leven leek te veranderen in een puinhoop als ze haar moeder wilde plezieren. Zo zou het nu altijd gaan. Ze zou haar ellendige kindertijd en jeugdjaren altijd met zich meedragen. Er was geen ontkomen aan. Haastig fietste Marleen weg.

Jeffry riep haar vanaf de voordeur na. 'Alsjeblieft, Marleen, kom terug.' Zijn woorden verwaaiden met de wind.

Hijgend kwam ze enkele minuten later haar woning binnen, waar de telefoon al rinkelde. Dat was Jeffry, wist ze. Maar ze negeerde het geluid en nam niet op. Ook niet toen de telefoon een kwartier later weer rinkelde en daarna nog enkele keren. Als vanzelf gleden haar ogen naar de fotolijstjes met de kleine Brenda erop. Er brak iets diep binnen in haar toen ze naar het trieste kindergezichtje keek. Het waren Brenda's onschuldige ogen die haar de waarheid vertelden die ze van Jeffry niet kon accepteren. Met haar jas nog aan nam ze de lijstjes in haar trillende handen. De tranen rolden over haar wangen. Ze schaamde zich enorm voor het onherstelbare leed dat ze haar zus vandaag had aangedaan door in een impulsieve bui Laura mee te nemen naar hun moeder. Ze begreep ineens Brenda's pijn, de angst voor herhaling. Met de lijstjes in haar handen liet Marleen zich op een stoel zakken. Wat moest ze nu doen? Ze kon Brenda niet meer onder ogen komen, en de rest van de familie Vesters vanzelf ook niet meer. Ze zouden het haar allemaal kwalijk nemen dat ze Laura had meegenomen. En Jeffry ... nee, ze kon zo niet met hem in het huwelijk treden. Hij verdiende een veel betere vrouw. Het deed pijn in haar hart toen ze over deze woorden nadacht. Ze zou willen dat ze zomaar kon verdwijnen naar een plaats waar ze aan niemand meer verantwoording hoefde af te leggen, een plek waar niemand haar zou zoeken. Marleen dacht lang na, totdat ze op haar stoel in slaap viel. De volgende morgen, heel vroeg op oudejaarsdag, pakte ze een koffer in met wat kleding. Ze nam het besluit een poosje naar tante Elsa te gaan. En als ze daar niet in de kleine aanleunwoning kon blijven, wist tante vast wel een ander adres waar ze zich een tijdje schuil kon houden. Na nieuwjaarsdag zou ze zich voorlopig ziek melden bij het uitzendbureau. Ze was niet in staat momenteel haar gewone dagelijkse leven te leiden. Ze wilde voorlopig alleen zijn en nadenken over wat er was voorgevallen tussen Brenda en haar.

Voordat ze haar woning verliet, belde ze naar het verpleeghuis om door te geven dat ze een poosje onbereikbaar was. Ze had er geen rekening mee gehouden dat de zuster de naam van een andere contactpersoon zou vragen, die bij haar afwezigheid aangesproken mocht worden als er iets met moeder gebeurde. Marleen aarzelde. Er was buiten haar helemaal niemand die zich om moeder bekommerde.

'Misschien een ander familielid?', hoorde ze de zuster vragen. 'Een broer of zus, een neef of nicht?'

'Mijn zus', antwoordde Marleen als reactie op de vraag. 'Ik heb nog een zus, maar die heeft helaas geen contact meer met moeder.'

'Geeft u haar telefoonnummer toch maar', drong de zuster aan. 'Ze is per slot van rekening wel familie.'

Marleen kon het echter niet over haar hart verkrijgen, niet na wat ze Brenda had aangedaan door Laura mee te nemen naar haar moeder. Ze gaf daarom het telefoonnummer van moeke en paps Vesters door. Ze wist het anders ook niet. Die mensen zouden wel raad weten.

'Er wordt alleen gebeld in een uiterste noodsituatie', wist de zuster te zeggen toen Marleen erop hamerde dat ze niet zomaar voor ditje en datjes mochten bellen.

Klokslag acht uur stapte Marleen op haar fiets, met de koffer achterop gebonden. Ze was nog maar net de hoek van de straat om gefietst, toen Jeffry met zijn auto voor haar huis kwam aanrijden. Hij belde langdurig aan.

Arno verstond de kunst Brenda te troosten.

Terwijl de kinderen zich in de keuken tegoed deden aan oliebollen, vertelde Brenda hem alles. 'Ik kan niet begrijpen dat Marleen op het idee is gekomen Laura mee te nemen naar haar moeder. Ik ben niet alleen teleurgesteld, maar ook een beetje boos op haar.'

'Er mankeert Laura niets, meisje. Er is toch niets gebeurd?', probeerde Arno haar te kalmeren.

'Nee, gelukkig niet. Maar weet je, Arno, alles komt terug. De afschuwelijke herinneringen, de pijn. Vooral mijn pijnlijke armen.' Tobberig wreef Brenda over de mouwen van haar trui. 'Heb ik je wel eens verteld dat mijn vader zijn opgerookte sigaretten doofde op mijn armen? Weet je dat hij de oorzaak is van al mijn littekens?'

'Ach, lieverd, wat vreselijk. Nee, dat heb je me nooit verteld. Het is goed dat je dat nu doet.' Arno drukte haar gezicht tegen zijn borst en liet haar geruime tijd huilen. 'Je moet dit voorval binnenkort wel met Marleen bespreken, Brenda. Voordat je thuiskwam, belde ze me op. Ze klonk erg overstuur', adviseerde hij terwijl Brenda haar wangen droogwreef.

Maar Brenda schudde haar hoofd. 'Voorlopig wil ik even afstand houden. Ik denk niet dat ik daar op dit moment tegen opgewassen ben.'

'Toe, liefje. Marleen heeft ook afschuwelijke kinderjaren achter de rug', suste Arno.

'Juist daarom begrijp ik haar handelwijze niet. Ze had Laura niet zomaar mogen meenemen naar haar moeder.'

'Wil je dat ik eerst een keer met Marleen ga praten? Laura is ook mijn dochtertje. Ik vind het gebeurde net zo vervelend als jij. Alleen ontbreken die nare herinneringen bij mij.'

Brenda dacht erover na. Uiteindelijk stemde ze ermee in. Arno's leven kende geen pijnlijk verleden. Dat was in deze situatie een voordeel.

In de keuken troffen ze even later de kinderen aan, met witte snoeten en plakkerige handen van de poedersuiker.

'Ik mag Benny's konijn lenen, mam.' Laura's gezichtje straalde weer.

Brenda knuffelde haar meisje en gaf Benny een compliment omdat hij zo lief was voor zijn zusje.

Later op de avond, toen de kinderen allang sliepen en ze alle naar oliebollen ruikende kleding in de wasmand deed, haalde ze de opgevouwen tekening uit Laura's broekzak. Er kroop een rilling langs haar rug toen ze het papier openvouwde en naar het spitsvormig getekende gezicht keek. Dus zo zag Laura haar moeder, als een heks. En voor dat mens voelde Marleen zich verantwoordelijk, ondanks haar slechte jeugd? Brenda vond het onbegrijpelijk. Met een beslist gebaar scheurde ze de tekening in stukjes. De snippers liet ze in de prullenbak dwarrelen. Langzaam drong tot haar door dat dat mens evengoed haar moeder was. En zoals altijd duwde ze die waarheid ver weg.

De volgende dag stond Jeffry om vier uur 's middags onverwachts voor Brenda's neus. Hij hield Laura's koffertje omhoog. 'Dit kom ik even brengen. Het schijnt dat er een belangrijke knuffel in zit', zei hij met een ernstig gezicht. 'Daar zul je Laura blij mee maken.' Brenda haalde opgelucht adem. Laura was vannacht wel drie keer uit bed geweest omdat ze Pluk zo miste. Benny's konijn had de plaats van Pluk niet kunnen innemen. Ze had geen enkele band met de knuffel van haar broertje.

'Hoe gaat het met je, Bren?' Jeffry liep achter haar aan naar de woonkamer. Het was stil in huis. Arno was met de kinderen even naar paps en moeke om daar wat versgebakken oliebollen af te geven.

Brenda schudde haar hoofd. 'Niet zo best', antwoordde ze hees en met een brok in haar keel. Het was duidelijk dat Jeffry contact had gehad met Marleen. Dat kon ook niet anders. Ze hadden een relatie. En iedereen van de familie was blij met zijn keuze.

'Marleen was erg overstuur toen ze me gisteravond Laura's koffertje kwam brengen. Het spijt haar enorm dat ze in een overmoedige bui Laura heeft meegenomen naar je moeder. Ze ...'

'Het is haar moeder, Jeffry, Marleens moeder', onderbrak ze hem geïrriteerd.

'Oké, het is al goed. Heb je vandaag nog iets van Marleen gehoord?'

Brenda schudde haar hoofd en probeerde onverschillig te kijken, wat niet lukte.

'Luister, Brenda. Ik weet dat je iets moeilijks te verwerken hebt gekregen en dat Marleen daar de oorzaak van is. Maar Marleen is weg. Ik weet niet waar ze op dit moment is. Vanmorgen, iets over achten, stond ik bij haar aan de deur. Ze deed niet open, en op mijn telefoontjes reageert ze ook niet. Ik maak me vreselijk bezorgd om haar.'

'Dat spijt me voor je. Arno en ik hebben ook niets meer van haar gehoord.'

'Marleen en ik gaan trouwen, in augustus. Ik heb haar ten huwelijk gevraagd.'

Brenda's mond viel open van verbazing. Een glimlach gleed over haar gezicht. 'Geweldig, joh. Fijn voor jullie. Gefeliciteerd. Moeke en paps zullen vast ook erg blij zijn.'

'Denk je dat het nog goed komt tussen jou en Marleen?'
Brenda knikte, met tranen in haar ogen. 'Ja, dat wel. Ik voel me
alleen zo ... gekwetst. En ook een beetje boos. Ze had Laura niet
mogen meenemen, Jef. Niet mijn kind. Het heeft emotioneel erg
veel bij me losgemaakt. Arno wil binnenkort graag eerst een keer
met Marleen praten over de situatie. Dit mag niet nog eens gebeuren. Snap je?'
Jeffry sloeg een arm om haar schouders. 'Ik begrijp het. Het is
fijn te horen dat je het goed wilt maken, Brenda. Je moet van me
aannemen dat er bij Marleen absoluut geen kwade opzet in het
spel geweest is.'
Brenda schokschouderde met gefronste wenkbrauwen. 'Marleen had al veel eerder gehoopt dat ik met haar mee zou gaan
naar haar moeder in het verpleeghuis. Ze denkt maar al te gemakkelijk dat ik over het verleden heen kan stappen. Maar dat
kan ik niet, Jeffry. Er is te veel gebeurd. Christien vraagt niet
eens naar me.' Brenda keek Jeffry aan. Hij wist wat ze had doorgemaakt. Toen ze allemaal nog thuis bij paps en moeke woonden,
werd er nooit openlijk over gesproken, maar Brenda had intuïtief
geweten dat haar pleegbroer en pleegzusjes van haar mishandelingen op de hoogte waren gebracht. Ze had zich altijd zo veilig
gevoeld in dat gezin waarvan ze volledig deel uitmaakte.
'Tja, dat is moeilijk voor je.' Jeffry keek langs haar heen de tuin
in. 'Ik weet alleen niet waar Marleen nu is. We zouden samen
oudejaarsavond vieren.'
'Dan zal ze vanavond vast en zeker op je wachten', probeerde
Brenda hem gerust te stellen.
Jeffry stapte even later op met de mededeling dat hij nog naar
paps en moeke wilde gaan. Ze wensten elkaar bij de deur een
prettige jaarwisseling toe.
Met een gevoel van opluchting zag Brenda hem weggaan. Het
had haar goedgedaan dat Jeffry zo open en eerlijk over de pijnlijke situatie met Marleen sprak.
Oudejaarsavond brachten ze door met spelletjes. Robert mocht
voor het eerst opblijven tot twaalf uur. De tweeling werd onder
luid protest om negen uur naar bed gebracht, met de belofte dat
ze een kwartier voor de jaarwisseling wakker gemaakt zouden
worden. Benny was erg opstandig. Hij zag het vuurwerk al aan
zijn neus voorbijgaan. Arno moest hem tot drie keer toe beloven

dat hij erbij mocht zijn. De feestelijkheden met het vuurwerk, waarbij Robert hielp en Benny uitdagend met knetterende sterretjes liep te zwaaien, verliep vlekkeloos. Samen met Laura keek ze vanachter het raam toe. Laura hield Pluk stevig vast. Af en toe dwaalden Brenda's gedachten weg naar Jeffry en Marleen. Ze had niets meer van hem gehoord. Als vanzelfsprekend nam ze aan dat Marleen weer thuis was en de avond samen met Jeffry doorbracht.

Om halfeen rinkelde de telefoon. Brenda's gedachten aan Jeffry waren nog niet koud, of ze hoorde zijn stem in haar oor klinken.

'De beste wensen voor het nieuwe jaar, zusje.'

Brenda lachte en wenste hem hetzelfde toe, ook namens Arno en de kinderen. 'Hoe is het bij jullie?', vroeg ze daarna. 'Er is daar vast meer vuurwerk afgestoken dan hier.'

'Marleen is er niet, Brenda. Ze is niet thuisgekomen', zei Jeffry meteen.

Brenda hoorde een ondertoon van bezorgdheid in zijn stem.

'Misschien is ze in het verpleeghuis, bij haar moeder', bedacht Brenda.

'Mm, dat zou kunnen. Ik vraag het na.' Jeffry verbrak de verbinding.

Een gevoel van onrust nam bezit van Brenda. Een halfuur later ging de telefoon weer over. Opnieuw kreeg ze Jeffry aan de lijn.

'Ze is niet bij haar moeder. Marleen heeft vanochtend al vroeg aan een dienstdoende zuster telefonisch doorgegeven dat ze tijdelijk niet bereikbaar is. Ik denk dat ze naar aanleiding van dat voorval gisteravond is weggegaan.'

'Lieve help', zuchtte Brenda zorgelijk. 'Waar kan ze dan zijn?'

'Ze heeft het wel eens over een tante Elsa gehad. Ken jij die soms ook?'

Brenda dacht even na. 'Niet persoonlijk, alleen van naam. Het is een zus van Marleens overleden vader. Het oude mensje woont in een aanleunwoning bij een woonzorgcentrum. Maar in welke plaats dat precies is, weet ik niet. Heb jij soms een reservesleutel van Marleens huis?'

Ze hoorde een korte aarzeling in Jeffry's stem toen hij vertelde dat Marleen hem die onlangs inderdaad had gegeven. Brenda opperde dat Marleen het adres van haar tante vast ergens genoteerd had staan. Jeffry zou gebruik kunnen maken van de reservesleutel om het adres in Marleens huis op te zoeken.

'Ik wacht het liever nog een dag af', zei Jeffry aarzelend. 'Misschien komt Marleen morgen weer thuis. Per slot van rekening moet ze 2 januari weer werken.'

Jeffry's geruststellende woorden deden haar opgelucht ademhalen. Natuurlijk, Marleen zou morgen vast weer thuiskomen. Haar baan in het ziekenhuis betekende veel voor haar.

Even later bracht ze samen met Arno hun opgewonden kroost naar bed. Buiten was het weer stil, op een enkele knal na. Een nieuw jaar was aangebroken, een jaar met nieuwe kansen en nieuwe mogelijkheden.

Brenda nam zich voor morgen zelf het initiatief te nemen en Marleen op te bellen. Dat wat tussen hen in stond, wilde ze zo snel mogelijk de wereld uit helpen. En Arno moest daar maar bij bemiddelen.

Toen de familie Vesters op 1 januari voor een nieuwjaarswens bij elkaar kwam in de ouderlijke woning, hoorde Brenda al snel dat Marleen nog steeds niet was thuisgekomen. Hevig verontrust kwam ze de dag door. Moeke en paps, die intussen ook op de hoogte waren gebracht van het voorval tussen haar en Marleen, zeiden troostend dat het allemaal wel goed zou komen. Marleen had vast even tijd nodig om met zichzelf in het reine te komen.

Later die dag probeerde Brenda haar zusje opnieuw telefonisch te bereiken, maar ook nu kreeg ze geen verbinding. Een mobiele telefoon had Marleen niet in haar bezit. Dat was in deze situatie een groot gemis.

Op 2 januari brachten de collega's van 'Het Klaverblad' voor aanvang van hun spreekuur een kort halfuurtje samen door, om elkaar het allerbeste toe te wensen.

Brenda was er nauwelijks bij met haar hoofd. Haar gedachten dwaalden steeds naar Marleen die nog niet was thuisgekomen. Ze klampte Martine aan en vroeg of ze na werktijd even met haar kon praten. 'Ik heb een luisterend oor nodig, en bovenal je advies', zei ze. 'Ik heb namelijk niet zo'n leuke jaarwisseling gehad.'

Martine beloofde om drie uur wat tijd vrij te maken.

Halverwege de dag belde Jeffry naar haar praktijktelefoon om door te geven dat Marleen zich vanmorgen ziek had gemeld op haar werk. Hij had geïnformeerd bij Personeelszaken. Daar waren ze via het uitzendbureau ingelicht. De verblijfplaats van Marleen was niet bekend. En ook haar collega Joyce kon er geen zinnig woord over zeggen.

'Maak alsjeblieft gebruik van die reservesleutel, Jef. Marleen heeft het adres van tante Elsa vast ergens genoteerd staan.'

Jeffry zegde haar toe vanavond naar Marleens huis te gaan. Hij was helemaal van slag, deed zijn werk op de automatische piloot en kon aan niets anders meer denken.

Brenda kwam de dag ook moeizaam door. Ze kreeg een cliënt aan wie ze extra tijd moest besteden, zodat het spreekuur behoorlijk uitliep. Toen ze een uur na werktijd haar tas oppakte, verwachtte ze Martine niet meer aan te treffen. Maar Martine zat nog geduldig op haar te wachten achter een kop koffie.

'Ik heb deskundige hulp nodig, Martine. Eigenlijk kom ik bij je om advies te vragen in een bepaalde situatie. Bas heeft me eerder al geadviseerd met je te gaan praten.'

'Jij?' Martine klonk oprecht verbaasd. 'Jij bent altijd zo zelfverzekerd, alsof je het leven, met alles wat daarin gebeurt, in de hand hebt.'

Brenda schudde geëmotioneerd haar hoofd. Hadden anderen die indruk van haar? Ze begon te vertellen over Ellie van de Westen, en hoe de confrontatie met dat meisje alles in werking had gezet om haar eigen verleden onder ogen te komen.

Martine luisterde geduldig en onderbrak haar niet één keer.

Toen Brenda alles had verteld, schonk Martine nogmaals een kop koffie in. 'Het verbaast me dat je uiteindelijk voor een beroep als maatschappelijk werkster hebt gekozen. Je hebt zo veel eigen bagage bij je. Zo veel ballast', zei Martine om het gesprek weer te openen.

'Luister, Martine. Daar ben ik me altijd van bewust geweest. Maar mijn verleden is nog nooit een probleem geweest bij de uitoefening van mijn beroep.'

'Voorlopig heb je dat probleem er dan nu wel bij. Een heleboel dingen die ik je op dat gebied te vertellen heb, zijn je beroepshalve genoegzaam bekend. Ik denk dat het goed is alles nog eens op een rij te krijgen en dat te bespreken. We zullen nu meteen de prille relatie met je zusje eens onder de loep nemen.'

Brenda luisterde naar wat Martine haar te vertellen had.

'Marleen en jij zijn geboren uit dezelfde ouders. We weten niet of zij dezelfde mishandelingen als jij heeft doorstaan. Jullie opvoeding is in ieder geval hemelsbreed verschillend. Jij hebt als pleegdochter al op heel jonge leeftijd van de familie Vesters een goede, stabiele, liefdevolle opvoeding gekregen. Je was welkom in dat gezin. Bij Marleen lag dat anders. Wisselende pleegouderzorg, kindertehuizen, verwaarlozing door haar eigen ouders. Weinig waardering, geen liefde, geen binding. De opvoeding die Marleen heeft gehad, was er een van steeds maar weer vechten om niet ten onder te hoeven gaan aan de afwijzing door haar ouders en buitenstaanders.'

'Tja, Marleen heeft het niet gemakkelijk gehad.'

'Dat draagt ze nog iedere dag met zich mee. Er is geen ontkomen aan. Niet zolang jullie moeder nog leeft.'

'Het is de moeder van Marleen', fluisterde Brenda schor. Ze strengelde haar vingers in elkaar om iets te doen.

Martine keek haar peinzend aan. 'Ja, dat is zo', zei ze na een korte stilte. 'Maar Christien van Zelst is evengoed ook jouw moeder. Daar zet jij je op dit moment duidelijk tegen af, en Marleen heeft ondanks alle ellende een enorm loyaliteitsgevoel ten opzichte van haar moeder. Dat verklaart waarom ze Laura heeft meegenomen naar het verpleeghuis. En daar ligt het conflict tussen Marleen en jou.'

Brenda liet de woorden tot zich doordringen. Ze had het zelf ook kunnen bedenken, maar het was niet eens in haar hoofd opgekomen. 'Tja, dat loyaliteitsgevoel ken ik niet goed. Je hebt gelijk, Martine. Ik ben daar met mijn oordeel over Marleen in deze situatie aan voorbijgegaan.' Brenda zuchtte diep. Schuldgevoelens overschaduwden ineens alles. Ze had alleen maar haar eigen pijn en verdriet gevoeld, en zich geen moment om Marleens gevoelens bekommerd.

'Ik wil even bij jouw persoontje blijven, Brenda. Want dat loyaliteitsgevoel voor je ouders is er wel degelijk. Je hebt het alleen met alle nare gebeurtenissen uit je verleden diep weggestopt. Er is nog helemaal niets verwerkt. Vandaar ook jouw heftige reactie op de situatie van Ellie van de Westen. Zonder dat Ellie het wist, was zij degene die jouw verstopte pijn uit het verleden wist aan te raken. Dat was heel confronterend voor je.'

Brenda knikte. Een brok in haar keel maakte haar het praten onmogelijk. Het liefst zou ze over dit alles niet zo diep willen doorpraten, maar Martine vond het blijkbaar erg belangrijk.

'Probeer er eens achter te komen wat voor mensen je ouders werkelijk waren, Brenda', stelde Martine voor. 'Wat dreef hen ertoe hun heil te zoeken in de alcohol en jullie zo te mishandelen en te verwaarlozen?'

Brenda voelde een rilling over haar rug kruipen. Dat was nu juist iets waarover ze helemaal niet wilde nadenken. Er was toch geen enkele verontschuldiging aan te voeren voor het mishandelen van kleine kinderen? Ze wreef langs haar armen, waar ze de littekens wist. 'Dat weet ik niet, Martine. Ik wil alleen heel graag advies van je om het contact met Marleen op een juiste manier te herstellen. Wat Ad en Christien van Zelst mij in het verleden hebben aangedaan, is nu niet meer van belang.'

'Dat is het wel', antwoordde Martine beslist. 'Om het contact met Marleen te herstellen en een goede relatie met haar op te bouwen zul je daar moeten beginnen. Bij het begin, bij jullie ouders. Inzicht en begrip zijn erg belangrijk. Dat heeft overigens niets te maken met goedkeuring van de mishandelingen die je hebt doorstaan.'

Brenda knikte. Diep van binnen wist ze het. Martine had gelijk en liet zich niet met een kluitje in het riet sturen. Nog een extra reden om zo snel mogelijk met tante Elsa en tante Coba in contact te komen. De tantes wisten vast veel meer van het verleden.

'Je kunt altijd bij me terecht', zei Martine glimlachend. Ze stond op. 'Je moet een manier vinden om ervaringen een plek te geven. Ik denk dat ik je daarbij kan helpen door erover te praten.'

'Ja, dat heb ik voorlopig nodig. Ik waardeer het dat je tijd voor me vrijmaakt. Arno en mijn pleegouders zijn namelijk niet objectief in deze situatie. Dat kan ik ze ook niet kwalijk nemen.' Brenda gaf Martine een hand. 'Bedankt, je bent een fijne collega. Ik waardeer je hulp.'

'Dat is dan wederzijds. Tot morgen', glimlachte Martine. 'En succes met het vinden van je zus.'

13

Marleen wandelde op de eerste dag van het nieuwe jaar over het duinpad. Van daar kon ze over de zee uitkijken. Domburg, het kleine toeristische plaatsje in Zeeland, lag er stil en verlaten bij. De meeste mensen sliepen wat langer uit. Het leven kwam maar langzaam op gang na het uitbundige vuurwerk tijdens de jaarwisseling vannacht.

Toen Marleen gisterochtend al vroeg bij tante Elsa was gearriveerd, had ze onder het genot van een kop koffie verteld dat ze er graag een weekje tussenuit wilde. De echte reden verzweeg ze. Zo goed kende ze tante nu ook weer niet. Dat ze onenigheid had met Brenda en nu op de vlucht was, wilde ze liever voor zich houden. Tante zou het vast ook erg dom van haar vinden dat ze Laura had meegenomen naar haar moeder. Op tantes kritiek zat ze niet te wachten. Ze besefte tijdens de eerste minuten bij tante Elsa meteen dat ze daar niet kon blijven. De behuizing was veel te klein voor een logee. Daarom informeerde ze belangstellend naar haar veel oudere nicht Paula en neef Henk, die ze nog nooit had gezien.

Tante Elsa begon enthousiast te vertellen. Waar Marleen niet op durfde hopen, gebeurde. Tante vroeg haar of ze niet Paula eens wilde opzoeken. 'Dat zal Paula erg leuk vinden, Marleen.'

Marleen hapte meteen toe. 'Ik heb nu een week vrij. Zou Paula me vandaag of morgen willen ontvangen, denkt u?', vroeg ze aarzelend. Was ze nu niet al te vrijpostig?

Tante Elsa greep meteen naar de telefoon en toetste het nummer van Paula in. Ze was duidelijk blij met Marleens toenadering.

Uit het gesprek maakte Marleen al snel op dat nicht Paula blij verrast reageerde.

'Als het je schikt, kun je er vandaag nog naartoe. Paula woont in Domburg met haar man en twee kinderen.'

Die uitnodiging nam Marleen meteen aan. Toen ze van huis was weggefietst, had ze er nog geen idee van gehad waar ze de komende week zou verblijven. Dat was nu opgelost. Tante Elsa vertelde dat Paula over een logeerkamertje beschikte. Daar kon ze gebruik van maken. Aan het eind van de ochtend was Marleen naar het station gefietst, waar ze tegen betaling haar fiets kon stallen. Met de trein en de bus was ze in het begin van de middag naar Zeeland vertrokken. Bij de eerste bushalte in Domburg stond Paula haar al op te wachten. De kennismaking was hartelijk.

Marleen nam het zichzelf kwalijk dat ze niet veel eerder contact had gezocht met haar naaste familieleden. De ontvangst was zo gastvrij.

Paula veegde haar bezwaar snel van tafel. 'Jullie gezin was asociaal en geïsoleerd, en de meeste tijd verbleef je in een pleeggezin, begreep ik van moeder. Vertel me eens hoe het nu met Brenda gaat?'

Summier vertelde Marleen iets over Brenda, haar leuke gezin en haar werk.

Paula hing aan haar lippen. 'Ik heb het altijd jammer gevonden dat er geen contact was', zuchtte ze toen Marleen zweeg. 'Ik ben namelijk een echt familiemens.'

Nadat Marleen kennis had gemaakt met Paula's gezin, liet Paula haar de logeerkamer zien. 'Blijf zolang je wilt', zei ze.

Toen Paula haar alleen liet, ging Marleen op het opgemaakte bed zitten, waarop een ouderwetse, muf ruikende sprei lag. Maar dat kon haar niet schelen. Ze had in het verleden al op zo veel verschillende bedden geslapen, in verschillende huizen bij evenzoveel verschillende mensen. Ze was zelfs de tel kwijtgeraakt. Ze haalde opgelucht adem toen ze Paula de trap af hoorde stommelen. Eindelijk even alleen. Het was tenminste gelukt een tijdje onopgemerkt uit haar woonomgeving te verdwijnen. Hier kon ze een poosje nadenken over de onenigheid die ze met Brenda had. Maar ook over haar relatie met Jeffry. Ze miste hem meer dan ze voor mogelijk had gehouden. Ze hield van hem, veel meer dan ze ooit van Sander had gehouden.

Marleen moest hieraan denken toen ze over het duinpad liep en over de zee uitkeek. Schuimende golven zeewater rolden bruisend over het strand. Er was te veel misgegaan in haar leven om met Jeffry in het huwelijksbootje te stappen. Jeffry zou haar nooit helemaal kunnen begrijpen. Zijn leven was tot nu toe gladjes verlopen, met alleen maar mensen om hem heen die van hem hielden. Dat had zij nooit gekend. Zij kende alleen het tegenovergestelde. Hoe meer ze erover nadacht, des te meer raakte ze ervan overtuigd dat ze nooit vrij zou komen van haar trieste verleden. Elke relatie leek bij voorbaat al gedoemd te mislukken, zoals het prettige contact met Brenda. Er sprongen tranen in Marleens ogen toen het gezicht van haar zus in haar opkwam. Het was zo fijn geweest Brenda te ontmoeten en kleine dingetjes in haar karakter te herkennen die ze ook bij zichzelf zag. Maar nu was Brenda vreselijk kwaad op haar. En terecht. Ze was ontzettend dom geweest. Dom, dom, dom.

Hoe had ze zoiets kunnen bedenken? Wat had ze Brenda aangedaan? Als vierjarig meisje had Brenda al verschrikkelijke dingen meegemaakt. Hun ouders waren daar schuldig aan. Sigarettenpeuken die op haar armen werden gedoofd. Dat moest afschuwelijk zijn geweest. En dan al die klappen, de verwaarlozing.

Marleen voelde druppels regen op haar wangen. Of waren het tranen? Ze veegde ze weg en maakte rechtsomkeer. Landinwaarts zag ze Paula's huis in de verte liggen. Een kleine vrijstaande woning. Voorlopig had ze hier een goede schuilplaats gevonden om een paar dagen haar wonden te likken. Ze wilde er een week voor uittrekken. Na die week zou ze wel weer zien. Ze liep het duinpad af naar Paula's woning. Over een uurtje, had Paula gezegd voordat ze wegging, staat de koffie klaar. Van een kopje koffie zou ze vast opknappen.

Zoals elke werkdag had moeke ook vandaag Brenda's kroost na schooltijd onder haar hoede genomen. Aan het begin van de middag belde Brenda op dat het vanmiddag wat later kon worden. Dat was voor moeke geen probleem.

Maar om vier uur belde Eline haar in paniek op. Ze had last van een klein beetje bloedverlies en was vreselijk bang. Erik had intussen de gynaecoloog gebeld en van hem het dringende advies gekregen dat Eline naar bed moest om een paar uurtjes rust te houden. Morgen mocht ze op het spreekuur komen om een echo van het ongeboren kindje te laten maken. De gynaecoloog had hen gerust willen stellen door te zeggen dat iets dergelijks wel eens vaker voorkwam. En dat spanning en te veel opwinding de oorzaak konden zijn. Maar Eline was niet rustig te krijgen. Ze wilde moeke zien. Ze vreesde het ergste.

Na het alarmerende telefoontje belde moeke naar Brenda's

praktijk. Ze wilde zo snel mogelijk naar Eline. Misschien kon Brenda vanmiddag toch iets eerder naar huis komen. Maar Brenda zat midden in een consult en mocht niet gestoord worden. Daarna probeerde ze Arno op zijn werk te bereiken. Gelukkig kon hij zich eerder vrijmaken. Hij beloofde meteen naar huis te zullen komen, zodat de kinderen toezicht hadden en moeke en paps snel naar Eline konden gaan.

Eline lag met hoogrode wangen in bed toen haar ouders arriveerden. Ze huilde van opluchting. 'Ik ben zo bang, moeke', snikte ze, toen moeke zich vooroverboog om haar wang te zoenen. 'Het gaat niet goed. Ik voel het. Ik heb nu ook af en toe buikkramp.'

Moeke probeerde haar te kalmeren. Toen Eline maar niet rustiger werd, adviseerde ze Erik deze keer de huisarts te bellen.

Na een kwartier stond de man al naast haar bed. Hij onderzocht haar en zei: 'Ik laat u meteen naar het ziekenhuis brengen. U moet zich maar op het ergste voorbereiden.'

Een vloed aan tranen gleed over Elines wangen.

Erik stond stilletjes naast het bed toen de huisarts een ambulance belde.

Moeke keek handenwringend toe. 'Ach, meisje toch', zei ze met verstikte stem. In haar ogen lag een blik van wanhoop. Naar deze baby hadden Eline en Erik al zo lang uitgekeken. Ze wilde niet aan de mogelijkheid denken dat er iets mis zou gaan.

De ambulance arriveerde na een kwartier. Daarna gebeurde alles heel snel. In het ziekenhuis kwam de gynaecoloog naar haar toe en maakte meteen tijd vrij om een echo te maken en Eline te onderzoeken. 'U hebt ontsluiting, mevrouw', zei hij na het onderzoek. 'Het ziet ernaar uit dat u de baby vroegtijdig gaat verliezen. De natuur gaat doorgaans zijn eigen gang als er iets mis is met een ongeboren baby. Dit kindje heeft geen toekomst.'

Eline voelde een felle boosheid in zich opkomen. 'Ik wil dit kindje niet kwijt, dokter. Ik wil graag dat u alles in het werk stelt om mijn baby te redden als dat nog mogelijk is.'

De man keek hoofdschuddend toe. 'U weet niet wat u zich op de hals haalt. Volgens mij denkt u erg lichtvaardig over kinderen die met het syndroom van Down geboren worden. Als deze zwangerschap in een vroeggeboorte eindigt, bent u van een grote zorg verlost. De baby is namelijk nog niet levensvatbaar.' De woorden kwamen bijna gefluisterd uit zijn mond.

Erik, die tot nu toe had gezwegen, stond op. 'Uw reactie bevalt me niet, dokter. Mijn vrouw en ik hebben samen voor dit kindje gekozen, syndroom van Down of niet. Het maakt voor ons geen verschil. Wij willen dat u er alles aan doet om deze baby te redden.'

'Ik kan u niets garanderen.'

'Uw medewerking, die bent u aan ons verplicht.'

Eline zag dat Eriks neusvleugels trilden van ingehouden woede.

'Tja, het hangt verder van uw vrouw af. Absolute bedrust, tot het einde van haar zwangerschap. Dat is op de eerste plaats noodzakelijk om alles tot een goed einde te brengen.'

Eriks ogen richtten zich op Eline. 'Waarom is bedrust zo belangrijk, dokter?', vroeg ze aarzelend.

'U hebt al een kleine ontsluiting vanwege de slapte van de baarmoedermond. Als u geen bedrust houdt, verliest u de baby alsnog.'

'En de baby? Hoe gaat het met de baby?' Eline kneep hard in de lakens van spanning. De arts zuchtte en tikte met haar dossier op het bed. 'We weten dat het hier gaat om een baby met het syndroom van Down. Verder zie ik geen afwijkingen op de echo.'

Een ongekende opluchting maakte zich van Eline meester. 'Ik zal al uw adviezen opvolgen, dokter.'

'Dan adviseer ik u een andere gynaecoloog, mevrouw.'

'U bedoelt ...'

Eline zweeg prompt toen Erik haar in de rede viel.

'Is het vanwege onze baby die straks met het syndroom van Down geboren wordt?'

De arts dacht na, tuitte zijn lippen en knikte kort. 'Ik respecteer uw mening over de geboorte van deze baby. Dat is uw goed recht. Maar de zwangerschapsduur is nog erg kort. Meestal grijpt de natuur in bij ongeboren baby's met een afwijking. Zoals nu. Mijn visie verschilt duidelijk met die van u. En u verdient de allerbeste begeleiding op dat gebied.'

Gelaten keken Eline en Erik de weglopende gynaecoloog na.

'Ik heb van het begin af aan moeite gehad met die arts', zei Eline hees. 'Toen bekend werd dat onze baby geboren zou worden met het syndroom van Down, liet hij al duidelijk door-schemeren een voorstander te zijn van het afbreken van de zwangerschap. Alsof baby's met een aangeboren afwijking niet welkom zijn.' Er sprongen tranen in haar ogen.

Tien minuten later kwam er een andere gynaecoloog naar hen toe. Een aardige man met een gulle glimlach en een optimistische kijk op de situatie waarin Elines zwangerschap zich bevond. Hij stelde hen gerust, benadrukte het risico van het verlies van hun ongeboren kind, maar wilde ervan uitgaan dat met bedrust het gevaar voor een groot deel was geweken.

'Dus onze baby maakt een goede kans?' Eriks stem klonk opgelucht.

Eline zag hoop groeien in zijn ogen nadat de dokter uitgesproken was. Wat was ze dankbaar voor een man als Erik, die zo intens met haar meeleefde. Hoewel haar zwangerschap niet op eerlijkheid van haar kant berustte, groeide ze van trots wanneer Erik de woorden 'onze baby' uitsprak.

'Absoluut!', zei de dokter.

Een halfuur later belde Eline moeke op om te vertellen wat hun was meegedeeld. Voorlopig zou ze nog twee weken in het ziekenhuis moeten blijven. Daarna mocht ze haar bedrust thuis voortzetten.

Brenda's gedachten cirkelden om slechts één onderwerp. Erachter zien te komen wat Christien en Ad van Zelst ertoe gedreven had hun heil in alcohol te zoeken. Martine wilde dat ze moeite deed om daarachter te komen. Dat was moeilijk. Het druiste in tegen alles wat ze voelde. Trouwens, dit kon ze niet alleen. Daar had ze Marleen bij nodig, en ook de tantes.

Laat in de middag kwam ze thuis. Ze keek er niet eens van op dat ze Arno in de keuken aantrof in plaats van moeke. De kinderen zaten braaf in de kamer te spelen. Laura droeg Pluk sinds twee dagen onafgebroken bij zich.

'Eline is in het ziekenhuis opgenomen', kondigde Arno aan toen ze haar jas aan de kapstok hing.

'Eline? Wanneer?'

'Tien minuten geleden belde moeke op om het te vertellen. Eline heeft het advies gekregen bedrust te houden. Anders verliest ze de baby.'

'Ach.' Brenda ging op een keukenstoel zitten. 'Ik ga er vanavond meteen heen.'

'Paps en moeke gaan al, en Erik natuurlijk ook. Je kunt beter een andere keer gaan. Eline mag vandaag niet te veel drukte om zich heen hebben. Moeke vertelde dat ze vanmiddag nogal overstuur was', rapporteerde Arno. 'Is Marleen intussen al terecht?', informeerde hij in één adem door. Hij zette een kopje dampende koffie voor haar neus en schonk zijn eigen kopje ook vol.

Zo zaten ze wel vaker samen te praten achter een kop koffie in de keuken, terwijl de aardappelen opstonden.

Brenda vertelde hem wat ze wist en deed ook verslag van haar gesprek met Martine.

'Verstandig van je dat je dit niet alleen wilt oplossen', zei Arno goedkeurend. 'Maar ik vraag me toch af waar Marleen naartoe is gegaan.'

'Jeffry moet achter het adres van tante Elsa zien te komen. Zodra zijn dienst in het ziekenhuis erop zit, gaat hij met de reservesleutel in Marleens woning zoeken', wist Brenda te vertellen. 'Als hij daar niets kan vinden, weet ik het ook niet meer. Ik voel me schuldig. Ik wou dat ik wat meer oog voor Marleen had gehad.'

Na het eten, toen Arno boven met de kinderen bezig was en hen in bed stopte, belde Jeffry op.

'Ik heb niets gevonden', hoorde Brenda hem teleurgesteld zeggen. 'Geen adres en ook geen telefoonnummer. Waarschijnlijk bewaart Marleen al die gegevens in haar zakagenda. Die heeft ze bij zich in haar handtas.'

'Misschien weet Christien van Zelst het adres van haar schoonzuster', opperde Brenda. 'Ik weet het anders ook niet.'

'Dat betwijfel ik. Er is geen enkel contact tussen de familieleden onderling. Ik geloof dat we gewoon geduldig moeten wachten op de terugkeer van Marleen.'

'Geef je het al zo snel op, Jeffry? Dat ben ik niet van je gewend.' Brenda klonk verontwaardigd. Jeffry beet zich doorgaans overal in vast. Hij gaf niet snel op. Voor hem moest de situatie toch ook zorgelijk zijn. Hij hield zielsveel van Marleen en wilde dit jaar met haar trouwen. En nu was ze weg, en wist niemand waar ze uithing. Dat was niet alleen zorgelijk, maar ook beangstigend.

'Nou nee, dat niet, maar ... Ik heb ook in haar kasten gekeken, Brenda. In de hoop daar een adresboekje te vinden. Dat lag er niet, maar ik vond er wel een ander boek. Een fotoboek met trouwfoto's. Wist jij dat Marleen eerder getrouwd is geweest met een man die Sander Evers heet?' Jeffry's stem klonk hees van ingehouden emotie.

Brenda hoorde nu pas duidelijk de tranen in zijn stem. Zelf schrok ze ook van deze mededeling. 'Marleen getrouwd?' Ze fronste haar wenkbrauwen. 'Nee hoor. Daar heeft Marleen nooit over gesproken. Zijn het wel haar trouwfoto's?'

Ze hoorde Jeffry aan de andere kant van de lijn praten. Binnen vijf minuten was Brenda overtuigd van Jeffry's verhaal.

'Ik kom nu naar je toe, Jef. Ik wil die foto's ook zien. Misschien brengen ze ons naar Marleens schuilplaats.'

Brenda had haar jas al aan toen Arno beneden kwam. 'Ik ga nog even naar Jeffry en hoop straks op tijd thuis te zijn.'

'Waarom?' Arno keek verbaasd. 'Is Marleen terecht?'

'Nog niet, maar Jeffry is meer over haar te weten gekomen. Hij zit ermee.'

'Kan hij niet hierheen komen?'

Brenda griste haar tas van de stoel en pakte haar autosleutels. 'Jef is tot de ontdekking gekomen dat Marleen eerder getrouwd is geweest. Hij heeft fotoboeken met een trouwreportage in haar kast gevonden. Die wil ik ook graag zien.'

'Nou, dan is het je zus aardig gelukt dat voor ons verborgen te houden', antwoordde Arno met nog meer verbazing in zijn stem. 'Kijk je onderweg wel uit? Ik wacht op je.' Arno zwaaide haar na voor het raam, maar Brenda zag het niet meer. Haar gedachten waren bij Marleen, van wie ze blijkbaar een heleboel niet wisten.

Marleen logeerde al vier dagen bij Paula. Het contact met haar nicht was prettig. Paula drong zich niet op, maar wachtte af totdat ze uit zichzelf ging vertellen. Langzaam maar zeker kwam Marleen los, en tijdens een gezamenlijke ochtendwandeling over het duinpad langs de zee vertelde ze haar alles. Over vroeger, de nare uitzichtloze situatie thuis, haar mislukte huwelijk met Sander, het doodgeboren kindje, de ontmoeting met Brenda en haar liefde voor Jeffry. Het kwam er in een stortvloed van woorden uit.

Zonder Marleen in de rede te vallen had Paula een uur lang alleen maar geluisterd. Daarna zei ze: 'Ik wist van mijn moeder dat de situatie thuis bij tante Christien en oom Ad erg was. Maar zo erg ...' Paula schudde haar hoofd. 'Dat jij met toestemming van de Kinderbescherming tussendoor thuis mocht blijven en Brenda niet, verbaast me.'

'Brenda heeft een veel beter leven gehad dan ik. Zij heeft het echt getroffen met de pleegouders die haar in huis hebben genomen.'

'Ben je daar jaloers op?'

'Dat niet! Papa heeft Brenda vroeger ernstig mishandeld. Daar heeft ze nu nog littekens van op haar armen. Maar hij heeft mij nooit met een vinger aangeraakt. Dat maakt waarschijnlijk het verschil. Maar ik heb een rotleven gehad, Paula.' De laatste woorden klonken bitter.

Paula sloeg een arm om haar schouders. Heel even drukte ze Marleen tegen zich aan, zoals ze haar eigen kinderen jaren geleden altijd aanhaalde wanneer die troost zochten. 'Je hebt weer contact met Brenda, haar pleegouders zijn ook dol op je, en Jeffry wil zelfs met je trouwen. Het geluk ligt binnen handbereik, Marleen. Je hoeft het alleen maar aan te nemen', bemoedigde Paula haar nicht optimistisch.

Er schoot een brok in Marleens keel. Ze schudde afwerend haar hoofd. 'Denk je dat het zo eenvoudig is? Nee, ik draag mijn verleden met me mee en hoor bij die aan lager wal geraakte alcoholisten. Daar kan ik anderen niet mee opzadelen. Ik doe steeds de verkeerde dingen. Hoewel ik vaak bang was van mijn ouders, hield ik ook van hen. Snap je zoiets? Ik heb het intussen bij Brenda al verknald, en Jeffry ... Ach, Jeffry verdient een betere vrouw.'

Daar was Paula het niet mee eens. 'Je moet je meningsverschil met Brenda uitpraten. Ze zal het begrijpen. Je bent haar zusje, Marleen, geen onbekende overbuurvrouw. En wat Jeffry aangaat, je moet gewoon accepteren dat hij van je houdt. Wees eerlijk tegen hem, vertel hem alles wat hij nog niet weet. Er bestaat namelijk geen betere vrouw voor hem dan jij. Hij heeft voor jou gekozen. Geef je naasten een kans en vlucht niet weg. Daar schiet je niets mee op. Je doet jezelf alleen maar tekort.'

Marleen slikte de brok in haar keel weg. Paula had mooie

woorden gesproken. Was alles maar zo eenvoudig op te lossen.
'Ik zal erover nadenken', zuchtte ze daarna.

'Goed. Maar blijf bij ons zolang dat nodig is.' Paula haakte haar arm vriendschappelijk door die van Marleen. 'Ik kom er nu pas achter hoezeer ik je altijd gemist heb nadat onze ouders in het verleden elk contact verbroken hadden. We hebben veel in te halen.'

'Dank je wel', fluisterde Marleen. Ze voelde zich bij Paula net zo thuis als bij de familie Vesters. Ze gaven haar het gevoel welkom te zijn. Ze nam zich tijdens de wandeling voor het uitzendbureau te bellen en daar mee te delen dat ze na deze week nog een week nodig had om goed op te knappen. Het vooruitzicht Brenda en Jeffry binnen enkele dagen weer onder ogen te moeten komen maakte haar bang en onzeker. Ze had nog wat tijd nodig om zich op haar terugkeer naar huis voor te bereiden. En moeder? Over moeder hoefde ze zich voorlopig niet ongerust te maken. Moeder was in goede handen. Die had vaak niet eens in de gaten of ze wel of niet op bezoek kwam. En als ze op bezoek kwam, moest ze altijd dat eeuwige gezeur over 'een lekker flesje' aanhoren. Het was goed daar nu een poosje niet mee geconfronteerd te hoeven worden. Even twee weken een time-out. Ze had tijd nodig om het leven van alledag weer aan te kunnen.

14

De eerste week van januari ging snel voorbij. Brenda deed haar best om zich volledig op haar werk te concentreren. Maar haar gedachten gleden gedurende de dag toch regelmatig naar Marleen, die nu al langer dan een week vermist werd. Jeffry belde Brenda regelmatig, en zij hem. Maar steeds konden ze elkaar niets nieuws vertellen. Geen van beiden had intussen iets vernomen van Marleen. Geen telefoontje, geen kaartje of brief, helemaal niets. Brenda wist dat op de receptie van de polikliniek momenteel een andere uitzendkracht Marleens werkzaamheden verrichtte. Als Marleen nog lang weg zou blijven, kon ze haar baan ook kwijtraken. Dat zou erg jammer zijn. In Marleens huis had ze zich een paar dagen geleden samen met Jeffry over de trouwreportage van Marleen gebogen. Het had haar diep geraakt dat Marleen dit voor Jeffry en haar had verzwegen. Ze voelde zich vreselijk teleurgesteld en besefte dat ze haar zusje slecht kende en bij lange na niet op de hoogte was van alles wat Marleen had meegemaakt. Was Marleen misschien nog met deze man getrouwd? Of was ze intussen van hem gescheiden? Voor Jeffry was dit nog het pijnlijkste van de situatie. Hij dacht wel met enige zekerheid te weten dat Marleen gescheiden was. Ze droeg immers weer haar meisjesnaam, Van Zelst. Brenda vond dat een aannemelijke verklaring. Maar voor haar bleef het een vraag waarom Marleen toch zo veel belangrijke zaken uit haar leven had verzwegen? Op dit moment kon Jeffry noch zij iets doen om Marleen te vinden. Het adres van de beide tantes was niet eens te achterhalen, omdat ze geen van beiden wisten onder welke achternaam ze moesten zoeken. Jeffry had op een avond Christien van Zelst opgezocht in het verpleeghuis om te vragen of zij hem kon helpen, maar er was geen normaal contact mogelijk geweest. Christien had hem genegeerd, en toen hij wegging, had ze hem aan zijn jas getrokken en om een borrel gesmeekt. Brenda's aversie tegen deze vrouw groeide. Was dit nu haar moeder? Nee, zo kende ze haar moeder niet. Haar moeder was moeke, en dat zou ze altijd blijven. De enige echte moeder. De beste. Daar kon Christien niet aan tippen.

Naast haar zorgen om Marleen speelde de bezorgdheid om

Eline en het ongeboren kindje een grote rol. Brenda deed haar best om Eline iedere dag op te zoeken in het ziekenhuis. Ze wist dat Eline er alles voor over zou hebben om deze zwangerschap tot een goed einde te brengen. Daarom lag ze ook geduldig in haar bed te wachten op het moment dat de gynaecoloog toestemming zou geven om thuis verder te rusten. Maar dat moment liet lang op zich wachten. Uit Eriks verslag van gisteravond bleek dat de specialist nog niet helemaal tevreden was met de gang van zaken.

'Ik ben bang dat het alsnog verkeerd afloopt', had Erik haar na het bezoekuur eerlijk toevertrouwd. 'Eline is pas op de helft van haar zwangerschap en de ontsluiting is de laatste dagen zelfs iets toegenomen. Ik denk niet dat de baby het de resterende twintig weken zal redden.'

Brenda had er niets tegen kunnen inbrengen. Wat Erik vreesde, hield haar ook bezig. In dat opzicht had Elines eerste gynaecoloog gelijk. Het gebeurde vaak dat ongeboren baby's met een afwijking vroegtijdig geboren werden en niet levensvatbaar waren. Het was te begrijpen dat Eline alles op alles wilde zetten om het kindje te houden, maar in de praktijk lukte dat zelden.

Die nacht werd Brenda uit een diepe slaap gehaald door haar mobiele telefoon, die op het nachtkastje naast haar bed lag. Ze was meteen helder van geest en nam op. Met een slaperige stem noemde ze haar naam. Het was Erik, die geëmotioneerd vertelde dat het mis was.

Eline lag al een week in het ziekenhuis. Ze had de beschikking over een eenpersoonskamer, waar ze erg blij mee was. Ze hield namelijk van haar privacy. Een nadeel was wel dat de dagen extra lang duurden. Een babbeltje met een medepatiënte was niet goed mogelijk. Buiten de bezoekuren om was ze dus uren lang op zichzelf aangewezen. Ze las een boek en diverse tijdschriften die Erik dagelijks voor haar meebracht. Wanneer ze zich verveelde, loste ze kruiswoordpuzzels op om de tijd te doden. Elke dag kwam er in de ochtenduren een laborante bloed prikken, en de gynaecoloog informeerde trouw naar haar welzijn. Meestal kwam moeke of paps 's middags tijdens het bezoekuur een half-uurtje naast haar bed zitten. En 's avonds kwam Erik. Maar vanmiddag waren haar ouders er niet. Moeke had afgebeld. Ze moest met Benny en Laura naar de schoolarts. Brenda was vanwege haar drukke spreekuur bij 'Het Klaverblad' niet in staat om mee te gaan. Moeke deed veel voor Brenda, bedacht Eline. Brenda was bijna een eigen dochter, zo goed hadden moeke en paps altijd voor haar gezorgd. Eline was trots op haar ouders. Een pleegkind in huis nemen was niet altijd makkelijk. Vóór Brenda's komst waren er ook een paar kinderen geweest, had moeke haar eens toevertrouwd. Maar die waren niet gebleven.

Terwijl Eline over dit alles lag na te denken, ging de deur van haar kamer langzaam open. Ze schrok toen ze het hoofd van Martin Peters om het hoekje zag verschijnen. Een blos van verlegenheid steeg naar haar wangen. Ze was haar confrontatie met hem een tijdje geleden nog niet vergeten. Martin, die aanspraak dacht te kunnen maken op een eventueel vaderschap. Ze kon hem op dit moment missen als kiespijn. Als hij nu maar niet weer begon met allerlei vreemde veronderstellingen.

'Eline, dat is lang geleden! Ik kwam Erik vanmorgen bij het tankstation tegen. Hij vertelde me dat je in het ziekenhuis lag. Daar schrok ik nogal van.'

'Ja, het gaat niet allemaal volgens het boekje', antwoordde Eline aarzelend, ze wist niet welke informatie Erik hem nog meer had gegeven. 'Ik heb absolute bedrust voorgeschreven gekregen.' Dat was de beste verklaring die in haar hoofd opkwam. Ze wilde niet met Martin over haar kind praten.

Martin nam plaats op een stoel naast haar bed, nadat hij haar de laatste schoolkrant had overhandigd. 'Ik weet niet of je deze editie al gelezen hebt.'

Eline schudde haar hoofd. Ze legde de krant op het kastje naast haar bed. Dan had ze na het bezoekuur tenminste weer wat leesvoer.

'Ik mis je op school', ging Martin verder. 'De nieuwe juf die jouw plaats heeft ingenomen, is niet zo aardig.'

'Dat went wel', wist Eline met zekerheid te zeggen. 'Soms moet je iemand beter leren kennen.'

Ze hoopte maar dat Martin weer snel zou weggaan. Een onbehaaglijk gevoel maakte zich van haar meester. Wat wilde hij eigenlijk bereiken met zijn bezoekje? Ze vond zijn gezelschap niet prettig, eerder opdringerig. Om hem wilde ze na de geboorte van haar baby niet terugkeren voor de klas. Hij legde een claim op haar.

'Ik ben blij dat je even geen ander bezoek hebt.' Martin steunde met zijn hoofd in zijn handen. 'Ik eh ... Ik ben hier om ... Ik wil je mijn verontschuldigingen aanbieden, Eline.'

Eline staarde met grote ogen naar het plafond en wachtte op wat er komen ging.

'Ik heb me nogal opdringerig gedragen, toen ... die middag ... Weet je nog wel?'

Eline knikte, beet op haar lippen en keek hem gespannen aan. Ze herinnerde het zich nog als de dag van gisteren.

'Dat had ik niet mogen doen. Het spijt me. Jouw zwangerschap bracht me in een bijna euforische toestand. Ik voelde me – tja, hoe zal ik het zeggen – zo geweldig, zo'n fantastische vent, zo zelfverzekerd. Ik was ervan overtuigd dat je door mijn toedoen zwanger was geraakt. Ik had je tenslotte op het idee van een donor gebracht. Je leek erdoor geobsedeerd en ik wilde van het begin tot het eind met je meeleven. Daarom zei ik van die rare dingen. Ik dacht zelfs dat het kind van mij was. Nu schaam ik me diep. Echt. Je moet me geloven.' Martin zweeg en keek haar met een ontredderde blik in zijn ogen aan.

Eline voelde haar hart wild kloppen. Onder in haar buik knepen spieren pijnlijk samen, zoals de laatste dagen wel vaker gebeurde. Ze trok haar benen op en ging op haar zij liggen. Dat bracht verlichting. Martins woorden raakten haar. Opluchting trok door haar heen. Ze glimlachte. 'Fijn, dat je er zo eerlijk voor uitkomt, Martin.'

Hij legde zijn knuist op haar hand. 'Ik houd van Stella, maar jou mag ik gewoon heel graag. Je bent een geweldige collega. We hebben al zo veel jaar samengewerkt. Waarom kom je na de geboorte niet voor twee lesdagen terug naar school? Dat was je eerst van plan. Voor mij hoef je het niet te laten.'

Eline was er zeker van toen ze zei: 'Nee, ik blijf voorlopig liever thuis om voor mijn baby te zorgen. Misschien wil ik het over een paar jaar nog eens proberen.'

Dat begreep Martin. Niet lang daarna stond hij op om weg te gaan.

'Doe de andere collega's mijn hartelijke groeten', zei Eline toen hij haar een hand reikte. 'En jij bedankt voor je komst, Martin. En ook voor wat je me hebt toevertrouwd. Ik ben blij dat alle misverstanden nu uit de weg geruimd zijn.'

Eline lag nog lang aan zijn korte bezoekje te denken. Het was voor haar een hele opluchting dat Martin inzag dat hij die middag bij school te ver was gegaan. Voor eventuele praatjes die hij wellicht kon rondstrooien over de wijze waarop haar zwangerschap was ontstaan, hoefde ze nu ook niet meer bang te zijn. Martin leek weer precies op de leerkracht die ze voorheen altijd gekend had. Aardig en collegiaal.

De verdere middag bracht ze dommelend door. Vóór het bezoekuur van die avond probeerde ze de schoolkrant nog te lezen. Maar de spierkrampen in haar onderbuik kwamen terug, zodat ze zich nauwelijks op de inhoud kon concentreren. Moest ze nu om een zuster bellen en het haar vertellen? Ach nee, alle onderzoeken waren vanmorgen in orde geweest. Ze hoefde zich niet ongerust te maken. Want dat was het natuurlijk. Ze maakte zich veel te druk.

Ze was blij toen ze Erik zag binnenkomen, en even later ook haar ouders. Ze luisterde naar wat Erik te vertellen had over zijn werkdag en hoorde moekes verhaal aan over haar bezoek met Brenda's tweeling aan de schoolarts. Moeke vertelde ook dat Brenda en Jeffry nog geen teken van leven hadden ontvangen van Marleen. Ze zou willen dat ze wist waar Marleen was. Dan hoefde Brenda zich geen zorgen meer te maken. Ze kende haar pleegzusje als geen ander. Overdag druk bezig in haar praktijk, na het werk haar gezin en nu kwam er de ongerustheid over Marleens welzijn ook bij. Met Jeffry had ze ook te doen. Hij was dolverliefd op Marleen, en niemand was in staat iets zinnigs te doen. Er waren verder ook geen aanknopingspunten om Marleen daadwerkelijk te vinden.

Vlak voor het einde van het bezoekuur namen haar ouders weer afscheid, zodat ze nog even met Erik samen kon zijn. De spierkrampen onder in haar buik namen toe, zodat ze er Erik noodgedwongen deelgenoot van moest maken. Hij belde meteen de dienstdoende verpleegkundige, die er op haar beurt de gynaecoloog bij riep. Die constateerde met oprechte bezorgdheid in zijn stem dat de ontsluiting sinds de laatste dagen weer iets was toegenomen. Voor de spierkrampen gaf hij haar medicijnen via een infuus.

Erik bleef nog een uur. Toen de spierkrampen afnamen, vertrok hij weer. Maar voordat hij naar huis reed, ging hij nog even naar Brenda en Arno voor een kop koffie. Die nacht werd hij uit bed gebeld door het ziekenhuis en gesommeerd zo snel mogelijk te komen. Eline dreigde de baby alsnog te verliezen. Toen hij arriveerde, was Eline het kindje al kwijt. Hij kon het nauwelijks geloven. Het was allemaal zo verschrikkelijk snel gegaan. Hij trof haar in tranen aan. De moed zonk hem in de schoenen. Ze had jaren lang op een baby gehoopt en er vervolgens nog jaren naar verlangd. Uiteindelijk was ze zwanger geraakt. Hij had een paar moeilijke dagen gehad toen hij te horen kreeg dat hij niet de biologische vader was van dit ongeboren kind, maar hij had zich erbij neergelegd omdat hij besefte dat God degene was die nieuw leven gaf. In hun geval een kindje met het syndroom van Down. Dit kind was op zijn weg geplaatst, en hij had er met veel toewijding voor willen zorgen. Eline ook. Na de verdrietige uitslag van de vruchtwaterpunctie had ze zich snel hersteld en met reikhalzend verlangen uitgezien naar de geboorte. En nu was de baby dan geboren, maar veel te vroeg. Het kindje was na een draagtijd van twintig weken nog niet levensvatbaar.

'De baby is dood geboren, Erik. Hoe kan dat nu?' Eline was radeloos.

Erik omhelsde haar en wist niet meteen wat hij moest zeggen om haar te troosten.

'Snap jij het?', snikte Eline. 'Hoe kan God zoiets nu toelaten? Ik wil met Brenda praten, Erik. Je moet haar bellen. Ik heb haar nodig.'

Nadat Erik Brenda telefonisch had ingelicht, sprak de gynaecoloog hem op de gang aan. 'Het spijt me, meneer Maas. We konden helaas niets meer voor uw kindje doen.'

Erik beet op zijn lippen om de teleurstelling en zijn verdriet te verbergen. Woorden van troost waren momenteel niet toereikend genoeg om hem op te beuren.

'Was het een jongen of een meisje, dokter?' Daar was hij wel nieuwsgierig naar.

Een flauwe glimlach gleed om de mond van de specialist. 'Een jongetje', antwoordde de man met zachte fluisterstem. 'Een minuscuul klein mensje, maar helemaal compleet met teentjes en vingertjes. Alles erop en eraan.'

Eriks ogen lichtten op. 'U bedoelt ... Zouden wij nog ... Zouden mijn vrouw en ik nog afscheid kunnen nemen?'

'Ja, ik was juist op weg naar u om dat voor te stellen.'

'Ik weet eigenlijk niet of mijn vrouw daartoe in staat is.'

'Praat erover met uw vrouw. We geven u de tijd om erover na te denken. Het is niet verplicht, maar het helpt vaak wel bij de verwerking van het verlies.'

Eline hoorde Erik aan. Ze hield het niet droog en huilde bittere tranen. Ze wist niet of ze er goed aan zou doen haar kleine baby nog te zien. Het kleintje leefde niet meer. Misschien zou ze het beeld van haar kleine jongen dan nooit meer vergeten. 'Ik durf dat niet zomaar, Erik.'

Elines angst bracht Erik weer aan het twijfelen. Maar toen Brenda uiteindelijk arriveerde, sloeg Elines stemming al snel om.

Erik hoorde zijn schoonzusje als een echte professional tegen Eline praten.

'Jij en Erik zagen allebei uit naar de geboorte van dit kind. Jullie hebben je voorbereid. Je voelde je er emotioneel mee verbonden. Daarom is het ook goed afscheid te nemen. Het krijgt op die manier een plekje in jullie leven. Je erkent ermee dat het kindje heeft bestaan, en het maakt dat je straks verder kunt met het leven. Wat dat betreft, ben ik het met de gynaecoloog eens.'

'Echt? Nou, dan wil ik graag afscheid nemen van de baby', antwoordde Eline met bibberende stem. 'Jij toch ook, hè, Erik?'

Erik stond meteen klaar om de gynaecoloog op de hoogte te brengen van hun beslissing, en een kwartier later bracht een verpleegkundige hen naar het mortuarium, waar in een kleine kamer het kindje lag.

Brenda was er ook bij. Ze wist uit de praktijk dat dit een belangrijk onderdeel was van het verwerkingsproces. En Eline kennende dacht ze dat zij er absoluut geen spijt van zou krijgen.

De verpleegkundige vertelde hun dat er een kwartier geleden al een foto van het kindje was gemaakt om bij ontslag uit het ziekenhuis aan de ouders mee te geven, als men daar prijs op stelde. Een tastbare herinnering, die achteraf altijd enorm werd gewaardeerd.

In het midden van de kamer stond een babybedje, met daarin Elines kleine baby. Het kindje was toegedekt met een donzig geelgekleurd dekentje. Vanaf een afstand keken ze naar het piepkleine gezichtje, de gesloten oogjes, de minuscuul kleine handjes en vingertjes tegen de wangetjes aangedrukt.

Door een waas van tranen zag Eline haar kleine baby verstild liggen. Een jongetje, zo mooi! Niets aan het piepkleine gezichtje van het ventje verried iets van het syndroom van Down waarmee hij geboren was. Hij zag er gaaf uit.

'We moeten hem een naam geven, Erik', zei ze. 'Wat denk jij?'

'Ja, natuurlijk geven we dit kindje een naam. Jij mag het zeggen, Eline. Waar had je zelf aan gedacht?'

Eline veegde met haar zakdoek langs haar ogen. Ze boog zich voorover en nam het beeld van het piepkleine mensje in zich op. Het was haar kindje. Wat hield ze van dit mensje. Het was de baby waarnaar ze aldoor zo had verlangd. O God, kreunde ze in haar binnenste, waarom mocht dit kindje niet blijven leven? Ik begrijp het niet. Bent U dan nog steeds kwaad op me, omdat dit Eriks kindje niet is? Ze snikte en probeerde haar gedachten te verzetten. Ze moest een naam kiezen. Maar welke naam paste nu bij dit kindje? Aan het bedenken van namen waren ze nog niet toegekomen.

Brenda boog zich eveneens over de baby, streelde met haar wijsvinger het bleke wangetje, en raakte een koud geworden handje voorzichtig aan.

Erik volgde haar voorbeeld. 'Wat een prachtig kind!' zei hij gesmoord. 'We nemen hem mee naar huis, Eline. Kan dat, Brenda? Dan bel ik morgenvroeg meteen een uitvaartmaatschappij.'

'Goed idee', stemde Brenda in. 'Ik regel bij de specialist wel een akte van overlijden.'

'Ruben', fluisterde Eline. 'Ik wil hem graag Ruben noemen.'

Erik knikte, met tranen in zijn ogen. 'Ja, Ruben. Dat is mooi. We begraven hem op het kerkhof en plaatsen een zerkje op zijn graf waarin we zijn naam laten graveren.'

Er gleed een dappere glimlach om Elines mond. Ze had haar baby verloren, maar ze zouden hem in besloten kring een waardige begrafenis geven. Ja, dat zouden ze doen. Een mooi en rustig afscheid van kleine Ruben. Bij de chaos aan gevoelens herkende ze nu toch iets van vrede, ondanks het verdriet. Vrede, die langzaam maar zeker bezit van haar nam toen ze aan deze kleine Ruben dacht, haar oudste en enige zoon, die het levenslicht nooit had gezien.

Van slapen kwam die nacht niets meer. Brenda belde de volgende ochtend naar 'Het Klaverblad' om door te geven dat ze al haar afspraken van 's morgens naar de middag wilde verzetten. Martine begreep het, beloofde dat voor haar te zullen doen en wenste haar sterkte toe. Een vroeggeboorte van een baby die niet levensvatbaar was, moest verwerkt worden. Dat was een heel ingrijpende gebeurtenis. Zelfs als het de baby van je zus betrof, zoals hier het geval was.

'Ga nog lekker een paar uur slapen wanneer de kinderen naar school zijn', adviseerde ze hartelijk. 'Eline zal je de komende tijd nog hard nodig hebben.'

Dat was Brenda ook van plan. Ze sliep uit tot het middaguur, en na een verkwikkende douche reed ze naar 'Het Klaverblad'. Moeke was, voordat ze vertrok, nog bij haar geweest. Ze had Eline vanmorgen in het ziekenhuis opgezocht. Ze huilde heel even dikke tranen om het verlies van haar kleinzoon en het grote verdriet van Eline en Erik. Brenda had moeke alleen maar stevig omhelsd. Soms waren woorden niet toereikend om te troosten. Laat in de middag zou Eline met ontslag naar huis mogen. En kleine Ruben mocht met hen mee. De uitvaartorganisatie had een speciaal kistje bij het ziekenhuis bezorgd, zodat ze hem daarin over drie dagen met de familie naar de plaatselijke begraafplaats konden brengen.

Brenda herinnerde zich vanuit haar tijd in opleiding dat het tien jaar geleden nog ongebruikelijk was om op deze wijze afscheid van een zo kleine baby te nemen. Te vroeg geboren kinderen, jonger dan vierentwintig weken, bleven in die tijd meestal achter in het ziekenhuis. Het werd niet eens als een echt kindje erkend. Dat was altijd heel schrijnend voor de ouders. Wat een geluk dat de tijden waren veranderd. Het taboe daarop was intussen doorbroken, en ouders mochten tegenwoordig openlijk rouwen bij een afgebroken zwangerschap.

Brenda moest aan dit alles denken tijdens de autorit. Toen ze haar auto parkeerde op de gereserveerde parkeerplaats, werd haar aandacht plotseling afgeleid door een klein meisje dat hand in hand met een keurig geklede dame over de parkeerplaats naar een auto liep. Het meisje huppelde vrolijk en lachte uitgelaten. De dame aaide het meisje liefdevol over het hoofd en zei iets. In een flits herkende Brenda het meisje. Daar huppelde Ellie van de Westen. Verzorgd en netjes gekleed in een vrolijk gekleurde jas met stevige schoentjes aan haar voeten. Het meisje verkeerde in een opperbeste stemming. Om Brenda's mond verscheen spontaan een glimlach. Tranen van ontroering sprongen in haar ogen. Ze beet op haar lip. Ellie, die er zo gelukkig uitzag. Het vertederde haar hart. Ze zag zichzelf in een flashback toen ze lang geleden bij moeke en paps kwam wonen. Wat was ze opgetogen geweest over haar nieuwe leven, de nieuwe kleren, het nieuwe broertje, de nieuwe zusjes. En ze leefde voor het eerst een leven zonder angst of spanning. Zonder geschreeuw, zonder klappen. Ze mocht gewoon kind zijn en spelen.

De herinnering aan die tijd overrompelde Brenda. Ze wachtte nog een poosje totdat ze haar tranen had weggeknipperd en de auto van de dame, met Ellie erin, het parkeerterrein af reed. Daarna stapte ze uit en ging 'Het Klaverblad' binnen. Op de gang zag ze Bas lopen met een stapel papieren in zijn hand.

'Bas,' riep ze opgetogen, 'weet je wie ik zojuist tegenkwam?'

Bas glimlachte. 'Ja, jij hebt haar vast ook gezien.'

'Ellie zag er zo goed uit, Bas.'

Bas nam haar mee naar zijn spreekkamer, waar ze te horen kreeg dat Ellie tijdelijk bij een leuk pleeggezin was ondergebracht. Ellies moeder was namelijk ernstig overspannen geraakt en had een paar maanden nodig om op te knappen. Daarna zou Ellie naar haar terugkeren. Met Ellie ging het momenteel goed. Ze had weer kleur op haar wangen en was net zo levenslustig als andere kinderen van haar leeftijd.

Brenda hoorde dit goede bericht. Ze werd er, ondanks haar eigen zorgen om Eline en Marleen, helemaal blij van. Af en toe was het fijn een lichtpuntje in donkere tijden te zien. Zo'n lichtpuntje was kleine Ellie van de Westen.

Ze ontving die middag twee cliënten en werkte om halfvier nog wat dossiers van afgehandelde zaken uit op haar computer.

Om vier uur belde Jeffry om haar te vertellen dat hij nog steeds taal noch teken van Marleen ontvangen had. 'Wat denk je? Zullen we de politie waarschuwen? Het gaat me veel te lang duren. Ik ben vreselijk bezorgd.'

Brenda dacht na over zijn voorstel. Ze voelde zich enigszins schuldig aan Marleens verdwijning. Was ze nu maar niet zo onredelijk boos geweest over die ondoordachte streek van Marleen. Als ze het met wat meer tact had aangepakt, was Marleen nooit zomaar weggegaan.

'Wacht daar nog maar mee, Jef. Misschien staat ze vandaag of morgen ineens voor je neus. Trouwens, ik geloof niet dat de politie meteen een zoekactie op touw zal zetten. Marleen is een volwassen vrouw, en ze is vrijwillig weggegaan', adviseerde Brenda aarzelend. Ze wist het zelf eigenlijk ook niet meer.

'In het verpleeghuis waar Christien verblijft, hebben ze ook niets meer van Marleen vernomen. Dat vind ik ook zo vreemd. Marleen was ondanks alles altijd erg trouw in de zorg en belangstelling voor haar moeder.' Jeffry vertelde dat hij die inlichtingen telefonisch had ingewonnen bij de verpleging. Christien van Zelst had al anderhalve week geen bezoek meer gehad.

Dat laatste liet Brenda koud. Christien had tijdens haar leven ook weinig liefde aan anderen gegeven. Nu kreeg ze een koekje van eigen deeg. Ze was niet van plan Christien vanwege deze situatie te bezoeken. Ze had tenslotte ook niet naar haar gevraagd.

Ze praatten nog wat na over Elines veel te vroeg geboren zoontje en de begrafenis die nog moest komen. Daarna verbrak Brenda de verbinding. Ze had nog een halfuurtje werk en wilde het vandaag niet al te laat maken. Door haar nachtelijke bezoek aan Eline voelde ze zich nog behoorlijk geradbraakt. Ze nam zich voor vanavond vroeg naar bed te gaan en wat uurtjes slaap in te halen.

Dat voornemen verdween onmiddellijk uit haar gedachten toen de telefoon opnieuw overging, en ze van moeke het alarmerende bericht hoorde dat Christien van Zelst ernstig ziek was. De laatste anderhalf uur was zij zelfs stervende, en de arts had dan ook instructies gegeven de familie op te trommelen. Het nieuws sloeg bij Brenda in als een bom.

Ada was samen met Wim naar het ziekenhuis gegaan om Eline te bezoeken. Ze wisten dat Eline laat in de middag naar huis mocht, maar ze kon niet wachten om haar dochter even te zien. Brenda's kroost zat gelukkig veilig op school. Voor hen zou ze vanmiddag na schooltijd weer klaarstaan als Brenda nog moest werken. Het weerzien met Eline was erg emotioneel verlopen. Het verdriet van Eline raakte haar diep. Ze had zich zo verheugd op dit kind-

170

je, en nu was het niet meer in leven. Ada wist nauwelijks hoe ze Eline moest troosten. Ze had geen antwoord op de vraag waarom. Ze moest machteloos toezien hoe Eline worstelde met het verzet tegen de dood van haar baby en de acceptatie ervan. Daarom omhelsde ze Eline alleen maar en luisterde ze naar het verdrietige verhaal dat die steeds weer herhaalde. Maar diep in haar hart bad ze een onuitgesproken gebed dat Eline toch kracht mocht ontvangen om het verlies te kunnen dragen.

Na een uur waren Wim en Ada vertrokken met de mededeling dat ze vanavond bij Eline thuis nog op bezoek zouden komen. Haar eigen tranen had ze in een omhelzing met Brenda vrijelijk laten lopen. Dat had haar goedgedaan. Ze was dankbaar voor alle hulp en bijstand die Brenda vannacht al aan Eline en Erik had gegeven. Dankzij het advies en de bemiddeling van Brenda zouden ze haar doodgeboren kleinzoon vanmiddag mee naar huis mogen nemen en hem met hulp van een uitvaartorganisatie een waardige begrafenis kunnen geven.

Brenda's kinderen zorgden na schooltijd voor troostrijke afleiding. Er was nog zo veel om dankbaar voor te zijn. Ze voorzag hen van een glaasje limonade en iets lekkers en luisterde naar de schoolbelevenissen van die dag. Robert had een boekje bij zich waaruit hij elke dag een halfuur onder begeleiding hardop moest lezen. Terwijl de tweeling zich over hun speelgoed boog, ging Ada met Robert aan tafel zitten. Ze hoorde hoe hij de woorden aarzelend formuleerde, en verbeterde hem soms geduldig. Na een halfuurtje klapte hij het leesboek dicht. Ze stuurde hem nu ook naar zijn speelgoed. Het werd tijd voor ontspanning. Zo'n slechte leerling was Robert nu ook weer niet. Hij had alleen af en toe een steuntje in de rug nodig. En zij vond het leuk hem met wat leeswerk te helpen, zodat Brenda of Arno dat vanavond niet meer hoefde te doen.

Om halfvijf kwam Wim plotseling onverwacht Brenda's huis binnenlopen. Zijn gezicht stond ernstig.

De kinderen vlogen op hem af en bedelden bij hem om tijd vrij te maken voor een spelletje Memory. Dat spelletje wonnen ze regelmatig van hun opa.

Maar deze keer vertelde hij hun dat daar geen tijd voor was. 'Een andere keer', beloofde hij.

Hij riep Ada even apart naar de keuken en deed de deur zachtjes achter hen dicht.

'Er was thuis zojuist telefoon. Een zuster van een of ander verpleeghuis vertelde dat Christien van Zelst op sterven ligt, en dat wij haar contactpersonen zijn. Weet jij daar iets van? De verpleging verwacht dat we vandaag nog komen.'

'Nee, daar weet ik niets van', antwoordde Ada verschrikt. 'Christien van Zelst is de moeder van Marleen, en dus ook van Brenda. En Marleen is al anderhalve week spoorloos. O, wat vreselijk. Wat moeten we nu doen?'

'Wat een toestand', zuchtte Wim. 'Ik denk dat Marleen ons telefoonnummer heeft doorgegeven aan het verpleeghuis toen ze vertrok. Ik heb er geen andere verklaring voor.'

Boven Ada's neus verscheen een rimpel. 'Daar kun je wel eens gelijk in hebben. Tja ... Ik vraag me af of we in deze situatie Brenda op de hoogte moeten stellen. Dit is een noodsituatie, Wim.'

'Dat zal ze niet prettig vinden. Neem dat maar van mij aan.'

'Ja, maar het moet. We hebben geen andere keuze. Christien is en blijft haar moeder. Brenda zal iets moeten ondernemen, nu Marleen er niet is.'

'Wij kunnen Brenda toch helpen? Ze staat er niet alleen voor', opperde Wim.

Daar was Ada het mee eens. Terwijl Wim zich omdraaide en de drukke kinderen in de kamer tot kalmte maande, belde Ada naar 'Het Klaverblad' om Brenda op de hoogte te brengen van de zorgwekkende situatie waarin Christien zich momenteel bevond.

15

Anderhalve week was ze nu al weg. Marleen voelde de ergste pijn en teleurstelling vanwege haar conflict met Brenda langzaam afnemen. De dagelijkse strandwandelingen deden haar goed. De koude wind sneed langs haar wangen, en natte sneeuwbuien die regelmatig neervielen, deden haar huiveren. Elke dag kwam ze ook meer tot het besef dat ze Jeffry enorm miste. Ze hield van hem, meer dan ze ooit van Sander had gehouden. 's Nachts droomde ze zelfs van hem, maar ook van haar werk in het ziekenhuis. Haar baan aan de receptie van de polikliniek miste ze zo. Toch kon ze er niet toe komen nu al terug te gaan naar huis. Ze zag er als een berg tegen op.

'Laat het thuisfront eens iets van je horen', stelde Paula voor, toen Marleen haar enigszins aarzelend op de hoogte bracht van het gemis. 'Bel Jeffry toch op, of Brenda. Laat hun weten dat het goed met je gaat. Ze zullen zich vast vreselijk ongerust maken.'

Maar dat durfde Marleen nog niet. Aan dat voorstel moest ze eerst wennen. Over een paar dagen misschien. Ze was toch voornemens zondag terug te gaan. Een paar dagen gunde ze zichzelf nog. En met de ongerustheid thuis zou het vast wel meevallen. Per slot van rekening was ze een volwassen vrouw, die haar eigen leven leidde en haar eigen keuzen maakte.

Er gingen weer twee dagen voorbij. Marleen zorgde er op vrijdag voor dat Paula's boodschappen werden gedaan, want Paula voelde zich grieperig. Ze snotterde en nieste onophoudelijk. De griep heerste. De mensen om hen heen klaagden over dezelfde kwalen. Maar Marleen voelde zich zo fit als een hoentje. Als Paula nog zieker werd, voelde ze zich voorlopig min of meer verplicht nog wat langer in Domburg te blijven. Ze kon haar zieke nicht nu niet zomaar aan haar lot overlaten, na alle gastvrijheid die ze zelf had ontvangen.

Die middag ging Paula een uurtje op bed liggen. De koorts nam toe.

Marleen haalde bij de huisarts een recept voor Paula's hoestbuien.

Paula blafte onophoudelijk van het hoesten. Er leek geen verbetering in haar situatie te komen.

Nadat Marleen was teruggekomen met een fles hoestsiroop en een doosje tabletten, besloot ze in de kamer op Paula te wachten. Die zou zo wel weer uit bed komen, verwachtte Marleen. Daarom nam ze de krant en enkele tijdschriften uit de lectuurmand. Ze bladerde een poosje door de tijdschriften en zette daarna een pot thee. Boven klonk al gestommel. Paula was in aantocht. Met een rood gezicht en waterige ogen kwam ze even later, gekleed in een ochtendjas, de woonkamer binnenstrompelen.

Marleen hielp haar in een comfortabele stoel en schonk een kop thee in. De hoestsiroop en de tabletten overhandigde ze ook.

Paula nam meteen de voorgeschreven dosering van de hoestdrank tot zich. Tussen twee hoestbuien in volgde een tablet.

Marleen had zielsveel medelijden met haar nicht, maar ze kon niets doen. De huisarts had gezegd dat dit griepje gewoon uitgeziekt moest worden.

'Jij kunt beter naar huis gaan, Marleen. Ik steek je nog aan met deze griep', zei Paula. 'Dat zou ik vreselijk vinden.'

Maar daar wilde Marleen niets van weten. Ze beloofde te zullen blijven totdat Paula weer helemaal beter was.

Toen ze samen thee zaten te drinken en de telefoon overging, gebaarde Paula hoestend dat Marleen die maar moest aannemen.

Marleen glimlachte toen ze tante Elsa's stem in haar oor hoorde.

Tante Elsa belde regelmatig op om bij Paula naar haar welzijn te informeren. Die belangstelling deed Marleen goed.

'Wat fijn dat ik je tref, kind', hoorde ze tante zeggen. 'Ik moet je ...'

'Ach, tante Elsa, Paula is ziek. De griep heeft haar behoorlijk te pakken', viel Marleen haar tante in de rede.

'Je moeder', fluisterde ze intussen naar Paula, die hoestend knikte.

'Dat is heel erg, Marleen. Ik geloof dat het heerst. In deze omgeving zijn op dit moment ook veel zieken. Maar voordat je me Paula geeft, wil ik je ergens op attenderen', antwoordde tante. 'Heb je de krant vandaag al gezien?'

Marleen keek naar de opgevouwen krant die nog op tafel lag. Ze had er de voorkeur aan gegeven eerst de tijdschriften door te bladeren. De krant van vandaag had ze nog niet ingezien.

'Kijk meteen op pagina negen, Marleen. Je wordt namelijk gezocht via een advertentie. Wil je alsjeblieft contact opnemen met Brenda. Ik weet niet wat er aan de hand is, maar het ziet er ernstig uit.'

Marleen pakte de krant op, nadat ze de telefoon aan Paula had overhandigd. Ze bladerde naar pagina negen en zag bovenaan in de rubriek zoekertjes meteen wat tante Elsa bedoelde. Een wat grotere advertentie met een oproep in vette drukletters. Het bericht sprong eruit. Haar ogen vlogen over de twee regels.

Gezocht: Marleen van Zelst. Neem zo spoedig mogelijk contact op met Brenda Landman, je zus. Zeer dringend!

Marleen voelde haar hartslag toenemen van schrik. 'Zeer dringend', las ze nog eens. Wat was er gaande dat ze haar via een krant opriepen naar Brenda te bellen?

Paula overhandigde haar de telefoon. 'Ik begreep van moeder dat je snel naar huis moet bellen', zei ze tussen twee hoestbuien door.

Marleen knikte slechts en gaf Paula de krant aan, zodat zij de advertentie ook kon lezen. Intussen drukte ze het telefoonnummer van Brenda in.

'Met Marleen', zei ze gespannen, toen ze Brenda's stem aan de andere kant hoorde.

Brenda wist niet meteen wat ze moest doen. Moekes bericht had haar volkomen overdonderd. 'Ik kom onmiddellijk naar huis', had ze gezegd.

Dat Christien op sterven lag, raakte haar diep vanbinnen, dieper dan ze ooit voor mogelijk had gehouden. Maar meteen daarna had ze dat gevoel snel van zich af geduwd. Moeke verwachtte toch niet van haar dat ze daar tijd en aandacht aan ging besteden? Christien betekende niets voor haar. En van Christiens kant was het ook niet anders geweest. Christien was de moeder van Marleen, en zij had moeke al als moeder vanaf haar vierde jaar. Maar hoe afschuwelijk ook, Marleen was er niet. Ze was al bijna twee weken spoorloos en had nog niets van zich laten horen. Dat betekende dat Christien verder niemand had die naar haar omkeek. Volgens moeke had Marleen het telefoonnummer van de familie Vesters bewust in het verpleeghuis achtergelaten voordat ze verdween.

Brenda zocht haar spullen bij elkaar, ruimde het bureau leeg en sloot haar computer af. Ze was toch al van plan geweest niet al te laat naar huis te gaan. Op de gang botste ze letterlijk tegen Martine op. 'Sorry', mompelde ze afwezig.

'Wat een haast', merkte Martine fronsend op. 'Alles goed met je?'

Brenda slikte, schudde haar hoofd en beet op haar lip. 'Het wordt me allemaal te veel', zuchtte ze. 'Nu dit weer.'

'Wat? Kom eens even mee naar mijn spreekkamer. Ik laat je zo niet gaan.'

Brenda vertelde kort over moekes alarmerende telefoontje. 'Ik weet niet goed wat ik nu moet doen, Martine. Christien van Zelst is een vreemde voor me. Ik kan zo niet aan haar sterfbed verschijnen. Dat is toch de taak van Marleen?'

'Christien is en blijft je biologische moeder, Brenda. Op dit moment ben jij de enige persoon die kan handelen. Ieder mens heeft recht op een waardig afscheid. Zolang Marleen er niet is, moet jij haar taak overnemen. Probeer het eens vanuit je beroepshouding te bekijken.'

'Ja,' gaf Brenda toe, 'je hebt gelijk. Maar het staat zo haaks op mijn gevoelens. Eigenlijk ben ik alleen maar bang voor mijn reactie wanneer ik oog in oog met Christien kom te staan.'

'Juist, dat is het. Die angst heeft met vroeger te maken. Dat moet je voor ogen houden. Christien zal je nooit meer iets kunnen aandoen. Ze zal je nooit meer slaan of mishandelen.'

'Dat liet Christien altijd aan mijn vader over. Ze kwam gewoon nooit voor me op en liet alles gewoon oogluikend gebeuren. Ze is als moeder niets waard. Helemaal niets!'

'Is dat zo?', vroeg Martine zich met een rimpel in haar voorhoofd af. 'Ze heeft je wel het leven gegeven, Brenda. En voor zover ik weet, ben je een gelukkig mens geworden. Je hebt lieve pleegouders, een pleegbroer, pleegzusjes, een echt zusje en een schat van een man. Samen hebben jullie drie prachtige kindertjes gekregen. Je maakt hier bij 'Het Klaverblad' een mooie carrière als maatschappelijk werkster. Laat de angsten uit je kinderjaren nu niet de boventoon voeren.'

'Je hebt gelijk. Het wordt tijd dat ik daaroverheen stap.'

'Ja, en dat is iets wat je zelf moet doen. Maar neem er voorlopig een paar dagen de tijd voor. Je hebt de laatste twee weken wel erg veel voor je kiezen gekregen met Marleen, Eline en nu Christien. Neem even een time-out.'

Brenda stond op van haar stoel. 'Ik bel Bas morgen en zeg hem dat ik je advies wil opvolgen.'

Ze lachte toen Martine zei dat ze haar voorlopig twee weken niet meer in de praktijk wilde zien. Het leek Brenda veel te lang, maar ze protesteerde niet. Ze zou het per dag bekijken.

Ze kwam gelijk met Arno thuis. Moeke had de tafel al gedekt en de kinderen aan tafel geroepen. Maar Brenda gunde zich geen tijd om iets te eten. Ze drukte met trillende vingers het telefoonnummer van het verpleeghuis in dat paps voor haar had genoteerd.

Een aardige afdelingszuster stond haar te woord. Mevrouw Van Zelst, zoals ze Christien noemde, lag inderdaad op sterven. De komst van familie was dringend gewenst. Daarbij waren er wat vragen en zaken die geregeld moesten worden.

Brenda zegde de zuster toe dat ze zo snel mogelijk zou komen. Daarna belde ze Jeffry om hem te vragen of hij al iets van Marleen had gehoord. Zijn stem klonk gedeprimeerd toen hij dat ontkende. In korte bewoordingen vertelde Brenda het slechte nieuws over Christien.

'Ik kom naar je toe', besliste hij meteen. 'Maar eerst rijd ik naar het politiebureau om de vermissing van Marleen aan te geven. Ze heeft altijd naar Christien omgezien. Ze moet ook op gepaste wijze afscheid van haar moeder kunnen nemen. Anders blijft ze zich nadien altijd schuldig voelen. Zo goed ken ik haar intussen wel.'

Brenda sprak om acht uur met Jeffry af in het verpleeghuis. Met hem naast zich voelde ze de angst niet meer om met Christien geconfronteerd te worden.

'Ik wens je sterkte, kind.' Moeke drukte even haar hand voordat ze naar haar eigen woning vertrok, waar paps op haar zat te wachten. 'En probeer nog iets te eten voordat je gaat.'

Brenda knikte. 'Bedankt voor alles, moeke. U bent de allerbeste moeder van de wereld.' Ze sloeg haar beide armen om moeke heen en drukte haar wang tegen het grijze haar. Wat een veilig gevoel moeke zo even te omarmen. Het ontroerde haar, zodat er tranen in haar ogen sprongen. Nog een liefdevolle aai over haar hoofd en weg was moeke.

Brenda volgde moekes advies op en at aan tafel nog iets van de warme maaltijd. De kinderen praatten druk door elkaar heen en eisten haar aandacht op. Laura kroop even op schoot tegen haar aan, met een duim in haar mond. Brenda aaide haar blonde haartjes en probeerde Benny's enthousiasme wat te temperen toen hij met breed armgezwaai bijna haar bord van de tafel sloeg.

'Benny, kijk uit', riep Arno nog net op tijd.

'Wat?', schreeuwde Benny. 'Pap, ik speel voor helikopter. Dat zie je toch zo.'

'Dat is een spelletje voor buiten de deur, jongen.'

Joelend, met Robert achter zich aan, holde Benny de donkere tuin in.

'Ik was graag met je meegegaan, Brenda. Maar dat lukt niet', zei Arno. 'We kunnen moeke en paps niet nog eens vragen op onze kinderen te passen. Dat is te veel van het goede. Benny is nauwelijks te houden, zo veel energie als dat ventje heeft. Ik wil hen vanavond op tijd naar bed brengen. En moeke is momenteel ook te veel met haar gedachten bij Eline en het doodgeboren kindje. Zij heeft ook heel wat te verwerken.'

Brenda begreep het. Ze vertelde dat Jeffry ook naar het verpleeghuis zou komen. Dat stelde Arno gerust.

Jeffry was er nog niet toen Brenda arriveerde op de afdeling waar Christien haar kamer had.

Een wat oudere zuster stond haar te woord. 'Fijn dat u er bent. Tja, mevrouw Van Zelst heeft een dubbele longontsteking en een ontstoken lever die nauwelijks functioneert. Volgens de dokter gaat het niet goed. Sinds vanmiddag is mevrouw terminaal. Wilt u eerst even bij mevrouw gaan kijken, of zullen we eerst het zakelijke aspect doornemen?'

'Ik weet niet ... eh ... Eerst de zakelijke kant maar', hakkelde ze. 'Trouwens ... hoe ernstig is de terminale staat van mevrouw? Denkt u daarbij aan weken, een week, enkele dagen?'

'Dat is onvoorspelbaar. Ik adviseer u in ieder geval om vannacht te blijven waken. Het kan snel gaan, maar het kan evengoed nog twee dagen duren.'

'Waken?' Brenda moest iets wegslikken. Ze was niet van plan dat advies op te volgen. Een nacht doorbrengen naast het bed van Christien hield ze voor onmogelijk. Dat kon ze niet opbrengen. Afgelopen nacht was ze uren met Eline en Erik in de weer geweest. De kleine dode Ruben had evengoed veel emotie naar boven gebracht. Ze was momenteel aan het eind van haar Latijn. O, waar was Marleen gebleven? Waarom had ze Christien zo aan haar lot overgelaten?

De zuster vroeg iets over de begrafenisondernemer van de familie, maar daar wist Brenda geen antwoord op te geven. Marleen behartigde de zaken van Christien. Ze had de administratie vast ook in haar bezit. Brenda was nergens van op de hoogte. Ze verontschuldigde zich bij de zuster dat de verblijfplaats van Marleen niet bekend was, en zei dat ze hun best deden om daarachter te komen.

Op dat moment stond Jeffry plotseling bij haar. Hij legde in een vertrouwelijk gebaar zijn hand op haar schouder. 'Daar weet ik wel raad op', zei hij, toen Brenda hem de vraag van de zuster voorlegde. 'Ik heb de sleutel van Marleens woning. De zakelijke papieren van Christien heeft ze in een lade liggen.'

De zuster knikte goedkeurend en vroeg of Jeffry haar zo snel mogelijk van die gegevens op de hoogte wilde stellen. Marleen had verzuimd die gegevens bij de opname van Christien door te geven. Er was al vaker naar gevraagd. 'En dan breng ik u nu naar mevrouw Van Zelst. Het klinkt wat zakelijk, maar zo bedoel ik het niet. Wilt u zo meteen ook naar haar kleding kijken en iets klaarhangen waarin mevrouw na haar overlijden gekleed mag worden?'

Brenda knikte. Ze vond het prima zich achter de zakelijkheid van de zuster te verschuilen. Eigenlijk was het uitzoeken van de kleding ook een taak van Marleen. Dat was duidelijk. Maar goed, dat nam zij wel voor haar rekening.

'De politie neemt Marleens vermissing nog niet serieus', vertelde Jeffry haar zachtjes toen ze achter de zuster aan liepen. 'Ze is uit eigen beweging vertrokken en heeft zich persoonlijk ziek gemeld bij haar werkgever. Ze verwachten dat Marleen vandaag of morgen gewoon terugkeert naar huis. Er komt geen zoekactie.'

'Dat dacht ik wel', antwoordde Brenda. 'En nu? We kunnen niet langer passief blijven wachten.'

'De politie heeft me een tip gegeven, waar wij beiden nog niet aan hebben gedacht. Ik heb er meteen werk van gemaakt. Op de valreep kon dat nog. Morgen komt er een kleine, maar wel op-

vallende advertentie in een landelijke krant. Daarin wordt Marleen dringend opgeroepen contact met jou te zoeken.'
'Goed idee!' Brenda's ogen werden groot van verbazing. Er viel een loden last van haar schouders. Dat ze daar niet eerder aan had gedacht. 'Ik hoop alleen wel dat Marleen die krant ook leest.' 'We wachten het af. Meer kunnen we nu niet doen.'
De zuster maakte een deur open, maar Brenda bleef stilstaan op de drempel. Haar hart bonkte in haar keel. 'Ga jij maar eerst', zei ze tegen Jeffry. 'Ik kom zo.'
'Och, mevrouw Van Zelst slaapt al de hele dag, hoor', probeerde de zuster haar gerust te stellen. 'Afgelopen nacht was ze nog wel erg onrustig. Ze riep steeds om Laura en huilde soms. Weet u soms wie Laura is? Een zus van mevrouw misschien?'
Brenda slikte. Ze schudde verbaasd haar hoofd. 'Nee', fluisterde ze dan met hese stem. 'Laura is mijn dochtertje.'
'Ach, bedoelt u soms dat lieve kleine blonde meisje dat hier twee weken geleden bij mevrouw Van Zelst op visite was?'
Brenda knikte. Christien had om Laura geroepen. Had het bezoek van Laura, waar ze zo boos om was geweest, dan zo veel indruk op Christien gemaakt?
'Jammer dat er zo weinig familie bij mevrouw op bezoek komt.' Er lag een klank van verwijt in de stem van de zuster. 'Haar dochter Marleen, die hier altijd zo vaak kwam, zien we de laatste tijd ook niet meer.'
'We zijn op zoek naar haar', antwoordde Brenda en liep voor de zuster langs de kamer van Christien binnen.
Jeffry stond al naast Christiens bed. Het vage schijnsel van een bedlampje scheen op een slapend gezicht, dat er grauw en oud uitzag. Grijze haren, vochtig van het transpireren, krulden om het gezicht. De zuster liet hen alleen en deed de deur zachtjes dicht.
'Ze is mager geworden, en ze ziet er zo kwetsbaar uit', zei Jeffry. 'Toen we haar in het ziekenhuis opnamen, was ze nog zo stevig.'
Brenda staarde naar het gezicht van Christien. Het deed haar niets. Waar ze zo bang voor was geweest, gebeurde niet eens. Geen tranen, geen pijnlijke herinneringen, geen boosheid, helemaal niets. Hier lag gewoon een vreemde oude vrouw, met een onregelmatige ademhaling, op de dood te wachten.
'Hoe gaat het met je?', vroeg Jeffry bezorgd. 'Kun je het aan?'

'Ja, het gaat wel. Ik kan me alleen niet voorstellen dat dit ...
Marleens moeder is.' Ze kon ze de woorden 'mijn moeder' niet
over haar lippen krijgen.

Jeffry pakte de hand van Christien vast en voelde haar pols.
Hij schudde meewarig zijn hoofd. 'Een onregelmatige, zwakke pols-
slag', mompelde hij.

'Denk je dat er gewaakt moet worden, Jef?', vroeg Brenda.
Jeffry haalde twijfelend zijn schouders op. 'Tja, het risico van
overlijden is altijd aanwezig, maar ...'

'Ik wil er niet bij zijn', viel Brenda hem in de rede.

'Ik blijf wel', antwoordde Jeffry. 'Per slot van rekening is
Christien mijn aanstaande schoonmoeder. Ik ben dit aan Marleen
verplicht. Ik ben overigens de komende twee dagen vrij van
dienst in het ziekenhuis. Dat komt goed uit. Als jij me morgen-
ochtend een paar uurtjes komt aflossen, kan ik mijn nachtrust inhalen.'

Brenda haalde opgelucht adem. 'Goed. Dan zoek ik nu meteen
even in de kast naar gepaste kleding, als ze die heeft. Ik weet
eigenlijk helemaal niets van Christien.'

Ze rommelde wat tussen de schamele kledingstukken in de kast
en nam er een donkerblauwe jurk uit, de enige die er niet smoezelig uitzag. Ze nam ook een ecru gekleurd vestje om eroverheen
te dragen, en pakte ondergoed, een panty en schoenen. Zo, dat
was het dan.

'Kijk', zei ze tegen Jeffry, terwijl ze het setje omhooghield.
'Denk je dat het zo goed is?'

Bij die woorden kwamen plotseling toch de tranen in een onverwachte stroom uit haar ogen rollen. Het was alsof er ineens
iets brak, diep vanbinnen. Hier lag haar eigen moeder op bed, te
wachten op de dood. En zij stond gewoon een paar kledingstukken in een kast uit te zoeken, alsof het de normaalste zaak van de
wereld was. Nee, dit was te gek voor woorden. Zo veel eenzaamheid verdiende geen mens, ook haar aan alcohol verslaafde
moeder niet. Alles wat ooit gebeurd was, was nu niet eens zo belangrijk meer. Een niet te stoppen golf van emotie brak door. En
Brenda huilde.

Jeffry sloeg zijn armen troostend om haar heen en drukte haar
tegen zich aan. 'Stil maar', suste hij. 'Je bent en blijft mijn zusje,
wat er ook gebeurt.'

Het hoofd van Christien van Zelst bewoog op het kussen. Brenda en Jeffry zagen geen van beiden dat haar ogen opengingen. Pas toen Christien gorgelend hoestte en dreigde te stikken in een vastzittende slijmprop, draaiden ze zich om. De schrik sloeg Brenda daarbij om het hart. Door haar tranen heen staarde ze naar het verkrampte gezicht van de vrouw die haar eens het leven had geschonken en nu in ademnood verkeerde, haar moeder.

Marleens hand trilde van spanning toen ze de telefoon aan de andere kant hoorde overgaan. Ze slikte krampachtig bij het horen van Brenda's stem. Zou Brenda nog steeds boos op haar zijn? Ze ademde diep in en luisterde vervolgens zenuwachtig naar Brenda's verhaal. Die sprak met geen woord over wat er was gebeurd. Maar moeder lag op sterven. Dat was het enige wat Marleen helder en duidelijk opving. Moeders toestand was erg kritiek. Ze leefde nog wel, had gisteravond een aanval van benauwdheid gehad, maar had die ook weer doorstaan. Haar toestand verslechterde sinds vanmorgen aanzienlijk.

'Je moet zo snel mogelijk komen, Marleen.'

'Ja, natuurlijk. Ik ... eh ... ik moet met het openbaar vervoer. Ik weet niet hoe laat de trein vertrekt en hoe laat ik er precies kan zijn.'

'Geef me het adres maar. Dan word je gehaald.'

Marleen haalde opgelucht adem bij Brenda's voorstel.

Anderhalf uur later stond Brenda met haar auto voor de deur. Marleen stond al klaar met al haar spullen. Ze omhelsde een hoestende Paula. 'Het spijt me, Paula. Ik had je liever niet alleen gelaten, nu je griep hebt, maar het gaat niet goed met mijn moeder. Ze is stervende.' Marleen snikte. Het was alsof ze droomde.

'Je moeder gaat nu voor alles, lieverd. Laat zo snel mogelijk iets van je horen', snotterde Paula. 'Ik red me wel.'

Buiten nam Brenda de koffer van Marleen over en zette die achter in de auto.

Daarna voelde Marleen twee armen om zich heen.

'Lieve, lieve Marleen, loop alsjeblieft nooit meer weg. Jeffry en ik zijn zo bezorgd om je geweest.'

'O Brenda, je was zo boos op me. Dat kon ik niet verdragen. Maar hoe is het met moeder? Leeft ze nog? Vertel.'

Tijdens de terugreis vertelde Brenda alles wat Marleen moest weten. Op dit moment zat Jeffry weer naast moeders bed te waken. 'Je begrijpt vast wel dat ik het moeilijk vind naast je moeder te blijven zitten. Dat is jouw plaats. Ze heeft jou nodig, Marleen. Jij bent er altijd voor haar geweest.'

Marleen knikte maar wat. De reis naar het verpleeghuis duurde veel te lang naar haar zin, hoewel Brenda regelmatig harder reed dan was toegestaan.

Op een holletje kwamen ze beiden op de afdeling aan en snelden naar Christiens kamer, waar Jeffry hen opving.

'Nee toch', stiet Marleen uit. 'Ben ik te laat?'

Jeffry schudde zijn hoofd en nam Marleen even in zijn armen. 'Ik ben zo blij je weer te zien, liefje!' Daarna duwde hij haar zachtjes van zich af en keek in haar angstige ogen. 'Nee, het is niet te laat. Je moeder leeft nog, maar het gaat snel achteruit. Kom maar mee.'

Brenda schrok van de gedaante in bed. Het gezicht zag er nu nog meer getekend uit dan vanochtend. Spits en lijkwit.

Christien haalde moeizaam adem, het was duidelijk dat ze daarbij al haar kracht moest gebruiken.

Marleen boog zich over haar moeder en kuste de witte wang. 'Mam ...', zei ze. 'Mam, ik ben er. Marleen.'

Christien hoestte. Haar ademhaling stokte een ogenblik. Daarna draaide ze haar gezicht naar Marleen toe. Een blik van herkenning, een pijnlijke glimlach. Ze likte langs haar lippen. 'Dorst ...' Een zachte fluistering ging door het vertrek.

Brenda huiverde.

Marleen aaide langs haar moeders gezicht. Daarna bleef het even stil. Het was te zien dat Christien al haar kracht verzamelde. Zou ze haar laatste krachten bewaren om alsnog naar 'een lekker flesje' te vragen? Marleen hield haar hart vast. Als moeder van plan was dat te doen, zou ze gaan gillen. Als dat het geval was, had ze als dochter nooit iets voor haar betekend. Dan was alcohol het allerbelangrijkste geweest in moeders leven.

Jeffry depte de lippen van Christien met een vochtig washandje. Drinken was niet langer mogelijk.

'Lieve Marleen ... trots ... op Laura ... kleindochter ...'

Christiens gefluister haperde. Ze rochelde.

Marleen week van schrik terug.

Brenda deed een stap dichterbij en sloeg een arm om haar zusje heen.

'Lieve Marleen', had moeder gezegd. De woorden sneden als vlijmscherpe messen door haar hart. Nog nooit waren de woorden 'lieve Brenda' uit die mond gekomen. Was dat misschien de reden waarom ze nu toch hier bleef, pal naast moeders sterfbed? Hoopte ze die woorden alsnog te horen?

Marleen zocht weer toenadering tot haar zieke moeder. Een aanval van benauwdheid bleef gelukkig uit. Het onregelmatige gereutel ging moeizaam verder. Er gleed een traan over Brenda's wang. Nee, haar hoop de woorden 'lieve Brenda' nog eens uit de mond van haar moeder te horen was slechts een illusie. Ze was niet meer dan een verschoppeling, een zwart schaap. Ze zette een stap terug en voelde Jeffry's bemoedigende hand op haar schouder.

'Het duurt niet lang meer', fluisterde hij in haar oor. Daarna ging hij weer naast Marleen staan, die met een zakdoek wat tranen wegwreef.

De onrust bij Christien nam weer toe. Ze opende haar mond opnieuw. 'Brenda ...'

Brenda spitste haar oren. Ze kon het nauwelijks geloven. Christien noemde zowaar haar naam.

Het hoofd van Christien kwam langzaam wat omhoog. 'Ik wilde alleen maar ... dat zij veilig was ...' De zachte fluistering was nauwelijks verstaanbaar. Het hoofd van Christien gleed in een zucht terug op het kussen.

Marleen draaide zich om naar Brenda, huilde en knikte. 'Hoorde je dat? Hoorde je wat ze zei?'

Voordat Brenda de woorden van Marleen kon bevestigen, klonk Jeffry's stem. 'Het is gebeurd. Jullie moeder is overleden.'

Verbijsterd keek Brenda naar het verstilde lichaam in bed en naar de mond die ondanks alles op het allerlaatste moment haar naam nog had uitgesproken.

Marleen boog zich over het bed en riep haar moeder bij naam. 'Mam ... Nee, ik wil niet alleen achterblijven ... Mama ...' Ze schudde aan Christiens schouders.

Jeffry pakte Marleen zachtjes vast. 'Kom, meisje. Haar lijdensweg is voorbij. Het is goed zo. Ze heeft op een waardige wijze afscheid genomen ... van jullie allebei.'

184

Brenda draaide zich om en liep de gang op, terwijl de zachte fluistering van Christiens woorden nog nagalmde in haar hoofd. Woorden waar ze niet goed raad mee wist. Waarom nu pas, waarom niet veel eerder?

De minuten tikten langzaam weg. Twee verzorgsters hadden na de komst van een schouwarts de taak op zich genomen moeders lichaam te wassen en haar netjes aan te kleden. Brenda en Marleen kregen in een daarvoor bestemde kamer koffie aangeboden, terwijl Jeffry in onderhandeling was met het afdelingshoofd.

'Er is vraag naar de verzekeringsgegevens van Christiens begrafenisondernemer. Ik heb er in je huis naar gezocht, maar niets gevonden.' Jeffry legde Marleen het probleem voor dat Brenda en hij nog niet hadden kunnen oplossen. 'Als je me zegt waar die papieren liggen, ga ik ze halen.'

Marleen dook in elkaar van schrik. Ze schudde ontredderd haar hoofd. 'Het spijt me, maar er is geen verzekering. Moeder heeft nooit iets geregeld. Al haar geld ging op aan drank.'

Er viel een stilte die enkele seconden voortduurde. Ze beseften allemaal dat dit een probleem was. Geen begrafenisverzekering en geen geld betekende dat er van een fatsoenlijke begrafenis geen sprake kon zijn. Dan moest Marleen noodgedwongen aankloppen bij de gemeentelijke instanties om hulp, en dan had ze helemaal niets meer in te brengen.

Marleen sloeg haar handen voor haar ogen. Ze besefte wat dat betekende, en schaamde zich ervoor dat ze zelf ook niet in staat was alle kosten te dragen.

Brenda kuchte, aangedaan door de emotie van schaamte en machteloosheid die haar zusje overviel. Ze stond op en omhelsde Marleen. 'Maak je geen zorgen. Als Arno het ermee eens is, nemen wij alle onkosten van de begrafenis voor onze rekening. Dat is niet meer dan onze plicht.'

'En dat zeg jij, Brenda. Moeder heeft nooit naar je omgekeken. Alleen haar laatste woorden golden jouw persoontje. Woorden waarmee ze duidelijk zei dat ze alleen maar wilde dat jij veilig was. Meer niet.' Marleen keek verbaasd door haar tranen heen naar Brenda.

'Jawel, er is toch iets meer.' Brenda glimlachte. 'Ze heeft me eens het leven gegeven, en uiteindelijk heb ik tot op heden een bijzonder goed leven gehad, dankzij moeke en paps Vesters.'

Jeffry knikte. Ja, hij was het ermee eens. Wat groots van Brenda die woorden uit te spreken. Vervolgens liet hij Brenda en Marleen alleen en liep met de zuster mee naar haar kantoor om een begrafenisondernemer in te schakelen. Er kwam altijd heel wat kijken bij een overlijden. Hij wilde de last voor Marleen en Brenda zo licht mogelijk maken.

16

De dagen gingen veel te snel voorbij. Erik probeerde Eline zo goed mogelijk bij te staan in haar verdriet om het verlies van Ruben. Het miniatuurkereltje stond boven opgebaard in een op maat gemaakt kistje. Zo vaak als ze daar behoefte aan hadden, gingen ze samen kijken. Vandaag was de dag aangebroken om in besloten familiekring afscheid van hem te nemen op de algemene begraafplaats. Eline had er duidelijk moeite mee hem weg te brengen. Een uur voordat ze zouden vertrekken, arriveerde Brenda met Arno. Ze hadden met elkaar afgesproken de kinderen niet bij de plechtigheid te betrekken. De kleintjes hadden nauwelijks weet gehad van Elines zwangerschap. Eline had Brenda de laatste dagen niet meer gezien. Van moeke had ze het hele verhaal over de dood van Christien van Zelst gehoord. En ook dat Marleen terug was en nog net op tijd afscheid van haar moeder had kunnen nemen. Eline besefte dat Brenda momenteel ook genoeg voor haar kiezen kreeg en nam het haar niet kwalijk dat ze niet in staat was geweest haar deze dagen bij te staan. Maar nu was Brenda er dan eindelijk. Ze had haar gemist. Ze omhelsden elkaar lang.

Eline nam Brenda mee naar boven, waar ze samen met Erik het kistje definitief afsloot met een deksel.

De andere familieleden waren al op de begraafplaats aanwezig. Alleen Marleen had zich vanwege haar omstandigheden voor de begrafenis afgemeld. Daar had Eline alle begrip voor. Een ijzige oostenwind waaide en deed een ieder huiveren van de kou. Hoog in de lucht vloog een groep wilde ganzen gakkend door de lucht.

'We krijgen vorst', constateerde paps met een stem die duidelijk trilde van emotie. Het spektakel in de lucht zorgde heel even voor afleiding. Wim en Ada hadden enorm te doen met Eline en Erik.

Ze keken daarna allemaal ontroerd toe hoe Erik het kleine kistje met gemak uit zijn auto tilde. Naast Eline en met het kistje in zijn armen liep hij voorop naar de plek die gereserveerd was voor Ruben. De plechtigheid, die de familie zelf invulde, duurde nauwelijks een halfuur. Erik las nog een gedicht voor dat hij aan Eline opdroeg, en Brenda legde een toefje bloemen op het rulle zand dat Jeffry met een spade op het kistje had geschept. De koude wind joeg hen vervolgens snel de auto in.

Thuis, bij Eline en Erik, was het behaaglijk warm, en zorgden moeke en Brenda voor koffie en thee. Nadat alles rondgedeeld was, miste Brenda plotseling de aanwezigheid van Eline.

'Waar is Eline?', vroeg ze zachtjes aan Erik.

Erik keek rond. Hij had Eline zelf nog niet gemist. Hij was in een ernstig gesprek gewikkeld met Arno. 'Ik denk dat ze naar de babykamer is gegaan. Dat deed ze de afgelopen dagen steeds wanneer het haar even te veel werd. Begrijp je?'

Dat begreep Brenda, maar nu was het kistje met Ruben erin weg, het babykamertje leeg.

'Ik ga even naar haar toe.'

'Dat is fijn', zei Erik. 'Eline heeft behoefte aan jouw troost en vriendschap. Jammer dat je nu zo in beslag wordt genomen door de dood van Christien.'

'Tja, dat kan even niet anders. Zodra de begrafenis van Christien achter de rug is, maak ik meer tijd voor Eline. Dat beloof ik. Ik heb momenteel ook heel wat te stellen met Marleen. Dat begrijp je vast wel.'

'Je bent een fantastische vriendin, Brenda. Dankzij jouw adviezen hebben we Ruben op een goede manier kunnen begraven. Dat zullen Eline en ik nooit vergeten.'

Brenda liep geruisloos de trap op en vond Eline in de babykamer. Ze hield een knuffel tegen zich aan gedrukt en liet haar tranen de vrije loop toen Brenda een arm om haar heen sloeg. 'Weet je wat ik zo vreemd vond aan Ruben?', snikte ze in Brenda's oor. 'Het was hem niet eens aan te zien dat hij het syndroom van Down had. Zo gaaf en perfect zag zijn kleine gezichtje eruit.'

'Nu denk jij vast dat de artsen het fout hadden. Is het niet?' Brenda keek Eline vragend aan.

Eline haalde haar schouders op en snoot haar neus. 'Ik heb het wel even gedacht.'

'Het is niet altijd duidelijk te zien, Eline.'

'Ach, het is niet belangrijk meer. Ik voel me alleen zo vreselijk ongelukkig.'

'Neem de tijd om dit te verwerken. Je hebt je kindje verloren. Dat is afschuwelijk om mee te maken.'

Eline streelde de knuffel die ze nog steeds vasthield. 'Ja, dat is het. Je hebt gelijk. En een andere afschuwelijke werkelijkheid is dat ik nooit meer een baby zal krijgen.'

'Het is te snel om nu al die conclusie te trekken, Eline.'

'Ik wil het niet meer. Ik wil dit Erik niet opnieuw aandoen. Ruben was niet eens zijn kind.'

'Hij heeft Ruben geaccepteerd als was het zijn kindje. Hij is net zo verdrietig als jij.'

Eline legde de knuffel voorzichtig in het wiegje. Haar schouders schokten toen ze besefte dat Ruben dit pluchen beestje nooit met zijn handjes zou vastpakken. Hij zou haar nooit toelachen en het uitkraaien van pret.

'Mijn hoop ... mijn toekomst ... alles is van me afgenomen met Rubens vroegtijdige geboorte en dood. Mijn leven heeft geen zin meer.'

Brenda schudde meewarig haar hoofd. Ze perste haar lippen op elkaar en slikte enkele boze woorden in. Het verdriet en de onmacht vanwege Rubens dood kon ze begrijpen. Woorden van zelfmedelijden, zoals Eline nu uitsprak, niet. 'Het leven gaat nu eenmaal niet altijd zoals we het graag zouden willen. Je weet toch waar je je kracht vandaan kunt halen? Moeke en paps hebben ons als kinderen al geleerd onze handen te vouwen.'

'De moed ontbreekt me.'

Brenda draaide zich om. 'Eline, je weet dat mijn ouders me op jonge leeftijd hebben mishandeld en weggedaan. Moeke en paps leerden me bidden en opnieuw vertrouwen te krijgen in het leven dat God mij heeft gegeven. Als je het zelf niet meer ziet zitten, moet je er maar op vertrouwen dat God het wel met jou ziet zitten. Dan krijgt je leven op een dag vanzelf weer zin. Heus, er breken vast betere tijden aan.'

Zachtjes opende Brenda de deur en trok die langzaam achter zich dicht. Ze voelde zich een belabberde vriendin, die Eline in al haar kwetsbaarheid een opvoedkundig standje had gegeven. Misschien was ze wel te scherp geweest. Ze bleef even staan en zuchtte. Beneden hoorde ze het zachte geroezemoes van stemmen en rammelende koffiekopjes. Diep in haar hart hoopte ze dat Eline de kracht weer zou krijgen om op te staan en verder te gaan met haar leven.

Marleen werd door Jeffry naar huis gebracht. De begrafenisondernemer had Christien meegenomen naar een uitvaartcentrum, vanwaar ze over drie dagen begraven zou worden. Het was een emotionele, enerverende dag geweest. Binnen, waar de kilte hun tegemoetkwam, rinkelde de telefoon.

Jeffry draaide aan de thermostaat van de verwarming, terwijl Marleen de telefoon opnam. Het was Paula, die met een hese, waterige stem informeerde naar haar moeder. In het kort deed Marleen verslag van Christiens overlijden. Paula condoleerde haar en vroeg of ze iets voor Marleen kon doen. Het aanbod deed Marleen goed, maar ze adviseerde Paula eerst goed uit te zieken. Momenteel was er niemand die daadwerkelijk iets kon doen. Moeders kamer leegruimen in het verpleeghuis deed ze liever zelf. Jeffry had haar beloofd te helpen, en verder was er niets wat gedaan moest worden.

Nadat Marleen de telefoon had neergelegd, drukte Jeffry haar in een stoel. 'We moeten samen eens rustig praten, meisje. Daar hebben we door alle commotie nog geen tijd voor gehad.'

Marleen knikte gedwee. Ondanks de trieste afloop voor moeder had haar hart een opgewonden sprongetje gemaakt toen ze Jeffry weer onder ogen kwam. Ze besefte dat ze hem de laatste twee weken enorm had gemist en dat ze zich een leven zonder hem niet meer kon voorstellen.

Jeffry zei dat Brenda en hij heel erg ongerust waren geweest.

Ze mompelde een verontschuldiging en probeerde hem duidelijk te maken dat ze erg overstuur was geweest door de onenigheid die ze met Brenda had gehad.

'Ik ben met de reservesleutel die je me eerder hebt gegeven, in je woning geweest, en ik heb al het mogelijke ondernomen om achter je verblijfplaats te komen', bekende Jeffry eerlijk. 'Ik heb in alle kasten gezocht naar het adres van je tantes, maar dat helaas niet gevonden.'

'Die adressen draag ik bij me. Ze staan in een agenda, en die zit in mijn handtas', legde Marleen uit. Dat had Jeffry intussen begrepen.

'Bij mijn zoekactie stuitte ik bij toeval wel op een fotoboek', ging Jeffry aarzelend verder. 'Een trouwalbum. Zo kwam ik erachter dat je al eerder getrouwd bent geweest.'

Marleens wangen kleurden. Ze knikte. Er lag ineens een zware steen op haar borst. 'Ja,' fluisterde ze, 'ik ben al eerder getrouwd geweest, maar later gescheiden. Het spijt me dat ik je dit niet eerder heb verteld. Ik durfde het ook niet. Jij komt uit zo'n keurig gezin met een kerkelijke achtergrond. Ik dacht ...' Marleen zweeg. Een brok in haar keel belemmerde haar verder te praten.

'Dacht je dat ik daarom niet meer met je zou willen trouwen?' Er klonk ongeloof in Jeffry's stem.

Marleen schokschouderde. 'Ik schaam me zo', wist ze nu uit te brengen.

Jeffry gaf haar een glaasje water en drong er bij haar op aan hem alles te vertellen.

Ze besefte dat ze er niet onderuit kon en vertelde hem van haar eerste ontmoeting met Sander Evers. Dat ze er op zekere dag achter kwam dat Sander, net als haar ouders, aan alcohol verslaafd was. 'Mijn liefde voor Sander maakte me van het begin af aan blind', gaf ze ruiterlijk toe. 'Sander was een erg vrolijke, innemende, joviale man, maar hij kon zijn biertjes en borrels niet missen. Na ons trouwen drong dat pas goed tot me door. Toen de keuken een opslagplaats werd voor bierkratten en whiskyflessen, was het al te laat.'

Jeffry ging rechtop zitten toen ze hem met verslagenheid in haar stem vertelde waarom ze uiteindelijk van Sander was gescheiden. Ze kon haar tranen niet bedwingen toen ze het gedeelte van het verhaal over haar baby onder woorden bracht.

'Wat een ... schoft', schold Jeffry woedend toen tot hem doordrong wat Marleen allemaal had doorstaan. 'Wat een ellendeling. Hoe kon hij? Zijn eigen kind.'

Toen zijn boosheid wat afgenomen was, nam hij Marleen in zijn armen. 'Ik ben blij dat je me alles eerlijk hebt verteld. En het spijt me vreselijk dat je dit allemaal hebt meegemaakt. Ook het verlies van je baby. Meisje, wat een verdriet heb jij gehad. Ik zou willen dat je me dit eerder had verteld. Het doet niets af aan mijn gevoelens van liefde voor jou. Ik wil nog heel graag met je trouwen, Marleen. Jouw verleden is voor mij geen reden om de boot af te houden. Ik houd heel veel van je en ik wil niets liever dan dat je mijn vrouw wordt.'

Marleen nestelde zich in zijn armen en sloot een moment haar ogen. Ondanks het verleden en haar verdriet om moeders dood voelde ze zich in zijn armen intens gelukkig. Jeffry hield echt van haar. Ze voelde het in heel haar lijf. Hij nam haar niets kwalijk.

Er kwamen geen verwijten vanuit zijn teleurstelling of onbegrip. Hij accepteerde haar zoals ze was, inclusief haar asociale afkomst en haar ellendige verleden.

'Ik wil ook niets liever, Jef. Ik wil maar al te graag dat jij mijn man wordt.'

Ze kusten elkaar lang en liefdevol, nadat ze hun trouwplannen opnieuw duidelijk onder woorden hadden gebracht. Er waren geen geheimen meer.

Later vertelde Jeffry haar ook enkele andere nieuwtjes en dat Elines baby veel te vroeg was geboren.

Marleen schrok ervan. Haar maag kneep samen. Ze wist maar al te goed waar Eline nu doorheen ging.

'Na moeders begrafenis wil ik graag een keer met Eline praten. Wil je dat tegen haar zeggen?'

Jeffry beloofde het. Hij omhelsde haar nogmaals, alsof hij haar nooit meer wilde loslaten.

Het gerinkel van de telefoon onderbrak hun omhelzing. Het was tante Elsa, die door Paula op de hoogte was gebracht van het overlijden van Christien.

Brenda was erg opgelucht door de terugkeer van Marleen. Ondanks de ernst van de situatie die hun nauwelijks gelegenheid had gegeven om eens openhartig met elkaar te praten, was het hernieuwde contact meteen goed. De eerder ontstane misverstanden uitpraten kon alsnog. Wanneer straks alle verplichtingen rondom Christiens begrafenis achter de rug waren, moest dat nog een keer gebeuren. Na het overlijden van Christien was daar nog geen tijd voor geweest. Jeffry had meteen de touwtjes in handen genomen door alles voor hen te regelen, en daarna had hij Marleen onder zijn hoede genomen. Begrijpelijk, hij was dol op haar zusje. En ook zij hadden veel met elkaar te bepraten. Brenda's gedachten gleden naar het trouwalbum. Ze hoopte zelf ook snel wat meer over het leven van Marleen te horen.

Bij thuiskomst fronste Arno enkele seconden zijn wenkbrauwen toen Brenda hem op de hoogte bracht van de onkosten die de begrafenis van Christien met zich mee zou brengen. 'Als jij dat op je wilt nemen, moet je het doen. Het is jouw moeder. Dan hoef je jezelf later nooit iets te verwijten.'

'Moeke is mijn moeder', verbeterde ze hem koppig. 'Christien is slechts de persoon die me ter wereld heeft gebracht.'

'Oké, ik zeg al niets meer', antwoordde Arno. 'Zijn de rouwbrieven al weg? En wordt Christien begraven vanuit de kerk waartoe ze behoorde? Ik wil de dag en het tijdstip het liefst zo snel mogelijk doorgeven aan mijn baas.'

'Christien wordt woensdagmiddag in stilte begraven. Er zijn geen rouwbrieven verstuurd. Marleen wilde dat niet. Christien heeft geen vrienden of kennissen om uit te nodigen, en de enige nog overgebleven familieleden onderhielden al jaren geen contact meer met haar. Christien is ook niet bij een kerkgenootschap aangesloten. Daarom wil Marleen er ook geen dominee bij halen. We brengen de kist samen met de uitvaartorganisatie naar het kerkhof. Dat is alles. Het zal een kil afscheid zijn.'

'En de kinderen? Wil je onze kinderen ook meenemen naar de begrafenis?'

Brenda schudde haar hoofd. Maar ineens flitste door haar gedachten dat Christien de naam van Laura had genoemd. Dat haar kleine meisje een bepaalde indruk bij Christien had achtergelaten, greep haar plotseling aan. 'Trots op Laura', had ze met haar laatste krachten nog gefluisterd. En de zuster had zich het vrolijke blonde meisje ook nog herinnerd en gezegd dat mevrouw Van Zelst haar naam meer dan eens had uitgesproken. Een beetje vreemd vond Brenda het wel. Waarom Laura? Ze sprak haar twijfel 's avonds uit bij moeke en paps, die ze even een bezoekje bracht om hen van Christiens overlijden op de hoogte te brengen.

'Ik begrijp het niet', zuchtte ze. 'Waarom nou Laura?'

Moeke lachte zachtjes, ondanks haar verdriet vanwege het te vroeg geboren kleinkind en de vermoeide ogen die erop duidden dat ze aan een goede nachtrust toe was. Ze liep naar de kast en haalde er een fotoboek uit. Ze bladerde er even in. Halverwege draaide ze het album over de tafel heen naar Brenda's kant.

'Kijk, vertel me eens wie dat kleine meisje is.'

Brenda tuurde naar de kleine gestalte op het kiekje: een meisje dat lachte, met twee blonde staartjes en een vrolijk gekleurd jurkje. Ze herkende zichzelf in het kiekje, dat genomen was toen ze pas bij paps en moeke in huis woonde en ze zich voor het eerst gelukkig voelde omdat ze gewoon kind kon zijn.

Ze knikte en begreep wat moeke haar duidelijk wilde maken.

'U hebt gelijk. Laura lijkt als twee druppels water op mij. Ik wist niet dat de gelijkenis zo duidelijk te zien was.'

'Christien heeft het blijkbaar ook onmiddellijk gezien. Het doet me goed van je te horen dat ze Laura bij haar naam heeft genoemd. Toen ze Laura een paar weken geleden in het verpleeghuis zag, herkende ze jou, Brenda. Dat kun je nu niet langer ontkennen.'

'Nee, dat is duidelijk', zuchtte ze en schoof het album terug. 'Maar verder zegt het me niets. Christien heeft in het verleden nooit naar mij gevraagd. Ze heeft mij – en ik ben toch haar oudste dochter – blijkbaar nooit gemist. Alleen op het laatst noemde ze mijn naam. Het was slechts een fluistering, meer niet.'

'Leer de echte Christien kennen. Vraag het Marleen. Misschien kunnen die tantes wat meer over haar vertellen. Je maakt mij niet wijs dat je moeder toentertijd zomaar afstand van je heeft gedaan. Er moet een heel goede reden zijn.'

Moeke zette het fotoalbum weer in de kast en wachtte op Brenda's reactie.

'Het staat me enorm tegen in het leven van Christien te duiken. Alcohol kwam bij haar altijd op de eerste plaats. De verslaving van mijn beide ouders heeft alles kapotgemaakt.'

'Misschien ben je er huiverig voor de waarheid te ontdekken.' Brenda zag tranen in moekes ogen verschijnen. Met een bruusk gebaar trok ze de mouwen van haar trui omhoog.

'Kijk, moeke, dit is de waarheid. Littekens die nooit meer zullen verdwijnen. Hij mishandelde me, en zij keek ernaar zonder me in bescherming te nemen. Ik wil de echte Christien helemaal niet leren kennen. Wanneer ik die littekens zie, weet ik precies wie ze is.'

Moeke snikte, drukte een zakdoek tegen haar ogen en knikte. 'Ik begrijp het, lieverd. Ik kan me inleven in jouw situatie. De herinnering is te afschuwelijk.'

'U hoeft om mij niet te huilen', probeerde Brenda met een dikke brok in haar keel moeke te troosten.

'Ach, het wordt me allemaal een beetje te veel. Eline en Erik zijn zo verdrietig, Jeffry heeft bijna twee weken met zijn handen in het haar gezeten omdat Marleen spoorloos was, en nu zijn Marleen en jij je moeder ook kwijt. En jij ... jouw pijnlijke verleden speelt weer op met deze gebeurtenis. Ik kan je daarbij niet helpen, Brenda. Ik voel me zo machteloos.'

Brenda legde haar arm om de schouders van moeke. 'Paps en u zijn de enige mensen op deze wereld die me daadwerkelijk hebben geholpen, door me in dit geweldige gezin op te nemen. Ik wil niet dat u zich machteloos voelt, moeke. U hebt meer dan genoeg gedaan.'

Vanaf een afstand zag ze dat paps haar vanachter zijn krant een warme knipoog zond. Wat hield ze enorm veel van deze twee mensen. Paps nam vervolgens de telefoon op, die onverwacht rinkelde.

'Dat was Arno. Of je vanavond nog contact wilt opnemen met Marleen.'

Brenda drukte een kus op moekes hoofd. 'Dan ga ik nu naar huis', zei ze. 'En bedankt. Het was fijn, dit vertrouwelijke gesprek.'

Marleen wist te vertellen dat beide tantes, Elsa en Coba, hen na de begrafenis van moeder graag een keer wilden ontmoeten. Ze wilden niet alleen kennismaken met Brenda, maar ook over vroeger praten. 'Het geweten van tante Elsa speelt al enige tijd op. Het oude mensje heeft er sinds mijn contact met haar erg veel last van', zei Marleen. 'Tante Elsa klonk erg emotioneel toen ze me belde om me te condoleren met het overlijden van moeder. Wat denk je, Brenda? Het zijn lieve oudjes. Wil jij hen ook leren kennen? En over vroeger, wil je daar ook meer van weten?'

De directheid van Marleens vraag overdonderde Brenda. Ze associeerde beide tantes meteen met vader Ad. Ze waren zijn zussen, misschien wel met hetzelfde alcoholsop overgoten. Een hardnekkig probleem, dat in de praktijk vaak van het ene familielid op het andere overging. Brenda beet op haar lip en huiverde. Het was niet terecht van haar meteen al zo veroordelend over de onbekende tantes te denken. Een ontmoeting en een gesprek? Tja, eens moest het er toch van komen. Martine had haar ook geadviseerd meer over haar beide ouders te weten te komen. En ook moeke had het haar aangeraden. Daarom was het beter dat ze een ontmoeting niet voor zich uit bleef schuiven. Brenda stemde ermee in en liet het aan Marleen over een datum af te spreken.

Marleen maakte telefonisch een afspraak met tante Elsa. Tante

Coba zou eveneens van de partij zijn. Ze werden verwacht op de avond daags na de begrafenis van Christien.

Op de dag voor de begrafenis reed Brenda 's morgens naar 'Het Klaverblad'. De kinderen zaten op school, Arno was naar zijn werk, Eline en Erik hadden onverwachts besloten enkele dagen weg te gaan naar een achteraf gelegen hotelletje op de Veluwe om tot rust te komen en Marleen wilde die ochtend gebruiken om het uitzendbureau te bezoeken. Ze had zich voorgenomen na de begrafenis van Christien weer zo snel mogelijk aan het werk te gaan in het ziekenhuis. Ze hoopte dat haar plekje bij de receptie nog vrij was en dat niemand anders haar plaats intussen had ingenomen. Daarom vond Brenda deze ochtend bij uitstek geschikt om een kijkje te nemen op haar kantoor. Bas en Martine hadden haar dan wel het advies gegeven ruimschoots tijd voor zichzelf te nemen, maar Brenda wilde niet te veel achterstand oplopen met haar afspraken. Toen ze arriveerde, zat de wachtkamer vol met patiënten voor de dokterspraktijk van Lieneke en de fysiotherapie van Joost. In de lunchruimte, bij het koffiezetapparaat, kwam ze Bas tegen. Hij schonk zichzelf een kop koffie in.

'Brenda. Ben je al zo snel terug? Ik dacht dat je ... Nou, in ieder geval gecondoleerd. Ik heb gehoord van een overlijden in je familie.' Hij was duidelijk verrast haar te zien en keek haar onderzoekend aan.

'Dank je, Bas. Tja, morgen is de begrafenis, en vandaag had ik thuis niets bijzonders te doen', verklaarde Brenda haar aanwezigheid. 'Ik wil hier vanmorgen alleen even mijn afspraken voor volgende week nalopen.'

'Blijf je lunchen?'

'Ja, dat kan ik wel doen. De kinderen blijven over op school. Maar na de lunch ga ik weer.'

Bas tikte even met een tijdschrift dat hij vasthield vriendelijk tegen haar arm. 'Oké, dan zie ik je straks nog', zei hij en liep met een volle kop koffie in zijn andere hand verder.

Daar kwam Martine ook aanlopen. 'Wat ben jij eigenwijs, zeg! Kom je nu alweer werken? Ik had je hier voorlopig nog niet verwacht.' Martine fronste haar wenkbrauwen en keek met een zorgelijke blik naar Brenda, die een kop koffie inschonk en deze doorschoof naar haar.

'Nee hoor. Ik kom nog niet werken. Ik wil alleen even wat kleine dingen doen en me voorbereiden op volgende week maandag. Dan wil ik mijn praktijk weer beginnen. Kan ik straks even bij je binnenlopen?'

'Jazeker. Om halfelf heb ik tussen mijn afspraken door een halfuurtje tijd.' Martine nam nu ook haar kop koffie op en haastte zich naar haar eerste afspraak van die dag.

Brenda schonk zichzelf ook een kop koffie in en liep haar kantoor binnen. Daar opende ze haar agenda. De afspraken van deze week waren geannuleerd. Daar had Martine voor gezorgd. Brenda ging op haar bureaustoel zitten en nam contact op met enkele cliënten om een ander tijdstip af te spreken.

Klokslag halfelf meldde ze zich bij Martine, die al op haar zat te wachten.

'Ik heb intussen van Bas begrepen dat je moeder is overleden', begon Martine voorzichtig. 'Mag ik je condoleren?'

'Dat mag', antwoordde Brenda met een flauwe glimlach. Ze was blij dat Arno enkele vrienden, kennissen en haar collega's van 'Het Klaverblad' had ingelicht over het overlijden van Christien. Dat bespaarde haar de nodige tekst en uitleg. Maar Martine kende haar privésituatie net iets beter dan de anderen.

'Marleen is gelukkig ook weer terug. Ze heeft nog op tijd afscheid van haar moeder kunnen nemen.' Brenda vertelde van de advertentie die ze hadden geplaatst om Marleen op te sporen.

Martine knikte goedkeurend. 'Fijn voor Marleen. En jij? Heb jij ook afscheid van je moeder kunnen nemen?'

Brenda haalde haar schouders op. 'Ik was erbij toen ze stierf. Maar ik wil je alleen even zeggen dat het wel degelijk klopt dat ik gevoelens van loyaliteits met Christien heb.' Ze vertelde over haar onverwachte huilbui bij het uitzoeken van gepaste kleding voor Christien. Dat er iets binnen in haar brak, en dat het verleden niet belangrijk meer leek bij het zien van het naderende einde. 'Ik kan alleen het woord 'moeder', als het om Christien gaat, nog steeds niet makkelijk over mijn lippen krijgen. Dat stuit me zo tegen de borst.'

'Dat is begrijpelijk, Brenda. Zoiets heeft ook tijd nodig. Probeer een dezer dagen een goed gesprek met Marleen aan te gaan, en ook met je beide tantes. Dat zal vast heel verhelderend zijn', adviseerde Martine. 'Je bent in ieder geval op de goede weg.'

Na de lunchpauze reed Brenda terug naar Andel. Het was buiten nevelig en koud, maar ze verkeerde in een opperbeste stemming. Het gesprek met Martine en het gezellige lunchuurtje met haar collega's hadden haar goedgedaan. Ze wilde nu vooral op tijd thuis zijn voor de kinderen. Die hadden wel wat extra aandacht van haar verdiend na deze turbulente weken.

17

De 'teraardebestelling van het lichaam van mevrouw Van Zelst', zoals de begrafenisondernemer het plechtig uitdrukte, was ondanks alles een waardig afscheid. Naast Marleen, Jeffry, Brenda en Arno waren paps en moeke ook bij de uitvaart geweest als ondersteuning voor Marleen en Brenda. Een verpleegkundige van het verpleeghuis voegde zich ook bij de familie, evenals Emma de Boer van de thuiszorg, die Christien enige tijd had bijgestaan met huishoudelijke opknapbeurten toen ze nog zelfstandig woonde. Marleen had haar op de hoogte gesteld van Christiens overlijden. Na de stille plechtigheid dronken ze gezamenlijk koffie. Marleen werd erg emotioneel toen ze uiteindelijk naar huis vertrokken.

'Ondanks alles hield ik van haar', snikte ze op de achterbank van de auto, en ze leunde verdrietig met haar hoofd tegen Brenda's schouder. 'Ik zal haar missen. Ze hoorde bij mijn leven.'

Arno stuurde de auto zwijgend de snelweg op.

Jeffry zat naast hem op de passagiersstoel.

Brenda wist even geen raad met het verdriet van Marleen. 'We hebben elkaar nu', probeerde ze haar te troosten. 'En Jeffry is er ook voor je. In augustus gaan jullie trouwen. Dat moet je voor ogen houden.'

Marleen snoot haar neus en keek Brenda met tranen in haar ogen aan. 'Dat is zo, Brenda. Daar ben ik ook erg blij mee. Maar toch ... Jullie levens zijn zo anders dan dat van mij. Ik heb zo veel meegemaakt waar moeder ook deelgenoot van was. En er waren meer niet-leuke dingen bij dan aangename. Maar dat zul jij nooit begrijpen, en Jeffry ook niet. Ik kom uit een heel ander milieu, niet erg sociaal, hoor. Ik moest altijd vechten voor mezelf, en vaak ook voor moeder opkomen. Er werd zo op ons neergekeken.'

'Daar ben je niet minder om, Marleen.' Brenda streek troostend over de haren van Marleen, zoals ze dat ook deed wanneer een van de kinderen verdriet had en bij haar kwam uithuilen. Ze bespeurde gevoelens van minderwaardigheid in Marleens woorden. Hoe kon het ook anders? 'Ik vind dat we samen eens uitgebreid over vroeger moeten praten. Hoe onze levens waren en wat we zoal hebben beleefd. Zowel de goede als de slechte herinneringen. We moeten het uitspreken tegenover elkaar. We zullen elkaar dan beter leren begrijpen, en dat houdt onze relatie open en eerlijk. We zijn en blijven zussen, ook al kennen we elkaar nog niet zo lang. Ik wil je vriendschap nooit meer kwijt.'

Marleen kneep in Brenda's hand en slaakte een diepe zucht van opluchting. 'Goed, wanneer we bij de tantes zijn geweest, praten we verder over al onze herinneringen. Dan zal ik je eens vertellen hoe het was kind te zijn van een aan alcohol verslaafde vader en moeder.'

Niet lang daarna parkeerde Arno de auto voor het huis van Marleen, waar Jeffry en zij uitstapten.

Brenda ging voorin zitten en zwaaide hun gedag toen de auto weer optrok. 'Ik ben zo blij dat de begrafenis achter de rug is', zei ze met een diepe zucht toen ze de straat uit reden.

'Ja, het is allemaal keurig verlopen. Heb je die situatie met Laura ook al uitgepraat met Marleen?', vroeg Arno.

'Nee, daar is de afgelopen dagen helaas nog geen tijd voor geweest. Maar het gebeurt binnenkort', beloofde Brenda. 'Dat bezoekje aan Christien, waarbij Marleen onze Laura meenam, heeft mij namelijk ook iets duidelijk gemaakt waaraan ik eerder niet gedacht had.'

'Vertel.' Arno keek haar een ogenblik van opzij aan.

'Nou, Laura lijkt als twee druppels water op mij.'

'Ja, dat is duidelijk. Als klein meisje zag jij er precies zo uit. Maar dat wisten we toch al?'

'Wij wel, maar Christien niet. Toen zij Laura die middag voor het eerst in haar leven zag, herkende ze mij in onze dochter. Heel frappant. Ondanks alles laat dit me toch niet onberoerd.'

'Ja, je bent vroeger dan wel definitief uit huis geplaatst, maar Christien is je blijkbaar nooit vergeten. Dat is toch positief.'

'Haar laatste woorden waren dat ze alleen maar wilde dat ik veilig was. Zou dat misschien de reden kunnen zijn waarom ze me nooit meer thuis wilde hebben? Liep ik soms gevaar?'

'Ik weet niet hoe betrouwbaar haar laatste woorden waren, lieverd. Christien was de laatste maanden ernstig ziek. Het syndroom van Korsakov heeft veel kapotgemaakt in haar hersens.'

Brenda sloot haar ogen. Niemand hoefde haar iets over dit ziektebeeld te zeggen. Ze had er in de praktijk ook wel eens mee

200

te maken. Ze kende de signalen en de gevolgen van de absolute verwarring die kon plaatsvinden in het eindstadium. 'Ik hoop wat wijzer te worden tijdens mijn ontmoeting met de tantes Elsa en Coba. Zij weten vast meer over de thuissituatie waarin ik als klein meisje verkeerde.'

'Dat gesprek kan wel eens heel verhelderend zijn', voorspelde Arno haar.

Brenda opende haar ogen en keek hem aan. 'Mm ... ik hoop het. Martine gebruikte overigens precies hetzelfde woord: verhelderend. Ach, ik wacht het maar af.' Buiten zag ze de schemering toenemen. Het weerbericht voorspelde natte sneeuw en vorst. Haar gedachten verplaatsten zich naar Eline, die met Erik naar de Veluwe was vertrokken. Ze had haar na de begrafenis van Ruben niet meer gesproken en vroeg zich af hoe het haar op dit moment verging.

De kamer in het afgelegen hotel op de Veluwe zag er netjes en comfortabel uit. Erik pakte de weekendtas met kleding en toilet-artikelen uit, terwijl Eline vertwijfeld uit het raam keek. Eigenlijk was ze veel liever thuisgebleven, in de nabijheid van de ba-bykamer waar haar kleine schat opgebaard had gestaan. Ze kon zijn aanwezigheid vanmorgen nog duidelijk voelen toen ze zijn kamertje betrad. Het was Eriks idee geweest een paar dagen weg te gaan. Ze was zo stom geweest naar hem te luisteren. Ze voel-de zich absoluut niet thuis in dit hotel. Hier kon ze helemaal niet geconcentreerd aan haar kleine baby denken. De herinnering aan haar voorbije zwangerschap leek ook heel ver weg. Ze was on-gewild losgescheurd van enkele vreugdevolle maanden, en eigenlijk wilde ze alleen maar aan de ellendige situatie denken waarin ze nu zat. Zwelgen in haar verdriet dat niemand begreep. Erik niet, maar ook Brenda niet. Brenda had het zelfmedelijden genoemd. Tja, en wat dan nog? Brenda kon zoiets makkelijk zeg-gen. Zij had tenminste drie gezonde kinderen gekregen.

Eline wreef met haar hand over haar buik, die leeg en plat aan-voelde. Ze kreeg tranen in haar ogen. Nooit meer zou er een ander kindje onder haar hart groeien. Dat had ze zich voorgeno-men. Via een donor hoefde het geen enkel probleem te zijn, maar omwille van Erik was ze vastbesloten het nooit meer te laten ge-beuren. Iets dergelijks moest je als man en vrouw samen willen, en zij had hem gewoon voor het blok gezet door die beslissing destijds alleen te nemen.

'Zullen we een klein eindje gaan lopen en de omgeving verkennen?', stelde Erik voor toen hij haar zo verdrietig uit het raam zag staren.

Eline draaide haar hoofd en keek hem hulpeloos aan. 'Ik wil het liefst weer naar huis.'

Hij was al bij haar en legde zijn handen op haar schouders. 'Nee, lieverd. Laten we blijven. Al is het maar twee dagen. Heus, het zal ons beiden goeddoen.'

'Ons?' Eline keek hem vragend aan. 'Hoe kun je nu 'ons beiden' zeggen. Jij ... jij hebt er bij lange na niet zo veel moeite mee als ik dat mijn baby niet meer leeft.'

'Meer dan je denkt', antwoordde Erik hees. 'Ik heb met verlangen naar zijn komst uitgezien. Dat weet je best.'

'Sorry, dat had ik niet mogen zeggen', zuchtte Eline schuldbewust. 'Maar ik voel me zo machteloos.'

'Eline, als je over een tijdje weer ... ik bedoel via een donor. Dan ... dan ... ga ik daarmee akkoord.'

Eline snikte. 'Wat lief van je dat te zeggen, Erik.'

Hij drukte haar nu tegen zich aan. 'Ik wil alles doen om jou gelukkig te maken, vrouwtje. Alles!'

'Ik ben ook gelukkig met jou. Het is alleen dat ik mijn kleine baby zo erg mis ... Ruben.'

'Ik zou willen dat ik hem aan je kon teruggeven, maar dat gaat niet.'

'Nee', snifte Eline en drukte een zakdoek tegen haar ogen. 'Dat gaat niet. De kinderkamer is zo leeg zonder baby. Wat doen we daar nu mee?'

'Misschien raak je in de toekomst nog zwanger. Wat denk je daarvan? Dan kun je het kamertje met alle babyspullen vast nog gebruiken. En het lijkt me helemaal te gek nog een kindje te krijgen en op te voeden. Echt waar!'

'Ik weet het niet. Ik voel me ten opzichte van jou nog steeds een beetje schuldig vanwege de beslissing die ik eerder alleen heb genomen. Dat zal ik je nooit meer aandoen, Erik.' Eline droogde haar tranen. Het was fijn om hier in de hotelkamer met Erik over Ruben, een nieuwe zwangerschap en baby's te kunnen praten. Haar hart werd er weer helemaal vol van. Het gaf haar ook meteen nieuwe energie en hoop.

Erik zag het dus wel zitten. Daar had ze niet op durven hopen. De gedachten dwarrelden koortsachtig door haar hoofd. Zou ze nog een keer naar de huisarts gaan met het verzoek haar door te sturen naar het ziekenhuis? Of misschien was er wel een andere manier om op korte termijn aan een kindje te komen. Haar gedachten vlogen terug in de tijd, naar de dag waarop haar allerliefste pleegzusje Brenda voet bij hen over de drempel zette. Een verlegen, angstig meisje met mooie helblonde haartjes en een veel te groot smoezelig jurkje om het toen nog zo tengere lijfje. De kapotte schoentjes aan Brenda's voetjes zou ze ook nooit vergeten. Het hart van moeke en paps was op dat moment gesmolten, en Brenda was nooit meer weggegaan. Ze was als een eigen dochter geworden. Haar pleegzusje en beste vriendin. Er gleed een glimlach over Elines gezicht toen ze aan Brenda's woorden dacht op de middag nadat ze Ruben hadden begraven. 'Je weet toch waar je kracht vandaan kunt halen?', had ze gezegd. Ja, van Brenda kon ze die woorden accepteren. Toen Brenda ze uitsprak, deden ze alleen maar pijn, maar Brenda had gezien haar verleden recht van spreken. Eline moest eenvoudig om kracht bidden. God wist veel beter wat goed was voor Erik en voor haar. Elines hart klopte zowaar een slag sneller toen ze aan de mogelijkheid dacht net als moeke en paps een pleegkind een warm en veilig thuis te kunnen bieden. Een onverzorgd, mishandeld kindje, zoals Brenda ooit eens was. 'We kunnen ook overwegen een pleegkind op te voeden, Erik', zei ze. Haar gedachten wilde ze niet langer voor Erik verbergen. 'Misschien moeten we dat doen. Wat vind je daarvan?'

Erik knipperde een paar keer snel met zijn ogen, alsof hij haar niet goed had verstaan. 'Tja, dat kan natuurlijk ook. Het lijkt me een goed idee, lieverd.'

Eline haalde diep adem en zuchtte opgelucht. Het was alsof er ineens meer ruimte in haar binnenste kwam. En licht. Alles voelde ineens veel lichter aan. Het verdriet om Ruben was er nog onverminderd, maar ze kreeg zowaar weer oog voor de toekomst door aan hoopvolle dingen te denken. Er lag nog een hele toekomst voor hen beiden open, waarin kinderen een belangrijke rol konden spelen. Ze hoefden niet een leven lang alleen te blijven. En een kind was een kind, of het nu onder haar hart groeide of niet. Het was niet langer belangrijk. 'Kom, Erik, we gaan wandelen. Dan kunnen we samen over de toekomst praten.'

Ze trokken hun jassen aan, draaiden een sjaal om hun nek en liepen even later gearmd de natuur in, waar juist de eerste natte sneeuwvlokken aarzelend neervielen.

Brenda haalde Marleen op met haar auto. De natte sneeuw van eerder op die dag was overgegaan in een druilerige motregen. De wegen waren nat, en de mensen haastten zich thuis te komen onder de beschutting van een paraplu en in plastic regenjassen. Het huis van tante Elsa was niet ver van Marleens huis verwijderd. De ruitenwissers van de auto zwiepten driftig heen en weer. Intussen praatte Marleen honderduit over haar baan in het ziekenhuis, die ze ondanks haar afwezigheid had kunnen behouden. Het uitzendbureau was blij geweest dat ze weer in staat was maandag te beginnen. De andere uitzendkracht, die haar plekje tijdelijk had ingenomen, bleek niet goed overweg te kunnen met collega Joyce. Er waren al enkele conflicten geweest.

Brenda parkeerde haar auto op aanwijzing van Marleen voor een rij aanleunwoningen en zag de gordijnen van één woning al zachtjes bewegen. Tante zat blijkbaar op de uitkijk en had haar auto gehoord. De voordeur werd meteen opengedaan toen ze wilden aanbellen. Brenda was erg nerveus voor deze eerste ontmoeting met de beide tantes. Ze overhandigde hun beiden een gemengd boeketje bloemen. De oudere dames zagen er nog vitaal uit. Grijs, mager, met rimpels in hun gezichten, tante Coba net iets groter dan tante Elsa. Maar ze glimlachten vriendelijk, gaven haar een hand en bedankten haar voor de mooie bloemen. Marleen kreeg zelfs een zoen. Met Marleen hadden ze een paar maanden eerder kennisgemaakt. Het ijs tussen hen was al gebroken.

Voordat tante Elsa koffie inschonk, vertelde ze dat Paula had opgebeld en dat zij binnenkort ook wilde kennismaken met Brenda. Ze miste Marleen enorm na haar vertrek, maar was nu aan het herstellen van de griep. Of Marleen haar wilde bellen om een afspraak te maken voor een volgend bezoek, maar dan samen met Brenda. Daar had Brenda wel oren naar. Een echt nichtje dat ze nog niet kende, wilde ze heel graag ontmoeten. Marleen had al eerder enthousiast over Paula in Domburg verteld.

'Tja, zo krijg je er meteen wat familie bij', glunderde het oudje, en ze keek Brenda daarbij een beetje verlegen aan.

Ze spraken eerst een kwartiertje over de dood en de begrafenis van Christien. Daarna vond tante Coba dat het tijd werd om over te gaan tot de orde van de avond. Brenda en Marleen waren hiernaartoe gekomen om meer te horen over het verleden. De beide tantes zaten er vol van. Dat was duidelijk te merken, doordat tante Elsa ongedurig heen en weer dribbelde en herhaaldelijk diep zuchtte.

'Dat komt doordat Elsa en ik ook enigszins betrokken zijn geweest bij jouw uithuisplaatsing, Brenda', zuchtte tante Coba. 'We hebben het er de laatste weken samen vaak over gehad en we vonden dat jij en Marleen moesten weten dat Elsa en ik degenen zijn geweest die aan de bel hebben getrokken toen het bij jullie ouders thuis uit de hand liep.'

Brenda fronste haar wenkbrauwen. 'Ik herinner me er niet veel van. Het is zo lang geleden.' Ze besefte dat het een halve waarheid was. Het geschreeuw, de klappen, de sigarettenpeuken die op haar armen werden uitgedrukt als was ze een asbak ... het stond allemaal in haar geheugen gegrift. Maar ze wilde zich tegenover deze tantes groothouden. Het verleden was voorbij. Ze had een andere vader en moeder gekregen en een heel nieuw leven.

'Ja, Coba en ik hebben toentertijd uiteindelijk samen aangifte gedaan.' Tante Elsa nam het over. 'We wilden dit graag aan je kwijt, Brenda, omdat we beiden al enige tijd in gewetensnood verkeren. Toen ik hoorde dat je weer contact had met Marleen, liet het me niet meer los. Coba en ik wilden je graag zien en met je praten, je vertellen hoe het toen gegaan is. Marleen was nog maar een baby, maar jij ... je was vier jaar. Die tijd moet bijzonder traumatisch voor je zijn geweest.'

Brenda merkte dat ze een blos van opwinding kreeg. Ze proefde de emotie in de woorden die tante Elsa uitsprak. Ze ging verzitten en pakte met trillende hand het koffiekopje vast. Haar armen jeukten. Ze was al net zo nerveus als toen ze maanden geleden dat gesprek had met Koen Schipper van de Kinderbescherming. 'Vertelt u me maar wat u kwijt wilt', moedigde ze tante Elsa aan. 'Ik luister.'

Dat liet tante Elsa zich geen tweede keer zeggen. 'Je vader Ad begon al bovenmatig veel te drinken toen hij nog maar een jongeman van achttien jaar was. Hij kwam vaak stomdronken thuis. Daar waren wij als kinderen al snel aan gewend. Onze eigen vader had namelijk al jaren lang hetzelfde probleem, en in Ad vond hij zijn bondgenoot. Nadat vader gestorven was, ging het met Ad almaar slechter. Omdat we het thuis niet al te breed hadden toen vaders inkomen wegviel, moest Ad voortaan een deel van zijn salaris aan onze moeder afstaan voor kost en inwoning. Dat kwam hem vaak niet uit. Het drinken kostte namelijk nogal wat. 's Avonds en in de weekends zat hij altijd in de kroeg totdat hij blut was. Op een dag, toen moeder hem om de wekelijkse bijdrage voor kost en inwoning vroeg, werd hij zo kwaad en sloeg hij haar zo hard dat ze drie dagen later aan de gevolgen van die verwondingen in het ziekenhuis is overleden. Dat was het eerste geweldsdelict dat onze broer pleegde. Maar er was geen haan die daarnaar kraaide. Toen onze moeder in het ziekenhuis belandde, drukte Ad ons namelijk op het hart te zeggen dat moeder van de trap was gevallen.'

Het zweet brak Brenda uit. Ze had zich voorgenomen zich emotioneel niet te laten gaan, maar ze voelde haar weerstand snel wegebben. De man die zich haar vader noemde, had niet alleen haar mishandeld, hij had zelfs zijn eigen moeder doodgeslagen. Erger kon niet. Ze slikte een brok in haar keel weg. Haar hart begon sneller te slaan toen tante Elsa verderging.

'Dat Ad onze moeder zo had toegetakeld, greep ons erg aan. Maar Coba en ik konden ons verhaal aan niemand kwijt. Vanwege het alcoholmisbruik van Ad hadden we toch al een slechte naam in onze buurt. Ad ontmoette niet lang na moeders dood Christien, jullie moeder, een erg naïef meisje uit een goed milieu, dat diep onder de indruk was van Ad en hevig verliefd op hem werd. Al snel raakte ze zwanger van hem, en ze trouwden. Helaas was Christien niet opgewassen tegen Ad. Ze begon zelfs met hem mee te drinken toen Brenda nog niet eens geboren was. Na je geboorte, Brenda, strooide Ad allerlei dronkenmanspraatjes rond; hij zei dat je zijn kind niet was. Dat deed hij voornamelijk omdat hij de verantwoordelijkheid voor jou niet wilde dragen. Zijn hele inkomen ging op aan drank, zodat er enorme schulden ontstonden. Geld voor jouw verzorging had hij niet over. Christien dronk ook mee en verwaarloosde je als baby al vanaf het begin. Ze was bij tijd en wijle absoluut niet in staat om voor je te zorgen. De ouders van Christien hadden al eerder ieder contact met haar verbroken, omdat ze niet naar hen wilde luisteren en de drank niet liet staan. Ze schaamden zich voor hun dochter, die al net zo vaak dronken was als Ad. Coba en ik deden wat we konden om Christien te helpen met jouw verzorging. We hadden intussen zelf ook een gezin met kinderen gekregen, maar we gingen toch dagelijks even bij onze broer en Christien langs om te zien of het goed met je ging. Het was soms erg triest. Je kreeg vaak niet op tijd te eten. Je lag soms uren lang in een vieze luier te huilen. We waren vaak de wanhoop nabij. Toen je een peutertje van twee werd, had Ad niet het geduld met je dat een vader met zijn kinderen moet hebben. Zijn handen zaten los, en jij kreeg regelmatig een ferme tik. Christien durfde er nauwelijks tegen in te gaan, want Ad dreigde steeds op te stappen en haar te laten zitten met het kind. Er ontstonden veel vaker ruzies, en op een dag vertelde Ad dat jij was gevallen. De dokter constateerde een hersenschudding. Later ben je ook van de trap gevallen, zelfs meer dan eens. Je lag twee keer met een gebroken been in het ziekenhuis. Toen Coba en ik je daar eens opzochten, omdat Ad en Christien er geen heil in zagen je in het ziekenhuis op te zoeken, werden we door de behandelende arts apart genomen. Hij riep ons ter verantwoording en vroeg naar de thuissituatie. Je lijfje zat onder de blauwe plekken en je was ernstig ondervoed ...'

Brenda wreef met haar hand langs haar voorhoofd. Ze hoorde bij elke hartslag het bloed in haar oren suizen. Ze herinnerde zich het weer. De harde duw in haar rug, de val van de trap. Haar hoofd, haar been. Alles deed pijn. Het gescheld van Ad, de schreeuw van ... Christien. Ja, het was Christien die zo schreeuwde. Ze twijfelde niet langer.

'Mama ... mama ... Help!' Dat was haar eigen kinderstemmetje. 'Help!'

Mama moest haar helpen. Papa was zo boos. En ze begreep het niet. Waarom? Ze had niets gedaan, helemaal niets. Ze deed nooit iets verkeerd, en toch ...

'Nee, om de drommel niet. Je helpt haar niet. Heb het lef niet ... Ik sla en schop haar zo vaak als ik dat nodig vind.' Brenda voelde de schop tegen haar rug toen ze met haar gebroken beentje onder aan de trap lag te roepen om hulp. Erbovenuit klonk het gekrijs van Christien. Wat er daarna gebeurde, was weg uit haar herinnering.

'Gaat het, Brenda?' Marleen legde een hand op haar schouder. Brenda schrok op uit haar gedachten en knikte automatisch. Ze keek tante Elsa weer aan. Maar nu nam tante Coba het gesprek over.

'Toen Marleen geboren werd, dachten we dat het iets beter zou gaan. Ad was tegen iedere verwachting in reuze trots op zijn nieuwe dochter. Elsa en ik bezochten jullie ouders toen nog steeds regelmatig. We vierden enkele maanden na Marleens geboorte je vierde verjaardag, Brenda, en maakten mooie kiekjes. Je ouders noemden dat geldverspilling. Ze hadden nog nooit een foto genomen. Al het geld ging immers op aan drank. Niet lang na je verjaardag ontdekten we tijdens ons bezoek steeds meer blauwe plekken op je beentjes, en ook brandwondjes op je armen. Het sneed ons door het hart toen Christien uiteindelijk vertelde wat Ad uit pure frustratie tijdens zijn dronken buien met je uithaalde. 'Ik kan niets voor Brenda doen', huilde Christien op een dag. 'Vandaag of morgen vermoordt hij haar nog!'

Elsa en ik schrokken toen enorm. Dat zul je begrijpen. We herinnerden ons het geweld dat Ad gebruikte toen hij onze moeder sloeg. Eén fatale klap, meer was er niet nodig. We moesten er niet aan denken dat hij op een dag te ver zou gaan. Omdat Christien niet van plan was zelf het drinken te laten, en daardoor ook niet goed op jou kon letten, zijn Elsa en ik ten einde raad naar de Kinderbescherming gestapt. We konden het ook niet veel langer aanzien. Je kwijnde zienderogen weg, Brenda. Diezelfde dag zijn Marleen en jij bij je ouders weggehaald en naar mensen gebracht die voor jullie zouden zorgen. Jullie verdwenen dus uit beeld. De pleeggezinnen die zich over jullie hadden ontfermd, kenden wij niet. We kregen van de Kinderbescherming wel te horen dat jullie het goed maakten, en dat was een hele opluchting. Na jaren lang dagelijks controle te hebben uitgeoefend, kregen Elsa en ik eindelijk rust en tijd om aan onze eigen gezinnen te denken.' Tante Coba stopte en dronk van haar koffie.

Brenda haalde opgelucht adem. Het zwaarste deel van het verhaal was voorbij. De herinnering verdween toen ze aan paps en moeke Vesters dacht. 'Ik werd bij een familie in Andel geplaatst. Daar heb ik mijn verdere leven gewoond. Bij moeke en paps

Vesters ben ik een gelukkig mensenkind geworden. Ze hebben me als een eigen dochter opgevoed. Ik heb later begrepen dat Christien en Ad bij de Kinderbescherming hadden aangegeven dat ze geen enkel contact meer met me wilden. Dat heb ik nooit begrepen.'

'Dat klopt', zei tante Elsa. 'Uiteindelijk hebben Coba en ik dat ook voor elkaar gekregen. Ad wilde Marleen wel graag terugzien. Ze was tussen zijn dronken buien door steeds zijn oogappeltje. Maar voor jou had hij geen enkel gevoel, zei hij eens. Je haalde alleen maar het bloed onder zijn nagels vandaan, en hij had ook geen zin om nog langer voor je te zorgen. Christien moest maar afstand van je doen, alsof je een jonge pup was die na zes weken weg moest uit het nest. Maar Christien wilde daar in eerste instantie niets van weten. Zij wilde je niet missen, Brenda. Jij had er net zo goed recht op thuis op te groeien als je zusje Marleen. Door de vijandige houding van Ad tegenover jou ging Christien nog meer drinken. Ze wilde de realiteit niet onder ogen zien. Maar ze kon het ook niet opbrengen Ad te verlaten en samen met jullie in een andere, veilige omgeving te gaan wonen. Want dat had ze ook kunnen doen. Christien koos altijd voor Ad, ook als het ten koste ging van jullie, haar kinderen. Toen er door de mensen van de Kinderbescherming gesproken werd over een bezoekregeling, en jullie thuiskomst in zicht kwam, hebben Coba en ik er bij Christien op aangedrongen jou in je veilige wereldje bij je nieuwe familie te laten blijven. We waren allebei erg bang dat Ad je iets zou aandoen als je weer thuis zou komen. En Brenda, hij had je al zo veel aangedaan. Het duurde niet lang Christien van ons gelijk te overtuigen. Ze deed afstand van je, Brenda. Al was ze, net als Ad, vaak stomdronken, ze wilde in ieder geval niets liever dan dat jij veilig was. Veilig, bij je nieuwe familie ...'

De laatste woorden van Christien op haar sterfbed gonsden ineens weer door Brenda's hoofd. 'Brenda ... ik wilde alleen maar ... dat zij veilig was ...' Brenda's adem stokte even. Christien wilde dat zij veilig was. Veilig voor haar gewelddadige vader. En dat allemaal op advies van deze tantes. Er sprongen tranen van ontroering in Brenda's ogen. Nee, Christien had dan wel nooit naar haar gevraagd, maar ze was haar niet vergeten. Laura had met haar korte bezoekje die herinnering bij Christien waarschijnlijk weer nieuw leven ingeblazen, ondanks alle gebreken die het syndroom van Korsakov met zich meebracht. Het geluid van tante Coba's stem drong opnieuw tot haar door.

'Toen Marleentje weer thuis kwam wonen, hebben Christien en Ad hulp gekregen van maatschappelijk werk en andere disciplines, die zich bogen over de troosteloze situatie waarin ze verkeerden. En dat was maar goed ook. Ad zag in Coba en mij ineens een bedreigende factor en verbrak al het contact met ons. Hij wilde onze bemoeizucht, zoals hij het noemde, niet langer accepteren. Hij verbood Christien ook ons binnen te laten. Ze zonderden zich vanaf dat moment helemaal af. Gelukkig werd Marleen goed in de gaten gehouden door de Kinderbescherming. Ze werd later nog vaak tijdelijk uit huis geplaatst wanneer alles bij herhaling misliep. We hoorden via een omweg dat Ad zijn woede steeds vaker op Christien richtte en haar meer dan eens het ziekenhuis in sloeg, net zoals hij onze moeder eens het ziekenhuis in had geslagen.'

'Ja, en als dat gebeurd was, moest ik altijd weg uit huis', viel Marleen haar tante in de rede. 'Hoe ouder ik werd, des te moeilijker vond ik dat. Op school werd ik er ook altijd mee gepest. Vriendinnen had ik niet. Ze mochten van hun moeders niet met me spelen. Ze moesten me links laten liggen. Mijn ouders waren dronkaards, zatlappen. Met kinderen van zulke lui mocht niemand spelen.'

Brenda keek van opzij naar het gezichtje van Marleen, dat er wit en verdrietig uitzag. Wat een wereld van verdriet lag er in de woorden die Marleen uitsprak. Ze schrok ervan. Dat was haar allemaal bespaard gebleven.

Tante Coba legde troostend een hand op de hand van Marleen. 'Maar jij was wel zijn oogappeltje, meisje.'

Marleen knikte. 'Ja, dat herinner ik me wel', zei ze bitter. 'Op zijn manier was hij dol op me. Dat was meestal op momenten dat hij nuchter was, en die kwamen niet al te vaak voor. Hij was ook altijd blij wanneer ik weer terugkwam uit een pleeggezin. Moeder ook, hoewel het thuis altijd een bende was en het ook altijd weer op een uithuisplaatsing uitliep. Keer op keer. Het is onvoorstelbaar. Ik kijk met afschuw terug op die tijd.'

Er volgde een korte stilte, waarin ze ieder hun eigen gedachten hadden. Tante Elsa schonk nog een tweede kopje koffie in en ging daarna weer zitten.

'Weet je waar Coba en ik nu gewetenswroeging van hebben, Brenda?', vroeg tante Elsa met trillende stem om de stilte te verbreken.

Brenda slikte enkele tranen van ontroering weg en keek naar tante Elsa.

'Dat jij door onze bemoeizucht nooit meer bij je ouders kon zijn. Maar we hadden geen keus, kind. Het leed was niet te overzien geweest als je wel was teruggeplaatst bij je ouders.'

Om Brenda's mond gleed een glimlach. 'Weet u, tante Elsa, Christien heeft op haar sterfbed zelf nog uitgesproken dat ze alleen maar wilde dat ik veilig was. Nu ik uw verhaal zo hoor, maakt het veel goed. Ik heb jaren lang gepiekerd over het waarom van dit alles. Waarom mijn ouders al het contact verbraken en me niet meer wilden zien. Maar nu begrijp ik veel meer. Ik ben dankbaar en blij dat alles is gegaan zoals het is gegaan. Ik ben opgegroeid in een fantastisch pleeggezin, en Marleen gaat in augustus zelfs met mijn pleegbroer Jeffry trouwen.'

Marleen knikte heftig toen de beide tantes haar verrast aankeken. Daarna keken Brenda en Marleen elkaar aan met een blik van verstandhouding. Op hun gezichten lag naast het verdriet om alles wat er was gebeurd, ook opluchting te lezen. De tantes vroegen Marleen honderduit. En Marleen beloofde hun op haar beurt dat zij, en ook Paula met haar man, welkom waren op het feest.

Het was al laat toen Brenda uiteindelijk Marleen naar huis bracht en even met haar mee naar binnen liep.

'Ik wil je mijn verontschuldigingen nog aanbieden voor mijn boosheid en onbegrip toen ik hoorde dat je Laura die middag had meegenomen naar Christien.'

'Ik had dat ook niet mogen doen. Het gelijk is aan jouw kant, Brenda.'

'Nee, achteraf gezien is het zelfs heel goed geweest.'

'Het was wel frappant. Moeder vond dat Laura als twee druppels water op jou leek. Dat ze dat die middag zo duidelijk zag, verbaasde me.'

'Een kleine troost voor mij, dat ze me nooit is vergeten.'

'Laura vond dat moeder eruitzag als een heks', merkte Marleen op. 'Wat zijn kinderen toch eerlijk. Moeder zag er ook uit als een oude, zieke alcoholist. Triest, hoor. Ik hoop dat Laura zich later niet veel meer van haar oma zal herinneren.'

'Ja, dat hoop ik ook. Hoewel ik daar niet bang voor ben. Moeke is haar oma. Ze is dol op moeke. Eigenlijk is het heel erg triest dat wij zo veel nare herinneringen hebben aan zowel Ad als Christien en dat we niet eens trots op hen kunnen zijn.'

'De littekens op je armen, mag ik die eens zien?', fluisterde Marleen met hese stem.

Brenda slikte en aarzelde. 'Ik loop niet te koop met wat Ad me heeft aangedaan. Wil je er echt naar kijken?' Brenda trok haar jas uit en stroopte haar mouwen omhoog. Ze wendde haar blik af toen Marleen keek.

'Ik wist niet dat het er zo afschuwelijk uit zou zien. Dat je met die nare herinnering kunt leven, Brenda.'

Brenda voelde de vingers van Marleen zachtjes over haar rechterarm strijken. Ze draaide haar hoofd en keek in de betraande ogen van haar zusje. 'Mijn littekens staan inderdaad op mijn armen, en de herinnering daaraan is niet prettig. Maar jij hebt toch ook nare herinneringen, Marleen?'

'Ja, we zijn allebei beschadigd. Jij op je armen en ik ... ik ben ten diepste beschadigd in mijn ziel. We zullen dat wat pa en ma ons hebben aangedaan, een leven lang met ons meedragen.'

Brenda liet haar ogen nog een keer langs de littekens gaan en trok daarna haar mouwen weer recht. 'We staan er niet alleen voor. We hebben elkaar nu toch?'

Er gleed een glimlach over het gezicht van Marleen. Ze wreef met de muis van haar hand een traan weg. 'Je hebt gelijk. Gedeelde smart is halve smart.'

Brenda omarmde Marleen, drukte haar wang even iets langer tegen die van haar en slikte snel de brok in haar keel weg. 'Kom, ik ga. Arno wacht thuis op me', zei ze. 'Hij is ook benieuwd naar wat ik hem te vertellen heb. Nou, dag, lieve zus. We maken snel een nieuwe afspraak om samen nog eens over alles te praten. We kunnen het verleden niet doodzwijgen, en ik denk dat we elkaar nog genoeg te vertellen hebben.'

Marleen glimlachte en knikte. 'Jazeker. Dat doen we binnenkort.' Ze zwaaide Brenda na totdat haar auto niet meer te zien was.

In het weekend dat volgde, trokken Brenda en Arno er een dagje met de kinderen op uit naar de Winter Efteling. De omgeving en enkele attracties van het pretpark waren tijdelijk omgetoverd in winterse sferen. De opgespoten sneeuw en een kunstijsbaan zorgden voor veel bekijks. Kinderen, jeugdigen en ook volwassenen gleden op schaatsen over de bevroren waterpartij. Brenda genoot met volle teugen bij het zien van haar kinderen, die enorm veel plezier beleefden. Robert schaatste met wat leeftijdgenoten naar de andere kant van de schaatsbaan. Zijn bewegingen waren zelfverzekerd. Het was duidelijk te zien dat hij eerder had geschaatst. Benny echter kon nog niet goed op zijn schaatsjes vooruit. Hij klungelde en viel regelmatig voorover op zijn knieën. Dat maakte hem kwaad en huilerig. Laura stond stil langs de kant te kijken met haar duim in haar mond en knuffel Pluk tegen zich aan gedrukt. Af en toe hielp ze Benny met opstaan wanneer hij weer eens viel. Na nog enkele mislukte pogingen trok Benny mopperend de ijzers van zijn voeten. Later wandelden ze gezamenlijk door het winterse sprookjesbos. Arno had zijn arm om Brenda heen geslagen. Ze hadden de afgelopen dagen samen veel gesproken over wat de tantes Elsa en Coba hadden verteld over het verleden. Met moeke en paps had ze het er ook over gehad. Ondanks alles was Brenda nu blij dat ze de waarheid wist over haar uithuisplaatsing en de motieven van Christien om elk contact met haar te verbreken toen ze nog een kind van vier was. Het was goed geweest. In het gezin van moeke en paps was ze grootgebracht en gelukkig geworden. Het waren mensen die de titel 'liefhebbende ouders' verdienden.

Laat in de middag reden ze weer naar huis, met drie vermoeide, maar tevreden kinderen op de achterbank. Zondagmorgen gingen ze gezamenlijk naar de kerk. Tot Brenda's verbazing zag ze dat Jeffry en Marleen er ook waren. Na de dienst was er nog tijd om koffie te drinken.

Marleen vertelde dat ze een dagje op bezoek waren bij paps en moeke. 'Dit is de eerste kerkdienst in mijn leven', zei ze blozend. 'Ik schaam me een beetje dat ik zo weinig van de Bijbel en het christelijk geloof weet.'

'Daar hoef je je niet voor te schamen', zei Brenda. 'Christien en Ad hebben je niets van dit alles meegegeven. Je bent er niet mee opgevoed.'

'Jeffry vertelde dat er in onze plaatselijke kerk een Alfacursus wordt gegeven, een kennismakingscursus voor mensen zoals ik, die zonder kennis van de Bijbel en het christelijk geloof zijn opgegroeid. Die cursus wil ik graag gaan volgen.'

Brenda staarde haar zusje vol bewondering aan. Het was duidelijk dat ze naast Jeffry een nieuw leven wilde beginnen. Ze wilde zich helemaal inleven en daarnaast ook bij de familie Vesters horen. De liefde en aanvaarding die paps en moeke dagelijks uitstraalden, hadden Marleen geraakt, net zoals het jaren geleden haar kinderhartje had veroverd. 'Goed van je. Je steekt veel op van zo'n cursus.'

De volgende dag reed Brenda weer naar 'Het Klaverblad'. Het was vandaag haar eerste werkdag na de turbulente januariweken waarin zo veel gebeurd was. Alle collega's waren blij haar weer te zien.

Tijdens de koffiepauze wipte Martine even bij haar binnen. 'Hoe gaat het nu met je zusje en jou? Heb je intussen een gesprek met haar gehad?'

Brenda leunde achterover tegen de leuning van haar bureaustoel. 'Ja, en ook met mijn tantes.' Ze vertelde aan Martine wat ze kwijt wilde.

'Dus op de belangrijkste vragen heb je antwoord gekregen', concludeerde Martine.

Brenda glimlachte. 'Er zijn twee belangrijke gebeurtenissen in mijn leven waar ik Christien dankbaar voor ben. Op de eerste plaats is zij de vrouw die mij het leven heeft geschonken, en op de tweede plaats heeft ze op een belangrijk moment in mijn kinderjaren toch mijn veiligheid op het oog gehad en besloten nooit meer enig contact met me op te nemen. Uit het verhaal van mijn tantes blijkt dat het de enige keer is geweest dat ze daadwerkelijk voor me opkwam, door me nooit meer te willen zien. Op de overige vragen zal ik misschien nooit een antwoord krijgen. Ik moet leren omgaan met alle pijnlijke herinneringen. Christien en Ad hebben namelijk door hun overmatige drankgebruik niet alleen hun eigen leven verwoest, maar ook dat van Marleen en mij. Marleen heeft in deze situatie het meest geleden. Het zal nog lang duren voordat ze daaroverheen zal zijn. En ik ... de schade die ik heb geleden, is slechts terug te vinden in een stel littekens en herinneringen. Gelukkig mocht ik in het gezin van moeke en paps Vesters komen wonen. Dat maakt zo veel goed!'

'Geweldig, dat er zo veel echtparen in Nederland zijn die ruimte geven aan pleegkinderen in hun gezin', zei Martine met bewondering in haar stem.

'Tja.' Brenda speelde met haar pen en keek een paar momenten strak naar het raam, waar een fel winterzonnetje doorheen scheen. Daar had Martine natuurlijk gelijk in. De meeste mensen die pleegkinderen in hun gezin opnamen, hadden ook een groot hart. 'Zolang er kinderen zijn die in een crisisgezin wonen, zoals Ellie van de Westen en Marleen en ik, zijn pleegouders absoluut noodzakelijk.'

Nadat Martine was teruggekeerd naar haar kantoor, bleef Brenda nog enige tijd voor zich uit zitten staren. Haar gedachten waren bij Ellie, het kleine meisje dat haar pijnlijke verleden had losgewoeld. Brenda vroeg zich af hoe het nu met haar ging. Ze nam zich voor haar in de toekomst op afstand te blijven volgen. Bas was Ellies huisarts, en volgens zijn laatste berichten bloeide het kind helemaal op bij haar pleegouders.

Brenda schrok op van de telefoon die onverwachts rinkelde. Ze duwde de hoorn tegen haar oor en hoorde tot haar grote verrassing de stem van Eline.

'Bel ik op een gelegen moment, Brenda?'

'Ja, ik zit alleen op mijn kantoor. Over tien minuten verwacht ik een volgende cliënt.'

'Mooi! Ik moet je namelijk iets vertellen.'

Het ontging Brenda niet dat de stem van Eline opgewekt klonk. Ze spitste haar oren. Wat had Eline haar te vertellen?

'Erik en ik hebben samen besloten om een pleegkindje op te nemen en op te voeden. Het liefst een kleine baby, zodat ik alle babyspullen van Ruben nog kan gebruiken. Wat vind je van dit nieuwtje?'

'Een geweldig voornemen, Eline. Ik ben zelf ook een pleegkind. Dat weet je.'

'Ja, jij bent mijn grote voorbeeld', viel Eline haar in de rede. 'Ik heb weer een doel om voor te leven, Brenda.'

Brenda kreeg een brok in haar keel, en er sprongen tranen in haar ogen toen ze zich het warme welkom bij moeke en paps Vesters weer herinnerde. Dat zou ze haar leven lang nooit vergeten. Ze was onverzorgd geweest, gewond, ongelukkig en angstig. Eline stond er toen ook bij. Ze had haar hand toen in Brenda's trillende handje gelegd als blijk van vriendschap.

'Erik en jij zullen vast heel goede ouders zijn', fluisterde Brenda hevig geëmotioneerd. 'Daar ben ik van overtuigd. Je hebt moeke en paps immers als voorbeeld. En namens alle pleegkinderen die het thuis heel moeilijk hebben, wil ik je uit het diepst van mijn hart bedanken voor de liefde die je samen met Erik gaat uitdelen.'

'Ik ben blij met een pleegzusje als jij.'

Brenda depte haar ogen met een zakdoek. Ze was niet in staat nog iets te zeggen. Er was zo veel om dankbaar voor te zijn.